Italien

guide de conversation

Guide de conversation *Italien 2*
Traduit de l'ouvrage *Italian Phrasebook 3, March 2008*
© Lonely Planet Publications Pty Ltd

Traduction française : © Lonely Planet 2008,
12 avenue d'Italie, 75627 Paris cedex 13
☎ 01 44 16 05 00
✉ lonelyplanet@placedesediteurs.com
🖥 www.lonelyplanet.fr

place
des
éditeurs

Dépôt légal
Février 2008
ISBN 978-2-84070-719-6

Illustration de couverture
La Vespa de l'amour, de Daniel New

texte © Lonely Planet Publications Pty Ltd 2008
illustration de couverture © Lonely Planet Publications Pty Ltd 2008

Imprimé en France par E.M.D.
N° dossier : 18639

remerciements

Ce guide de conversation *Italien* est l'œuvre de Lonely Planet et d'Annelies Mertens et Piers Kelly, secrétaires d'édition. Karina Coates, Pietro Iagnocco et Susie Walker se sont chargés des traductions en italien.

Responsable éditorial : Didier Férat
Coordination éditoriale : Cécile Bertolissio
Coordination graphique : Jean-Noël Doan
Traduction et adaptation en français : Marylène Di Stefano

La maquette de ce guide et de la couverture a été créée par Yukiyoshi Kamimura, Patrick Marris et Nicholas Stebbing. Christian Deloye a réalisé, avec brio, la maquette pour l'édition française, Corinne Holst s'est chargée de la couverture. Les illustrations sont de Yukiyoshi Kamimura, adaptées par David Guittet pour l'édition française.

Natasha Velleley, Paul Piaia et Wayne Murphy ont créé la carte de répartition de la langue. David Guittet l'a adaptée en français.

Un grand merci à Françoise Blondel pour sa contribution au texte.

Nos plus vifs remerciements vont à Émilie Esnaud qui a apporté une aide précieuse à la réalisation de ce guide, à Branka Grujic, Jean-Noël Doan et Dominique Spaety, à Clare Mercer et Ellie Cobb du bureau londonien, ainsi qu'à Debra Herrmann du bureau australien.

Sachez tirer parti de votre guide ...

Nous pouvons tous parler une langue étrangère ! Tout est question de confiance en soi. Peu importe si vous n'avez rien gardé de vos cours de langue à l'école. Si vous assimilez aujourd'hui ne serait-ce que les expressions de base reproduites sur la couverture de ce guide, votre voyage en sera métamorphosé. N'hésitez pas, profitez de cette porte ouverte sur l'Italie, lancez-vous dans l'aventure de la communication !

comment se repérer

Ce guide est divisé en sections, matérialisées par des onglets de couleur. Le chapitre **basiques** expose les bases de l'italien. Il sera votre référence permanente. La partie **pratique** présente les situations de la vie quotidienne. Celle intitulée **en société** vous offre les clés des rapports sociaux : comment engager une conversation, tester son pouvoir de séduction ou exprimer une opinion. Une section entière, **à table**, est consacrée à l'alimentation, avec des rubriques gastronomie, plats végétariens et spécialités locales. La partie **urgences** aborde les problèmes de sécurité en voyage et de santé. Un index détaillé, situé en fin d'ouvrage, répertorie les différentes questions abordées. Il est précédé d'un dictionnaire bilingue.

pour vous exprimer

Chaque phrase et expression de ce guide est présentée en italien, accompagnée de sa transcription phonétique (matérialisée par des phrases de couleur dans la partie droite de chaque page) et de sa traduction en français. Notre système de transcription est expliqué en détail dans le chapitre **prononciation** de la partie **basiques**. Il ne requiert pas d'apprentissage spécifique.

les petits plus

Les encadrés *expressions courantes* vous offrent un aperçu de l'italien tel qu'il est parlé dans la rue. N'hésitez pas à vous en inspirer. Ceux intitulés *parler local* réunissent des phrases qui reviennent souvent dans une situation spécifique. Pour faciliter votre compréhension, la phonétique est alors employée avant l'italien.

sommaire

5

langue nationale **nombreux locuteurs**
Pour davantage de détails, consultez l'introduction.

L'italien – comme l'espagnol, le portugais ou le roumain – est une langue romane. Restée très proche du latin, elle présente de nombreuses similitudes avec le français, dans sa grammaire comme dans son vocabulaire. La plupart d'entre nous, parfois sans même le savoir, possèdent déjà des connaissances en italien. Songez, par exemple, à des mots comme *ciao*, *pasta* et *bello*, pour ne citer que les plus courants. Vous aurez du mal à rester insensible aux charmes d'une langue où chaque phrase sonne comme une *aria*, et à ne pas engager la conversation !

On estime à environ 65 millions le nombre d'italophones dans le monde. Essentiellement parlée en Italie, elle est utilisée en Suisse, en France et en Slovénie, mais aussi en Australie, en Argentine et aux États-Unis, où vivent de nombreux migrants italiens depuis le début du XXe siècle. L'italien est fréquemment parlé en Istrie, presqu'île de la Croatie, où est implantée une importante communauté italienne depuis la colonisation d'une partie de la côte dalmate par les Vénitiens au XIIe siècle. On parle italien en Érythrée, pays d'Afrique de l'Est et colonie italienne de 1880 à 1941.

Il existe beaucoup de dialectes dans la Péninsule. On en recense

en bref...

langue : italien

en italien : *italiano* i·ta·*lya*·no

groupe linguistique : langue romane

pays principal : Italie

nombre de locuteurs : 65 millions

langues apparentées : espagnol, français, portugais, roumain

emprunts à l'italien : nombreux emprunts dans le domaine de la cuisine (spaghettis, broccolis, macaronis, etc.), de la musique (virtuoso, opera, viola), de l'architecture (studio, stucco, etc.) ou de l'art (maestro, fresco).

sur tout le territoire et certains d'entre eux sont si différents de l'italien standard qu'on les considère comme des langues à part entière. Ce n'est en effet qu'à partir du XIXe siècle que le toscan – la langue de Dante, Boccace, Pétrarque et Machiavel – est devenu la langue de la nation. L'italien standard est parlé à l'école, et utilisé par les médias et l'administration. C'est lui qui vous accompagnera dans vos pérégrinations. Toutes les phrases que nous présentons ici sont celles que les Italiens utilisent tous les jours.

Ce guide vous fournira tous les mots dont vous aurez besoin en chemin, ainsi qu'une série de phrases idiomatiques. Vous n'êtes toujours pas décidés ? Souvenez-vous que les contacts que vous nouerez dans la langue de Dante rendront votre voyage unique. Les habitudes locales, de nouveaux amis et une grande satisfaction sont sur le bout de votre langue, alors ne restez pas plantés là, dites quelque chose !

> abréviations utilisées dans ce guide :

f	féminin
fam	familier
m	masculin
sing	singulier
pl	pluriel
pol	formule de politesse

Le système phonétique Italien vous semble probablement familier : en effet, une grande partie des sons que vous entendez existent déjà en français. Vous noterez certainement de légères différences, mais cela ne vous empêchera ni de démarrer ni d'être compris. Ce guide fournit la prononciation de l'italien courant – celui qu'on utilise partout, dans les médias et à l'école.

voyelles

symbole	équivalent français	exemple italien
a	p**a**r	*p**a**ne*
è / é	p**è**re / mus**é**e	*l**e**tto / pr**e**nd**e**re*
i	jeud**i**	*v**i**no*
o	p**o**t	*m**o**lo*
ou	m**ou**le	*fr**u**tta*

L'alphabet italien compte 5 voyelles (a, e, i, o, u). Les voyelles **a**, **i** et **o** se prononcent comme en français. Le **e**, qui n'est jamais muet, peut se prononcer fermé, comme dans "musée", ou ouvert, comme dans "lettre". Quant au **u**, il se prononce "ou" comme dans "chou".

L'italien possède également une série de diphtongues. Reportez-vous au tableau suivant :

symbole	équivalent français	exemple italien
eille	os**eille**	*vor**rei***
aille	bat**aille**	*m**ai***
oï	langue d'**oïl**	*p**oi***

consonnes

symbole	équivalent français	exemple italien
b	**b**ien	*bello*
tch	**tch**in-tchin	*centro/cioccolato*
d	**d**emain	*denaro*
dz	**Z**ingaro	*zaino/ mezzo* (son dur dû au redoublement de la consonne)
f	**f**amilier	*fare*
g/gu	**g**olfe/**gui**	*gomma/ghiza*
dj	**j**azz	*cugino/giorno*
k	**k**araté	*cambio/quanto/chiesa*
l	**l**undi	*linea*
ly	mi**ll**ion	*figlia*
m	**m**aison	*madre*
n	**n**on	*numero*
ny	ca**ny**on	*bagno*
p	**p**etit	*pronto*
r	**r**ire (en roulant le r)	*ristorante*
s	**s**oir	*sera/posso*
ch	**ch**oisir	*scena, sci, shopping*
t	**t**oile	*teatro*
ts	**ts**é-tsé	*grazie/ sicurezza* (son dur dû au redoublement de la consonne)
v	**v**oyage	*viaggio*
w	**ou**ate	*uomo*
y	**y**o-yo	*italiano/juventus*
z	ro**s**e	*casa*

Le système consonantique italien, outre les règles de prononciation présentées ci-dessus, possède une particularité : contrairement au français, les doubles consonnes se prononcent. Le son émis est alors plus long et plus dur que celui d'une simple consonne, et la voyelle précédente est prononcée ouverte. Cette différence de prononciation, qui confère également à la phrase sa force expressive, suffit à changer le sens de mots graphiquement très proches.

Les exemples reportés ci-dessous illustrent la différence qu'il existe entre ces deux prononciations, due au redoublement de la consonne :

sonno	*son·no*	**sommeil**
sono	*so·no*	**je suis**
pappa	*pap·pa*	**bouillie**
papa	*pa·pa*	**pape**

Quand vous rencontrerez une double consonne, vous l'allongerez en la durcissant avec insistance. Toutefois, même si votre prononciation reste imprécise, ne vous inquiétez pas, le contexte éclairera votre phrase.

accent tonique

En italien, on accentue généralement l'avant-dernière syllabe d'un mot. Lorsqu'un mot est écrit avec une voyelle accentuée (comme dans *città*), l'accent tombe sur cette syllabe. La mélodie caractéristique de la phrase italienne dérive ainsi de la prononciation rythmée et régulière des syllabes, suivie d'une baisse de ton sur le dernier mot.

Dans ce guide, la syllabe accentuée est toujours marquée en italique ; vous ne pourrez donc pas vous tromper, même si vous avez oublié la règle générale !

lancez-vous !

Ne vous en faites pas trop au sujet de la prononciation. Écoutez les gens parler. La phonétique vous indiquera la place de l'accent et la bonne prononciation de chaque phrase.

orthographe et prononciation

Le rapport entre l'italien écrit et sa prononciation est simple et cohérent. Les règles suivantes vous aideront à lire l'italien que vous rencontrerez dans vos voyages :

an, on, in, en/ am, om, im, em	les nasales n'existent pas en italien. Les prononcer comme dans "bonne" ou "pomme"	*pronunciare/ cambiare*
c, g, sc	avant *a, o, u* et *h*, le son est guttural comme le "k" de "koala", le "g" de "gourmand" et le "sc" de "scooter"	*bianco, dischetto, gomma, fresco*
	avant *e* et *i*, le son est plus doux comme le "tch" de "tchin", le "dj" de "jazz" ou le "ch" de "chemin"	*centro, gelato, ascensore*
ci, gi sci	avant *a, o, u*, on ne prononce pas le *i*	*ciao, giallo* et *prosciutto*
h	le *h* est toujours muet	*traghetto*, **ho**
j, w, k, x et y	on ne les rencontre que dans des mots d'origine étrangère	*jogging, weekend, kosher, fax* et *yogurt*
z	prononcé "dz" ou, selon les cas, "ts"	*zaino grazie*
s	on le prononce comme un "z" quand il est placé entre 2 voyelles, comme un "s" dans les autres cas	*casa* *sì, essere* et *scatola*
gli, gn	prononcé respectivement comme "lyi" de "million" et "ny" de "canyon"	*figlia, bagno*

adjectifs

Comme en français, les adjectifs s'accordent en genre et en nombre avec le nom auquel ils se rapportent :

un chat noir
un gatto nero   ounn *gat*·to nè·ro
(litt : un chat noir)

Le pluriel des adjectifs en -o est généralement en -i ; celui des adjectifs en -a est en -e. Les adjectifs en -co, -go, -ca, -ga ont toutefois un pluriel en -chi, -ghi, -che, -ghe ; et certains adjectifs placés devant le nom (*bello*, *buono*, *grande*) suivent la règle de l'article :

	singulier	pluriel
masculin	-o	-i
féminin	-a	-e

Les adjectifs qui finissent par -e au singulier, comme *felice* (heureux), prennent un -i au pluriel, sans distinction entre masculin et féminin :

	singulier	pluriel
masculin/féminin	-e	-i

les chats heureux
i gatti felici   i *gat*·ti fé·*li*·tchi
(litt : les chats heureux)

article indéfini

En italien, l'article indéfini se traduit par *un/una* et, comme en français, s'accorde en genre avec le nom auquel il se rapporte (voir la rubrique **genre**).

Je voudrais un sandwich et une pomme.

*Vorrei un panino e
una mela.*

vor·*reille* ounn pa·*ni*·no é
ou·na *mè*·la

(litt : voudrais un sandwich et une pomme)

Il existe deux autres formes, *uno* et *un'*, qui dépendent chacune de la première lettre du mot qui suit :

	avec la plupart des substantifs	exceptions
masculin	*un*	*uno*	noms commençant par un s "impur" (suivi d'une consonne) ou par *z, gn, pn, ps, x* or *y*
féminin	*una*	*un'*	noms commençant par une voyelle

Le pluriel se construit sans l'article.

Lire des livres.

Leggere libri.

lé·djè·ré *li*·bri

(litt : lire livres)

L'italien comme le français recourt parfois à l'article partitif (*dei, degli, delle*). Voir la rubrique **article partitif** (ci-dessous).

article défini

L'article défini, comme en français, s'accorde en genre et en nombre avec le nom auquel il se rapporte. Les formes *lo* et *gli* sont utilisées avec des mots masculins qui commencent par un *s* impur (suivi d'une consonne), ou par *z, gn, pn, ps, x* ou *y*.

il treno	il *trè*·no	**le train**
i treni	i *trè*·ni	**les trains**
lo zaino	lo *dza*·i·no	**le sac à dos**
gli zaini	lyi *dza*·i·ni	**les sacs à dos**
la ricevuta	la ri·tché·*vou*·ta	**le reçu**
le ricevute	lé ri·tché·*vou*·té	**les reçus**
l'uscita	lou·*chi*·ta	**la sortie**
le uscite	lé ou·*chi*·té	**les sorties**

Voir également les rubriques **genre** et **pluriel des noms**.

article partitif

Les articles définis "le", "la", "les" précédés de la préposition "de" se contractent en "du", "de la", "des", et s'accordent en genre et en nombre avec le substantif auquel ils se rapportent :

	singulier					pluriel		
	masculin			**féminin**		**masculin**		**féminin**
le/la/ les	*il*	*lo*	*l'*	*la*	*l'*	*i*	*gli*	*le*
du/de la/des	*del*	*dello*	*dell'*	*della*	*dell'*	*dei*	*degli*	*delle*

Je voudrais des antibiotiques.
Vorrei degli   vor·*reille* dè·lyi
antibiotici.   ann·ti·*byo*·ti·tchi
(litt : voudrais des antibiotiques)

Donnez-moi de l'eau.
Mi porti dell'aqua.   mi *por*·ti dèl·*la*·kwa
(litt : qu'elle me porte de l'eau)

avoir

Il est possible d'exprimer l'idée de possession de plusieurs façons en italien. La plus facile est d'utiliser le verbe *avere* (avoir) :

j'	ai	un billet	io	ho	un biglietto
tu sing fam	as	une montre	tu	hai	un orologio
vous sing pol	avez	l'addition	Lei	ha	il conto
il/elle	a	un problème	lei/lui	ha	un problema
nous	avons	la clef	noi	abbiamo	la chiave
vous pl	avez	un horaire	voi	avete	un orario
ils	ont	des enfants	loro	hanno	dei bambini

c'est...

Vous pouvez mettre quelque chose en relief en utilisant *È ...* (C'est ...) :

C'est une tradition locale.
È una tradizione locale.   è ou·na tra·di·tsyo·né lo·ka·lé
(litt : est une tradition locale)

Pour poser une question, vous pouvez utiliser la même construction, mais pensez à monter le ton de votre voix.

Consultez aussi la rubrique **démonstratifs** et **questions**.

comparaison

Pour comparer une chose et l'autre, utilisez les mots *più* (plus) et *meno* (moins) de la façon suivante :

più/meno ... di
(litt : plus/moins ... que)

pyou/*mè*·no ... di

Tu es moins fatigué que moi.
Sei meno stanco di me.
(litt : es moins fatigué de moi)

seille mè·no *stann*·ko di mé

il/la ... più/meno ...
(litt : le/la ... plus/moins ...)

il/la ... pyou/*mè*·no ...

Tu es la plus belle femme du monde.
Sei la donna più
bella del mondo.
(litt : es la femme plus belle du monde)

seille la *don*·na pyou
bèl·la dèl *monn*·do

démonstratifs

Pour désigner une personne ou un objet, utilisez l'un des mots suivants :

singulier		pluriel	
masculin	**féminin**	**masculin**	**féminin**
questo	*questa*	*questi*	*queste*
quel/quello	*quella*	*quei/quegli/quelli*	*quelle*

Cette place est-elle libre ?

È libero questo posto?
(litt : est libre cette place)

è *li*·bé·ro *kwè*·sto *pos*·to

Quelle est la spécialité de cette région ?
Qual'è la specialità
di questa regione?
(litt : quelle est la spécialité
de cette région)

kwa·*lè* la spé·tcha·li·*ta*
di *kwè*·sta ré·*djo*·né

Les adjectifs démonstratifs employés seuls correspondent à "ça" :

Comment ça s'appelle ?
Come si chiama questo?
(litt : comment s'appelle ça)

ko·mé si *kya*·ma *kwè*·sto

Combien ça coûte ?
Quanto costano questi/
queste? m/f
(litt : combien coûtent ces)

kwann·to kos·ta·no kwè·sti/
kwè·sté

être

Il existe deux façons d'exprimer le verbe "être" en italien : *essere* et *stare*.

Essere est généralement utilisé pour décrire un état durable :

je	suis	content(e)	io	sono	felice
tu sing fam	es	italien(ne)	tu	sei	italiano/a
vous sing pol	êtes	artiste	Lei	è	artista
il/elle	est	riche	lui/lei	è	ricco/a
nous	sommes	tristes	noi	siamo	tristi
vous pl	êtes	jeunes	voi	siete	giovani
ils	sont	étudiants	loro	sono	studenti

Stare décrit un état temporaire :

je	vais	bien	io	sto	bene
tu sing fam	es	chez toi	tu	stai	a casa
vous sing pol	êtes	malade	Lei	sta	male
il/elle	va	mieux	lui/lei	sta	meglio
nous	sommes	en train de voyager	noi	stiamo	viaggiando
vous pl	êtes	en vacances	voi	state	in vacanza
ils	sont	en train de manger	loro	stanno	mangiando

futur

Le futur se construit avec le verbe à l'infinitif + la terminaison (-ò, -ai, -à, -emo, -ete, -anno). Les verbes en -are subissent une légère modification. Voici l'exemple du verbe *viaggiare* (voyager).

je	voyagerai	io	viaggerò
tu sing fam	voyageras	tu	viaggerai
vous sing pol	voyagerez	Lei	viaggerà
il/elle	voyagera	lui/lei	viaggerà
nous	voyagerons	noi	viaggeremo
vous pl	voyagerez	voi	viaggerete
ils/elles	voyageront	loro	viaggeranno

Vous pouvez aussi exprimer le futur en utilisant le présent et des indications temporelles qui concernent le futur :

Demain, nous allons à Rome.
Domani andiamo   do·*ma*·ni ann·*dya*·mo
a Roma.   a *ro*·ma
(litt : demain allons à Rome)

Je reviens dans 3 jours.
Torno fra tre giorni.   *tor*·no fra tré *djor*·ni
(litt : reviens dans trois jours)

genre

Comme le français, l'italien différencie masculin et féminin. Vous déduirez facilement le genre d'un nom en utilisant cet aide-mémoire :

masculin	féminin
· noms se terminant en -o	· noms se terminant en -a
· noms se terminant en -ore	· noms se terminant en -essa
· noms se terminant par une consonne	· noms se terminant en -ione
	· noms se terminant en -trice

négation

Pour faire une phrase négative, il suffit d'ajouter le mot *non* (non) avant le verbe :

Je parle italien.
   Parlo italiano.   *par·lo i·ta·lya·no*
   (litt : parle italien)

Je ne parle pas italien.
   Non parlo italiano.   *nonn par·lo i·ta·lya·no*
   (litt : ne parle italien)

ordre des mots

L'ordre des mots est généralement le même qu'en français (sujet-verbe-complément) :

Nous attendons le bus.
   Noi aspettiamo l'autobus.   *noï a·spét·tya·mo la·ou·to·bous*
   (litt : nous attendons le bus)

pluriel des noms

En général, les mots qui se terminent par *-a* au singulier, finissent par *-e* au pluriel, et les mots qui finissent par *-o* ou *-e* au singulier, finissent par *-i* au pluriel :

singulier			pluriel		
une personne	*una persona*	*ou·na pér·son·na*	**trois personnes**	*tre persone*	*tré pér·so·né*
un billet	*un biglietto*	*ounn bi·lyét·to*	**deux billets**	*due biglietti*	*dou·é bi·lyè·ti*
un pays	*un paese*	*ounn pa·è·zé*	**cinq pays**	*cinque paesi*	*tchinn·kwé pa·è·zi*

Souvenez-vous que les articles et les adjectifs s'accordent en genre et en nombre au nom (voir les rubriques **adjectifs**, **article défini**, **article indéfini** et **article partitif**).

L'italien possède des pluriels irréguliers :

pluriels irréguliers

Noms féminins dont le pluriel est en -i :

la ala	la *a*·la	l'aile
le ali	le *a*·li	les ailes

Noms masculins au singulier et féminins au pluriel :

il labbro	il *lab*·bro	la lèvre
le labbra	lé *lab*·bra	les lèvres

Noms invariables :

la città	la tchit·*ta*	la ville
le città	lé tchit·*ta*	les villes

Noms dont la graphie change entre le singulier et le pluriel :

il dio	Il *di*·o	le dieu
i dei	i *dèi*	les dieux

possessifs

Les adjectifs possessifs s'accordent en genre et en nombre au nom auquel ils se rapportent, et sont, sauf exception, précédés de l'article :

	singulier		pluriel	
	masculin "billet"	féminin "chambre"	masculin "livres"	féminin "chaussures"
mon/ma/ mes	*il mio biglietto*	*la mia camera*	*i miei libri*	*le mie scarpe*

ton/ta/tes sing fam	*il tuo biglietto*	*la tua camera*	*i tuoi libri*	*le tue scarpe*
votre/vos sing pol	*il Suo biglietto*	*la Sua camera*	*i Suoi libri*	*le Sue scarpe*
son/sa/ses	*il suo biglietto*	*la sua camera*	*i suoi libri*	*le sue scarpe*
notre/nos	*il nostro biglietto*	*la nostra camera*	*i nostri libri*	*le nostre scarpe*
votre/vos pl	*il vostro biglietto*	*la vostra camera*	*i vostri libri*	*le vostre scarpe*
leur(s)	*il loro biglietto*	*la loro camera*	*i loro libri*	*le loro scarpe*

Si le contexte le permet, il est possible d'écourter la phrase à l'aide d'un pronom possessif :

C'est mon billet.

> *È il mio biglietto.*   è il *mi·*o bi·*lyèt·*to
> (litt : est le mon billet)

C'est le mien.

> *È il mio.*   è il *mi·*o
> (litt : est le mien)

possession

Voir également les rubriques **avoir**, **article partitif** et **possession**.

Il existe plusieurs façons d'exprimer l'idée de possession en italien. La plus facile consiste à utiliser le verbe *avere* (voir la rubrique **avoir**). Vous pouvez également avoir recours à l'emploi de l'adjectif possessif (voir la rubrique **possessifs**) ou du complément du nom. ce dernier se compose de la préposition *di* (de) suivie du nom :

C'est le sac à dos de Lorenzo.
> *È lo zaino di Lorenzo.* è lo *dza·i·*no di lo·*rènn·*tzo
> (litt : est le sac de Lorenzo)

Pour savoir qui est le propriétaire d'un objet, vous pouvez poser l'une des questions suivantes : *Di chi è ...?* (à qui est ... ?) pour un seul objet, ou *Di chi sono ...?* (à qui sont ... ?) pour plusieurs objets :

À qui est cette place ?
> *Di chi è questo posto?* di ki è *kwè·*sto *po·*sto
> (litt : de qui est cette place)

pronoms personnels sujets

Les pronoms personnels correspondant à "je", "tu", "il/elle", "nous", "vous" et "ils/elles" sont souvent omis, car la terminaison des verbes permet d'en connaître le sujet. Utilisez-les si vous voulez insister sur le sujet (moi, je ...).

singulier		pluriel	
je	io	**nous**	noi
tu fam	tu	**vous** fam	voi
vous pol	Lei	**vous** pol	loro
il/elle	lui/lei	**ils/elles**	loro

Le pluriel de politesse "vous" (*Lei*) s'utilise lorsque l'on s'adresse à des inconnus, des personnes agées ou des gens importants. Lorsque vous parlez à votre famille, à vos amis intimes ou à des enfants, vous utiliserez la forme familière *tu* ("tu").

Vous vivez/tu vis ici ?
> *Lei è di qui?* pol *leille* è di kwi
> (litt : il/elle est d'ici)
> *Tu sei di qui?* fam tou *seille* di kwi
> (litt : tu es d'ici)

questions

La forme interrogative peut emprunter la construction de la phrase affirmative, en employant un ton ascendant à la fin de la phrase, comme c'est le cas en français.

Tu parles français ?

Parli francese?   *par·li frann·tchè·zé*

(litt : parles français)

Vous entendrez souvent des questions qui commencent par *C'è* ... ou *Ci sono* ... (il y a ...).

Y a-t-il de l'eau chaude ?

C'è acqua calda?   *tchè a·kwa kal·da*

(litt : il y a de l'eau chaude)

Y a-t-il des chambres ?

Ci sono camere?   *tchi so·no ka·mé·ré*

(litt : il y a des chambres)

D'autres phrases interrogatives se construisent à l'aide de pronoms ou d'adverbes interrogatifs et d'une inversion du sujet. Elles engendrent généralement une réponse plus élaborée.

pronoms et adverbes interrogatifs		
qui	*chi*	ki
Qui est-ce ?	*Chi è?*	ki è
que	*che*	ké
	cosa	ko·za
Quel métier faites-vous/fais-tu ?	*Che lavoro fa/fai?* pol/fam	ké la·vo·ro fa/faille
Qu'étudiez-vous/ qu'étudies-tu ?	*Cosa studia/studi?* pol/fam	ko·za stou·dya/*stou·di*
quel(le)/quel(le)s	*quale/i* sg/pl	kwa·lé/*kwa·li*
Quel autobus va à Pise ?	*Quale autobus va a Pisa?*	kwa·lé a·ou·to·bous va a pi·sa
Quels sont les prix ?	*Quali sono le tariffe?*	kwa·li so·no lé ta·rif·fé
quand	*quando*	kwann·do
à quelle heure	*a che ora*	a ké o·ra
Quand fut construit ?	*Quando fu costruito?*	kwann·do fou ko·strou·i·to
A quelle heure passe le prochain bus ?	*A che ora passa il prossimo autobus?*	a ké o·ra pa·sa il pros·si·mo a·ou·to·bous

où	dove	do·vé
Où est-ce que je peux acheter un billet ?	Dove posso comprare un biglietto?	do·vé pos·so komm·pra·ré ounn bi·lyèt·to
comment	come	ko·mé
Comment vas-tu ?	Come stai?	ko·mé staille
combien	quanto/a m/f quanti/e m/f	kwann·to/a kwann·ti/é
Combien ça coûte ? Combien de jours ?	Quanto costa? Quanti giorni?	kwann·to kos·ta kwann·ti djor·ni
pourquoi	perché	pèr·ké
Pourquoi est-ce fermé ?	Perché sta chiuso?	pèr·ké sta kyou·zo

verbes

Je parle, écris et comprends l'italien.

Parlo, scrivo	par·lo skri·vo
e capisco l'italiano.	é ka·pi·sko li·ta·lya·no

(litt : parle, écris et comprends l'italien)

Il existe trois types de verbes : ceux qui se terminent par -are (par exemple : parlare, "parler"), ceux qui se terminent par -ere (par exemple : scrivere, "écrire") et ceux qui se terminent par -ire (par exemple : capire, "comprendre"). Les désinences des verbes des trois groupes sont quasiment identiques :

singulier		pluriel	
je	-o	**nous**	-iamo
tu fam	-i	**vous**	-ate, -ete ou -ite
vous pol il/elle/on	-a (verbes en -are) -e (verbes en -ere et -ire)	**ils/elles**	-ano (verbes en -are) -ono (verbes en -ere et -ire)

Comme toutes les langues, l'italien possède des verbes irréguliers. Les plus courants sont *essere*, *stare* et *avere* (voir les rubriques **être** et **avoir**).

l'alphabet italien		
A a a	*B b* bi	*C c* tchi
D d di	*E e* é	*F f* è·fé
G g dji	*H h* *a*·ka	*I i* i
L l è·lé	*M m* è·mé	*N n* è·né
O o o	*P p* pi	*Q q* kou
R r è·ré	*S s* è·sé	*T t* ti
U u ou	*V v* vou	*Z z* *ds*è·ta

Vous parlez/Tu parles (français) ?
Parla/Parli (francese)? pol/fam   *par*·la/*par*·li (frann·*tchè*·zé)

Quelqu'un parle (français/anglais) ?
C'è qualcuno che parla   tchè kwal·*kou*·no ké *par*·la
(francese/inglese)?   (frann·*tchè*·zé/inn·*glè*·zé)

Vous comprenez/tu comprends ?
Capisce/Capisci? pol/fam   ka·*pi*·ché/ka·*pi*·chi

Je comprends.
Capisco.   ka·*pi*·sko

Je ne comprends pas.
Non capisco.   nonn ka·*pi*·sko

Je parle (Italien).
Parlo (italiano).   *par*·lo (i·ta·*lya*·no)

Je ne parle pas (italien).
Non parlo (italiano).   nonn *par*·lo (i·ta·*lya*·no)

Je parle (anglais).
Parlo (inglese).   *par*·lo (inn·*glè*·zé)

Je parle un peu.
Parlo un po'.   *par*·lo ounn po

Comment ... ?	*Come si ...?*	*ko*·mé si ...
ça se prononce	*pronuncia*	pro·*nounn*·tcha
	questo	*kwè*·sto
écrit-on	*scrive*	*skri*·vé
"arrivederci"	*"arrivederci"*	a·ri·vé·*dèr*·tchi

Pouvez-vous/peux-tu	*Può/Puoi ... per*	pwo/pwoï ... pér
... s'il vous/te plaît ?	*favore?* pol/fam	fa·*vo*·ré
répéter	*ripeterlo*	ri·*pê*·tér·lo
parler plus	*parlare più*	par·*la*·ré pyou
lentement	*lentamente*	lènn·ta·*mènn*·té
l'écrire	*scriverlo*	*skri*·vér·lo

Que signifie "*vietato*" ?

Che cosa vuol dire   ké *ko*·za vwol *di*·ré
"vietato"?   vyé·*ta*·to

exercices de diction

La musicalité de la langue italienne donne lieu à une pléiade
de virelangues ou *scioglilingue*. Épatez donc vos amis italiens
en prononçant nonchalamment l'un d'entre eux :

**O schiavo con lo schiaccianoci che cosa schiacci?
Schiaccio sei noci del vecchio noce con lo schiaccianoci.**
o *skya*·vo konn lo skya·tcha·*no*·tchi ké *ko*·za *skya*·tchi
skya·tcho seille *no*·tchi dèl *vè*·kyo *no*·tché konn lo
skya·tcha·*no*·tchi
("Oh, esclave, avec le casse-noix que casses-tu ?
Je casse six noix du vieux noyer avec le casse-noix")

Orrore, orrore, un ramarro verde su un muro marrone!
o·*ro*·ré o·*ro*·ré ounn ra·*ma*·ro *vèr*·dé sou ounn *mou*·ro
ma·*ro*·né
("Horreur, horreur, un lézard vert sur un mur marron !")

**Trentatre Trentini entrarono a Trento, tutti e trentatre
trotterelando.**
trènn·ta·*tré* trènn·*ti*·ni ènn·*tra*·ro·no a *trènn*·to *tou*·ti
é·trènn·ta·*tré* trot·té·ré·*lann*·do
("Trente-trois habitants de Trente entrèrent dans Trente,
les trente-trois trottinant.")

nombres cardinaux

		i numeri cardinali
0	*zero*	*dzè*·ro
1	*uno*	*ou*·no
2	*due*	*dou*·é
3	*tre*	tré
4	*quattro*	*kwat*·tro
5	*cinque*	*tchinn*·kwé
6	*sei*	seille
7	*sette*	*sè*·té
8	*otto*	*ot*·to
9	*nove*	*no*·vé
10	*dieci*	*dyè*·tchi
11	*undici*	*ounn*·di·tchi
12	*dodici*	*do*·di·tchi
13	*tredici*	*tré*·di·tchi
14	*quattordici*	kwa·*tor*·di·tchi
15	*quindici*	*kwinn*·di·tchi
16	*sedici*	*sé*·di·tchi
17	*diciassette*	di·tchas·*sè*·té
18	*diciotto*	di·*tchot*·to
19	*diciannove*	di·tchan·*no*·vé
20	*venti*	*vènn*·ti
21	*ventuno*	vènn·*tou*·no
22	*ventidue*	vènn·ti·*dou*·é
30	*trenta*	*trènn*·ta
40	*quaranta*	kwa·*rann*·ta
50	*cinquanta*	tchinn·*kwann*·ta
60	*sessanta*	sés·*sann*·ta
70	*settanta*	sét·*tann*·ta
80	*ottanta*	ot·*tann*·ta
90	*novanta*	no·*vann*·ta
100	*cento*	*tchènn*·to
200	*duecento*	dou·é·*tchènn*·to
1 000	*mille*	*mil*·lé
2 000	*duemila*	dou·é·*mi*·la
1 000 000	*un milione*	ounn mi·*lyo*·né

nombres ordinaux

1er	*primo/a* m/f	*pri*·mo/a
2e	*secondo/a* m/f	sé·*konn*·do/a
3e	*terzo/a* m/f	*tèr*·tso/a
4e	*quarto/a* m/f	*kwar*·to/a
5e	*quinto/a* m/f	*kwinn*·to/a

fractions

un quart	*un quarto*	ounn *kwar*·to
un tiers	*un terzo*	ounn *tèr*·tso
un demi	*mezzo*	*mè*·dzo
trois quarts	*tre quarti*	tré *kwar*·ti
tout/toute	*tutto/a* m/f sing	*tout*·to/a
tous/toutes	*tutti/e* m/f pl	*tout*·ti/é
rien	*niente*	*nyènn*·té

expression de la quantité

Combien ?	*Quanto/a?* m/f	*kwann*·to/a
Combien ?	*Quanti/e?* m/f	*kwann*·ti/é
Pouvez-vous	*Può*	pwo
m'en donner…	*darmi …,*	*dar*·mi …
s'il vous plaît.	*per favore.*	pèr fa·*vo*·ré
(juste) **un peu**	*(solo) un po'*	(*so*·lo) ounn po
certain(e)s	*alcuni/e* m/f pl	al·*kou*·ni/é
beaucoup	*molto/a* m/f sing	*mol*·to/a
beaucoup	*molti/e* m/f pl	*mol*·ti/é
moins	*di meno*	(di) *mè*·no
plus	*di più*	(di) pyou

heure

l'ora

Indiquer l'heure en italien est très simple, même si c'est un peu différent du français. "Il est (...)." se traduit en effet par *Sono le (...)*. "Il est 1h." se traduit par *È l'una*, "Il est midi." par *È mezzogiorno* et "Il est minuit." par *È mezzanotte*.

Quelle heure est-il ?	*Che ora è?*	ké o·ra è
Il est 1h.	*È l'una.*	è lou·na
Il est (2h).	*Sono le (due).*	so·no lé (dou·é)
(1h) cinq.	*(L'una) e cinque.*	(lou·na) é tchinn·kwé
(1h) un quart.	*(L'una) e un quarto.*	(lou·na) é ounn kwar·to
(1h) et demie.	*(L'una) e mezza.*	(lou·na) é mè·dza
(8h) moins le quart.	*(Le otto) meno un quarto.*	(lé ot·to) mè·no ounn kwar·to
(8h) moins vingt.	*(Le otto) meno venti.*	(lé o·to) mè·no vènn·ti

le matin	*di mattina*	di mat·ti·na
l'après-midi	*di pomeriggio*	di po·mé·ri·djo
le soir	*di sera*	di sè·ra
la nuit	*di notte*	di not·té
midi	*mezzogiorno*	mé·dzo·djor·no
minuit	*mezzanotte*	mé·dza·no·té
À quelle heure... ?	*A che ora...?*	a ké o·ra...
À 1h.	*All'una.*	al·lou·na
À (6h).	*Alle (sei).*	al·lé (seille)
À (19h57).	*Alle (19.57).*	al·lé (di·tcha·no·vé é tchinn·kwann·ta·sè·té)

jours de la semaine

lundi	*lunedì*	lou·né·*di*
mardi	*martedì*	mar·té·*di*
mercredi	*mercoledì*	mér·ko·lé·*di*
jeudi	*giovedì*	djo·vé·*di*
vendredi	*venerdì*	vé·nér·*di*
samedi	*sabato*	*sa*·ba·to
dimanche	*domenica*	do·*mè*·ni·ka

calendrier

il calendario

> mois

janvier	*gennaio*	djén·*na*·yo
février	*febbraio*	féb·*bra*·yo
mars	*marzo*	*mar*·tso
avril	*aprile*	a·*pri*·lé
mai	*maggio*	*ma*·djo
juin	*giugno*	*djou*·nyo
juillet	*luglio*	*lou*·lyo
août	*agosto*	a·*go*·sto
septembre	*settembre*	sét·*tèmm*·bré
octobre	*ottobre*	ot·*to*·bré
novembre	*novembre*	no·*vèmm*·bré
décembre	*dicembre*	di·*tchèmm*·bré

> dates

Quel jour sommes-nous ?
Che giorno è oggi?   ké d*jor*·no è *o*·dji
Nous sommes le (18) octobre.
È (il diciotto) ottobre.   è (il di·*tchot*·to) ot·*to*·bré

> saisons

été	*estate*	é·*sta*·té
automne	*autunno*	a·ou·*toun*·no
hiver	*inverno*	inn·*vèr*·no
printemps	*primavera*	pri·ma·*vè*·ra

présent

maintenant	*adesso*	a·dès·so
ce/cet(te) ...		
après-midi	*oggi pomeriggio*	o·dji po·mé·ri·djo
matin	*stamattina*	sta·mat·ti·na
mois	*questo mese*	kwè·sto mè·zé
semaine	*questa settimana*	kwè·sta sét·ti·ma·na
année	*quest'anno*	kwè·stan·no
aujourd'hui	*oggi*	o·dji
cette nuit	*stasera*	sta·sè·ra

passé

avant-hier	*l'altro ieri*	lal·tro yè·ri
le mois dernier	*il mese scorso*	il mè·zé skor·so
la nuit dernière	*ieri notte*	yè·rl not·té
la semaine dernière	*la settimana scorsa*	la sét·ti·ma·na skor·sa
l'année dernière	*l'anno scorso*	lan·no skor·so
depuis (le mois de mai)	*da (maggio)*	da (ma·djo)
il y a (3 jours)	*(tre giorni) fa*	(tré djor·ni) fa
hier...	*ieri ...*	yè·ri ...
après-midi	*pomeriggio*	po·mé·ri·djo
soir	*sera*	sè·ra
matin	*mattina*	mat·ti·na

futur

après-demain	*dopodomani*	do·po·do·ma·ni
dans (6 jours)	*fra (sei giorni)*	fra (seille djor·ni)
le mois prochain	*il mese prossimo*	il mè·zé pros·si·mo

la semaine prochaine	la settimana prossima	la sét·ti·ma·na pros·si·ma
l'année prochaine	l'anno prossimo	la·no pros·si·mo
demain	domani	do·ma·ni
demain soir	domani sera	do·ma·ni sè·ra
demain après-midi	domani pomeriggio	do·ma·ni po·mé·ri·djo
demain matin	domani mattina	do·ma·ni mat·ti·na
jusqu'au mois de (juin)	fino a (giugno)	fi·no a (djou·nyo)

dans la journée

durante il giorno

aube	alba f	al·ba
lever du jour	alba f	al·ba
jour	giorno m	djor·no
matin	mattina f	mat·ti·na
midi	mezzogiorno m	mé·dzo·djor·no
après-midi	pomeriggio m	po·mé·ri·djo
coucher du soleil	tramonto m	tra·monn·to
soir	sera f	sè·ra
nuit	notte f	not·té
minuit	mezzanotte f	mé·dza·no·té

cent ans

Il existe deux façons d'indiquer les siècles. Comme en français (*il tredicesimo secolo*) ou par un nom propre (*il Duecento*) :

Il Duecento (lit : le 200) il dou·é·*tchènn*·to	XIIIᵉ siècle
Il Trecento (lit : le 300) il tré·*tchènn*·to	XIVᵉ siècle
Il Quattrocento (lit : le 400) il kwa·tro·*tchènn*·to	XVᵉ siècle
Il Cinquecento (lit : le 500) il tchinn·kwé·*tchènn*·to	XVIᵉ siècle

C'est combien ?
Quant'è?   kwann·*tè*

Combien ça coûte ?
Quanto costa questo?   *kwann·*to *ko·*sta *kwè·*sto

C'est gratuit.
È gratuito.   è gra·tou·*i·*to

Ça coûte ... euros.
È ... euro.   è ... *è·*ou·ro

Pouvez-vous écrire le prix ?
Può scrivere il prezzo?   pwo *skri·*vé·ré il *prè·*tso

On peut changer de l'argent ici ?
Si cambiano i soldi qui?   si *kamm·*bya·no i *sol·*di kwi

Acceptez-vous ... ?	*Accettate ...?*	a·tché·*tat·*té ...
les cartes de crédit	*la carta di credito/debito*	la *kar·*ta di *krè·*di·to/*dè·*bi·to
les chèques de voyage	*gli assegni di viaggio*	lyi as·*sè·*nyi di *vyà·*djo

Je voudrais ...	*Vorrei ...*	vo·*reille* ...
encaisser un chèque	*riscuotere un assegno*	ri·*skwo·*té·ré ou·nas·*sè·*nyo
changer de l'argent	*cambiare i soldi*	kamm·*bya·*ré i *sol·*di
changer un chèque de voyage	*cambiare un assegno di viaggio*	kamm·*bya·*ré ou·nas·*sè·*nyo di *vya·*djo
retirer de l'argent	*fare prelievi*	fa·ré pré·*lyè·*vi

À combien s'élève ... ?	*Quant'è ...*	kwann·*tè*
la commission	*la commissione?*	la kom·mi·*syo·*né
le taux de change	*il cambio?*	il *kamm·*byo

35

Je voudrais ... *Vorrei ...,* vor·*reille* ...
  s'il vous plaît. *per favore.* pér fa·*vo*·ré
  un reçu *una ricevuta* *ou*·na ri·tché·*vou*·ta
  la monnaie *il mio resto* il mi·o *rè*·sto
  être remboursé(e) *un rimborso* ounn rimm·*bor*·so

Il y a une erreur dans l'addition.
  C'è un errore nel conto. tché ounn ér·ro·ré nèl *konn*·to

Je ne veux pas payer plein tarif.
  Non voglio pagare il nonn *vo*·lyo pa·*ga*·ré il
  prezzo intero. *prè*·tso inn·*tè*·ro

Je dois payer d'avance ?
  Devo pagare *dè*·vo pa·*ga*·ré
  in anticipo? inn·ann·*ti*·tchi·po

Où est le distributeur de billets le plus proche ?
  Dov'è il Bancomat più do·*vè* il *bann*·ko·mat pyou
  vicino? vi·*tchi*·no

circuler

andare in giro

À quelle heure part/arrive... ?	*A che ora parte/arriva ...?*	*par·té/ar·ri·va ...*
le bateau	*la nave*	la *na*·vé
le bus	*l'autobus*	*laou*·to·bou·se
le bac	*il traghetto*	il tra·*ghè*·to
l'hydrofoil	*l'aliscafo*	la·li·*ska*·fo
le métro	*la metropolitana*	la mé·tro·po·li·*ta*·na
l'avion	*l'aereo*	la·è·*ré*·o
le train	*il treno*	il *trè*·no

À quelle heure passe ... bus/bateau ?	*A che ora passa ... autobus/nave?* m/f	*a ké o·ra pa·sa ... aou·to·bous/na·vé*
le/la premier/ère	*il/la primo/a* m/f	il/la *pri*·mo/a
le/la dernier/ère	*l'ultimo/a* m/f	*loul*·ti·mo/a
le/la prochain/e	*il/la prossimo/a* m/f	il/la *pros·si·*mo/a

parler local

tché *ou·no cho·pé·ro* *C'è uno sciopero.*	**Il y a une grève.**
dè·vé kamm·bya·ré a (par·ma) *Deve cambiare a (Parma).*	**Vous devez changer à (Parme).**
il *trè·no é kann·tchél·la·to* *Il treno è cancellato.*	**Le train a été annulé.**
la·è·*ré*·o è inn ri·*tar*·do *L'aereo è in ritardo.*	**L'avion a du retard.**

À quelle heure part le prochain vol pour (Cagliari) ?
A che ora parte il   a ké o·ra par·té il
prossimo volo per   pros·si·mo vo·lo pér
(Cagliari)?   (ka·lya·ri)

Savez-vous à quelle heure nous arrivons à (Taranto) ?
Mi sa dire quando   mi sa di·ré kwann·do
arriviamo a (Taranto)?   ar·ri·vya·mo a (ta·rann·to)

Je veux descendre ici.
Voglio scendere qui.   vo·lyo chenn·dé·ré kwi

Cette place est-elle libre ?
È libero questo posto?   è li·bé·ro kwè·sto po·sto

C'est ma place.
Quel posto è mio.   kwél po·sto è mi·o

billets

i biglietti

Où est-ce que je peux acheter un billet ?
Dove posso comprare   do·vé pos·so komm·pra·ré
un biglietto?   ounn bi·lyè·to

Il faut réserver ?
Bisogna prenotare   bi·zo·nya pré·no·ta·ré
(un posto)?   (ounn po·sto)

Est-ce que vous pouvez me mettre sur la liste d'attente ?
Posso essere messo/a in   pos·so ès·sé·ré mès·so/a inn
lista d'attesa? m/f   li·sta dat·tè·za

Je voudrais ...	*Vorrei ...*	vo·reille ...
mon billet,	*il mio biglietto,*	il mi·o bi·lyèt·to
s'il vous plaît.	*per favore.*	pér fa·vo·ré
annuler	*cancellare*	kann·tchél·la·ré
changer	*cambiare*	kamm·bya·ré
confirmer	*confermare*	konn·fér·ma·ré

PRATIQUE

Deux billets ...	*Due biglietti ...*	*dou·é bi·lyèt·ti ...*
(pour Rome),	*(per Roma),*	*(pér ro·ma)*
s'il vous plaît.	*per favore.*	*pér fa·vo·ré*
en 1re classe	*di prima classe*	*di pri·ma kla·sé*
en 2e classe	*di seconda classe*	*di sé·konn·da kla·sé*
tarif enfant	*per bambini*	*pér bamm·bi·ni*
aller simple	*di sola andata*	*di so·la ann·da·ta*
aller-retour	*di andata e ritorno*	*di ann·da·ta é ri·tor·no*
tarif étudiant	*per studenti*	*pér stou·dènn·ti*
Je voudrais une	*Vorrei un posto ...,*	*vo·reille ounn po·sto ...*
place..., s'il vous plaît.	*per favore.*	*pér fa·vo·ré*
côté couloir	*sul corridoio*	*soul ko·ri·do·yo*
non-fumeur	*per non fumatori*	*pér nonn fou·ma·to·ri*
fumeur	*per fumatori*	*pér fou·ma·to·ri*
côté fenêtre	*vicino al finestrino*	*vi·tchi·no al fi·né·stri·no*
Y a-t-il... ?	*C'è ...?*	*tchè ...*
l'air conditionné	*l'aria condizionata*	*la·rya konn·di·tsyo·na·ta*
une couverture	*una coperta*	*ou·na ko·pèr·ta*
des toilettes	*un gabinetto*	*ounn ga·bi·nè·to*
un magnétoscope	*un video-registratore*	*ounn vi·dé·o·ré·dji·stra·to·ré*

Je voudrais une couchette, s'il vous plaît.

Vorrei una cuccetta, per favore.　　　*vo·reille ou·na kou·tchè·ta pér fa·vo·ré*

Combien ça coûte ?

Quant'è?　　　*kwann·tè*

Est-ce que je dois payer un supplément ?

Devo pagare un supplemento?　　　*dè·vo pa·ga·ré ounn soup·plé·mènn·to*

Il faut combien de temps ?

Quanto ci vuole?　　　*kwann·to tchi vwo·lé*

C'est direct ?

È un itinerario diretto? è ou·ni·ti·né·*ra*·ryo dir·rè·to

À quelle heure dois-je me présenter à l'enregistrement ?

A che ora devo a ké *o*·ra dè·vo
presentarmi per pré·zènn·*tar*·mi pér
l'accettazione? la·tché·ta·*tsyo*·né

Pour les problèmes de douane et d'immigration, voir la rubrique **passer la frontière**, p. 49.

bagages

i bagagli

Mon bagage n'est pas arrivé.

Non è arrivato il mio nonn è ar·ri·*va*·to il *mi*·o
bagaglio. ba·*ga*·lyo

Mon bagage a	*Il mio bagaglio è*	il *mi*·o ba·*ga*·lyo
été ...	*stato ...*	è *sta*·to ...
abîmé	*danneggiato*	dan·né·*dja*·to
perdu	*perso*	*pèr*·so
volé	*rubato*	rou·*ba*·to

Je voudrais ...	*Vorrei ...*	vor·*reille* ...
un casier	*un armadietto*	ounn ar·ma·*dyè*·to
pour mon bagage	*per il bagaglio*	pér il ba·*ga*·lyo
de la monnaie	*della moneta*	dè·la mo·*nè*·ta
des jetons	*dei gettoni*	deille djét·*to*·ni

bus, tram et métro

autobus, tram e metropolitana

Quel bus va à (Rome) ?

Quale autobus va kwa·lé *aou*·to·bous va
a (Roma)? a (*ro*·ma)

Bus/Tram numéro (3).

Autobus/Tram *aou*·to·bous/tram
numero (tre). nou·mé·ro (tré)

Combien y a-t-il d'arrêts avant (le musée) ?

Quante fermate   kwann·té fér·*ma*·té
mancano (al museo)?   mann·ka·no (al mou·zè·o)

Pouvez-vous m'avertir quand nous arrivons (au marché), s'il vous plaît.

Mi dica per favore   mi *di*·ka pér fa·*vo*·ré
quando arriviamo   kwann·do ar·ri·*vya*·mo
(al mercato).   (al mér·*ka*·to)

panneaux

Fermata del tram	fér·*ma*·ta dèl tram	**Arrêt de tram**
Fermata	fér·*ma*·ta	**Arrêt**
dell'autobus	dè·*laou*·to·bous	**de bus**
Metropolitana	è·mé	**Métro**
Stazione della	sta·*tsyo*·né dè·la	**Station**
metropolitana	mé·tro·po·li·*ta*·na	**de métro**
Uscita	ou·*chi*·ta	**Sortie**

train

Quelle est cette gare ?
Che stazione è questa? ké sta·*tsyo*·né è *kwè*·sta

Quelle est la prochaine gare ?
Qual'è la prossima kwa·*lè* la *pros*·si·ma
stazione? sta·*tsyo*·né

Ce train s'arrête à (Milan) ?
Questo treno si ferma *kwè*·sto *trè*·no si *fèr*·ma
a (Milano)? a (mi·*la*·no)

Je dois changer (de train) ?
Devo cambiare (treno)? *dè*·vo kamm·*bya*·ré (*trè*·no)

Où est le wagon-restaurant ?
Dov'è il vagone ristorante? do·*vè* il va·*go*·né ri·sto·*rann*·té

Quel est le wagon ... ?	*Quale carrozza è ...?*	kwa·*lé* kar·*ro*·tsa è ...
de 1ʳᵉ classe	*di prima classe*	di *pri*·ma *klas*·sé
de 2ᵉ classe	*di seconda classe*	di se·*con*·da *klas*·sé
pour (Rome)	*per (Roma)*	pér (*ro*·ma)

coup d'œil sur les trains

diretto di·*rèt*·to
signifie que vous n'avez pas besoin de changer de train
pour arriver à destination

espresso é·*sprès*·so
ne s'arrête que dans les principales gares

Eurostar Italia (ES) é·ou·ro·*star* i·*ta*·lya
très rapide, l'équivalent du TGV

Inter City inn·tér *si*·ti
circule d'une grande ville à l'autre

locale lo·*ka*·lé
s'arrête dans toutes les gares et peut être très lent

rapido *ra*·pi·do
circule entre les grandes villes ; plus rapide que l'*espresso*

bateau

Y a-t-il des gilets de sauvetage ?
Ci sono giubbotti di   tchi *so*·no djoub·*bo*·ti di
salvataggio?   sal·va·*ta*·djo

Comment est la mer aujourd'hui ?
Com'è il mare oggi?   ko·*mè* il *ma*·ré o·dji

J'ai le mal de mer.
Ho il mal di mare.   o il mal di *ma*·ré

taxi

Je voudrais un taxi...   *Vorrei un tassì ...*   vor·*reille* ounn ta·*si* ...
  maintenant   *adesso*   a·*dès*·so
  demain   *domani*   do·*ma*·ni
  à (9h du matin)   *alle (nove di*   a·lé (*no*·vé di
   mattina)   mat·*ti*·na)

Ce taxi est libre ?
È libero questo tassì?   é *li*·bé·ro kwè·sto tas·*si*

Combien ça coûte pour... ?
Quant'è per ...?   kwann·*tè* pér ...

Utilisez le taximètre, s'il vous plaît.
Usi il tassametro,   *ou*·zi il tas·*sa*·mé·tro
per favore.   pér fa·*vo*·ré

Conduisez-moi à (cette adresse), s'il vous plaît.
Mi porti a (questo   mi *por*·ti a (*kwè*·sto
indirizzo), per piacere.   inn·di·*ri*·tso) pér pya·*tchè*·ré

... , s'il vous plaît   *..., per favore.*   ... pér fa·*vo*·ré
  Ralentissez   *Rallenti*   ral·*lènn*·ti
  Attendez-moi ici   *Mi aspetti qui*   mi a·*spèt*·ti kwi

Arrêtez-vous...   *Si fermi ...*   si *fèr*·mi ...
  au coin   *all'angolo*   al *lann*·go·lo
  ici   *qui*   kwi

adresses

Borgo (B.go)	*bor*·go	**bourg**
Corso (C.so)	*kor*·so	**cours/boulevard**
Largo (L.go)	*lar*·go	**allée**
Piazza (P.za)	*pya*·tsa	**place**
Strada (Str.)	*stra*·da	**route**
Via (V.)	*vi*·a	**rue**
Viale (V.le)	*vya*·lé	**avenue/boulevard**
Vicolo (V.lo)	*vi*·ko·lo	**ruelle**

à Venise :		
Calle	*kal*·lé	**rue**
Campiello	kamm·*pyèl*·lo	**petite place**
Fondamenta	fonn·da·*mènn*·ta	**rue (le long des canaux)**
Riva	*ri*·va	**rue (litt : rivage/bord)**

à Gênes :		
Carrugio	kar·*rou*·djo	**ruelle**

dans les villes moyenâgeuses :		
Contrà	konn·*tra*	**rue**
Contrada	konn·*tra*·da	**rue**

voiture et moto

la macchina e la moto

> location de voitures et de motos

Je voudrais louer ...	*Vorrei noleggiare ...*	vor·*reille* no·lé·*dja*·ré ...
un 4x4	*un fuoristrada*	ounn fwo·ri·*stra*·da
une voiture automatique	*una macchina automatica*	*ou*·na *ma*·ki·na a·ou·to·*ma*·ti·ka
une voiture	*una macchina*	*ou*·na *mak*·ki·na
une voiture manuelle	*una macchina manuale*	*ou*·na *mak*·ki·na ma·nou·*a*·lé
une moto	*una moto*	*ou*·na *mo*·to

PRATIQUE

44

avec/sans ...	con/senza ...	konn/*sènn*·tsa ...
(l')air conditionné	*aria*	*a*·rya
	condizionata	konn·di·tsyo·*na*·ta
(de l')antigel	*anticongelante*	ann·ti·konn·djé·*lann*·té
(un) conducteur	*un'autista*	ou·na·ou·*ti*·sta
(des) chaînes	*le catene da neve*	lé ka·*tè*·né da *nè*·vé
Combien ça coûte ... ?	*Quanto costa ...?*	*kwann*·to ko·sta ...
par jour	*al giorno*	al *djor*·no
de l'heure	*all'ora*	a·*lo*·ra
par semaine	*alla settimana*	a·la sét·ti·*ma*·na

> sur la route

Quelle est la limite de vitesse en ville/hors agglomération ?
Qual'è il limite di kwa·*lè* il *li*·mi·té di
velocità in vé·lo·tchi·*ta* inn
città/campagna? tchi·*ta*/kamm·*pa*·nya

C'est la route pour ... ?
Questa strada porta a ...? kwè·sta *stra*·da *por*·ta a ...

Où y a-t-il une station-service ?
Dov'è una stazione do·vè ou·na sta·*tsyo*·né
di servizio? di sér·*vi*·tsyo

essence
benzina f
bènn·*dzi*·na

pare-brise
parabrèzza m
pa·ra·*brè*·dza

batterie
batteria f
ba·té·*ri*·a

moteur
motore m
mo·*to*·ré

feu
fanale m
fa·*na*·lé

pneu
gomma f
go·ma

Le plein, s'il vous plaît.
Il pieno, per favore.   il *pyè·*no pér fa*·vo·*ré

Je voudrais (30) litres.
Vorrei (trenta) litri.   vo·reille (trènn·ta) li·tri

gas-oil/diesel	*gasolio/diesel* m	ga·zo·lyo/di·zèl
essence normale	*benzina* f *con*	bènn·dzi·na konn
	piombo	pyomm·bo

panneaux

Accesso	a·tchè·so	**Ouvert**
permanente	pér·ma·nènn·té	**24h/24**
Alt	alt	**Stop**
Attenzione	a·tènn·tsyo·né	**Attention**
Autostrada	a·ou·to·stra·da	**Autoroute**
Dare la	da·ré la	**Laisser la**
precedenza	pré·tché·dènn·tsa	**priorité**
Deviazione	dé·vya·tsyo·né	**Déviation**
Divieto di	di·vyè·to di	**Accès**
accesso	a·tchè·so	**interdit**
Divieto di	di·vyè·to di	**Dépassement**
sorpasso	sor·pa·so	**interdit**
Divieto	di·vyè·to	**Stationnement**
di sosta	di so·sta	**interdit**
Entrata	ènn·tra·ta	**Entrée**
Lavori in corso	la·vo·ri inn kor·so	**Travaux**
Parcheggio	par·kè·djo	**Parking**
Passo carrabile	pa·so ka·ra·bi·lé	**Sortie de**
		voitures
Pedaggio	pé·da·djo	**Péage**
Pericolo	pé·ri·ko·lo	**Danger**
Rallentare	ra·lènn·ta·ré	**Ralentir**
Rimozione	ri·mo·tsyo·né	**Enlèvement**
forzata	for·tsa·ta	**immédiat**
Senso unico	sènn·so ou·ni·ko	**Sens unique**
Stop	stop	**Stop**
Uscita	ou·chi·ta	**Sortie**

GPL	*gasauto* m	ga·*za*·ou·to
essence sans plomb	*benzina* f *senza*	bènn·*dzi*·na
	piombo	sènn·tsa *pyomm*·bo

Pouvez-vous contrôler,	*Può controllare*	pwo konn·tro·*la*·ré
s'il vous plaît ...	*..., per favore?*	... pér fa·*vo*·ré
l'huile	*l'olio*	*lo*·lyo
la pression	*la pressione*	la pré·*syo*·né
des pneus	*delle gomme*	dè·lé *go*·mé
l'eau	*l'acqua*	*la*·kwa

Je peux me garer ici (pendant combien de temps) ?
(Per quanto tempo) Posso (pér *kwann*·to tèmm·po) *po*·so
parcheggiare qui? par·ké·*dja*·ré kwi

Où dois-je payer ?
Dove si paga? do·*vé* si *pa*·ga

> problèmes

J'ai besoin d'un mécanicien.
Ho bisogno di un o bi·*zo*·nyo di ounn
meccanico. mék·*ka*·ni·ko

**La voiture/moto est tombée en panne
(au croisement).**
La macchina/moto si è la *mak*·ki·na/*mo*·to si è
guastata (all'incrocio). gwa·*sta*·ta (al·linn·*kro*·tcho)

J'ai eu un accident.
Ho avuto un incidente. o a·*vou*·to ounn inn·tchi·*dènn*·té

La voiture/moto ne démarre pas.
La macchina/moto non parte. la *mak*·ki·na/*mo*·to nonn *par*·té

Mon pneu est crevé.
Ho una gomma bucata. o *ou*·na *gom*·ma bou·*ka*·ta

J'ai perdu mes clés (de voiture).
Ho perso le chiavi della o *pèr*·so lé *kya*·vi dè·la
macchina. *mak*·ki·na

J'ai fermé la voiture avec les clés à l'intérieur.
Ho chiuso la macchina con o *kyou*·zo la *mak*·ki·na konn
le chiavi dentro. lé *kya*·vi *dènn*·tro

Je n'ai plus d'essence.
Ho esaurito la benzina. o é·za·ou·*ri*·to la bènn·*dzi*·na

Pouvez-vous la réparer (aujourd'hui) ?
La può aggiustare la pwo a·djou·*sta*·ré
(oggi)? (o·dji)

Ça va prendre combien de temps ?
Quanto ci vuole? *kwann*·to tchi *vwo*·lé

vélo

la bicicletta

parler local

dè·vo or·di·*na*·ré il *pè*·tso di ri·*kamm*·byo
Devo ordinare **Je dois commander**
il pezzo di ricambio. **la pièce de rechange.**

ké *ti*·po di *mak*·ki·na/*mo*·to è
Che tipo di macchina/ **Quel type de voiture/**
moto è? **moto est-ce ?**

Où puis-je... ? *Dove posso ...?* *do*·vé *po*·so ...
  louer un vélo *noleggiare una* no·lé·*dja*·ré ou·na
  bicicletta bi·tchi·*klèt*·ta
  acheter *comprare* komm·*pra*·ré
  un vélo *una bicicletta* ou·na bi·tchi·*klè*·ta
  d'occasion *di seconda mano* di sé·*konn*·da *ma*·no

Combien ça coûte... ? *Quanto costa ...?* *kwann*·to *ko*·sta ...
  pour un après-midi *per un pomeriggio* pér ounn po·mé·*ri*·djo
  par jour *al giorno* al *djor*·no
  par heure *all'ora* a·*lo*·ra
  pour la matinée *per una mattina* pér ou·na ma·*ti*·na

Mon pneu est crevé.
Ho una gomma bucata. o ou·na *go*·ma bou·*ka*·ta

Je suis ici ...	*Sono qui ...*	so·no kwi ...
de passage	*in transito*	inn *trann*·si·to
pour affaires	*per affari*	pér af·*fa*·ri
en vacances	*in vacanza*	inn va·*kann*·tsa
pour rendre visite	*per visitare*	pér vi·zi·*ta*·ré
à ma famille	*parenti*	pa·*rènn*·ti
Je reste ici ...	*Sono qui per ...*	so·no kwi pér ...
(21) jours	*(ventuno) giorni*	(vènn·*tou*·no) djor·ni
(2) mois	*(due) mesi*	(dou·é) mè·zi
(3) semaines	*(tre) settimane*	(tré) sét·ti·*ma*·né
J'ai un	*Ho un*	o ounn
permis de ...	*permesso di ...*	pér·*mès*·so di ...
séjour	*soggiorno/lavoro*	so·*djor*·no/la·*vo*·ro
séjour étudiant	*studio*	*stou*·dyo
étranger		

Je n'ai rien à déclarer.
*Non ho niente da
dichiarare.*

nonn o *nyènn*·té da
di·kya·*ra*·ré

J'ai quelque chose à déclarer.
Ho delle cose da dichiarare.

o *dèl*·lé *ko*·zé da di·kya·*ra*·ré

Je ne savais pas que je devais le déclarer.
*Non sapevo che dovevo
dichiararlo.*

nonn sa·*pè*·vo ké do·*vè*·vo
di·kya·*rar*·lo

Avez-vous ce formulaire en français ?
*Avete questo modulo
in francese?*

a·*vè*·té *kwè*·sto *mo*·dou·lo
inn frann·*tchè*·zé

panneaux		
Controllo passaporti	konn·*trol*·lo pas·sa·*por*·ti	**Contrôle des passeports**
Dogana	do·*ga*·na	**Douanes**
Immigrazione	im·mi·gra·*tsyo*·né	**Immigration**

trouver un hébergement

trovare alloggio

Où pourrais-je trouver... , s'il vous plaît ?
Dov'è..., per favore? do·vè... pér fa·vo·ré

une chambre	*un bed e*	ounn bèd é
chez l'habitant	*breakfast*	brèk·fast
un camping	*un campeggio*	ounn kamm·pè·djo
une pension	*una pensione*	ou·na pènn·syo·né
un hôtel	*un albergo*	ou·nal·bèr·go
une auberge	*una locanda*	ou·na lo·kann·da
une chambre	*una camera*	ou·na ka·mé·ra
une auberge de jeunesse	*un ostello della gioventù*	ounn·o·stè·lo dè·la djo·vènn·tou

Pouvez-vous me conseiller un endroit... , s'il vous plaît ?
Può consigliarmi qualche posto ..., per favore? pwo konn·si·lya·ré kwal·ké po·sto... pér fa·vo·ré

animé	*animato*	a·ni·ma·to
bon marché	*economico*	é·ko·no·mi·ko
bon	*buono*	bwo·no
calme	*tranquillo*	trann·kwil·lo
luxueux	*di lusso*	di lou·so
proche	*vicino*	vi·tchi·no
romantique	*romantico*	ro·mann·ti·ko

Quelle est l'adresse ?
Qual'è l'indirizzo? kwa·lè linn·di·ri·tso

Pour formuler les réponses à ces questions, voir la rubrique **orientation**, p. 61.

réservation

Avez-vous une	*Avete una*	a·vè·té ou·na
chambre... ?	*camera ...?*	ka·mé·ra ...
double	*doppia con letto*	dop·pya konn lè·to
	matrimoniale	ma·tri·mo·nya·lé
simple	*singola*	sinn·go·la
à deux lits	*doppia a due letti*	dop·pya a dou·é lè·ti

Combien ça coûte	*Quanto costa*	kwann·to ko·sta
pour ... ?	*per ...?*	pér ...
une nuit	*una notte*	ou·na not·té
une personne	*persona*	pér·so·na
une semaine	*una settimana*	ou·na sét·ti·ma·na

Je voudrais réserver une chambre, s'il vous plaît.

Vorrei prenotare una   vot·reille pré·no·ta·ré ou·na
camera, per favore.   ka·mé·ra pér fa·vo·ré

J'ai une réservation.

Ho una prenotazione.   o ou·na pré·no·ta·tsyo·né

Je m'appelle ...

Mi chiamo ...   mi kya·mo ...

Pour (3) nuits/semaines.

Per (tre) notti/settimane.   pér (tré) not·ti/sét·ti·ma·né

Du (2 juillet) au (6 juillet).

Dal (due luglio) al   dal (dou·é lou·lyo) al
(sei luglio).   (seille lou·lyo)

Est-ce que je peux la voir ?

Posso vederla?   pos·so vé·dèr·la

Ça va. Je la prends.

Va bene. La prendo.   va bè·né. la prènn·do

Est-ce que je dois payer d'avance ?

Devo pagare   dè·vo pa·ga·ré
in anticipo?   i·nann·ti·tchi·po

air conditionné
aria f *condizionata*
a·rya konn·di·tsyo·*na*·ta

clé
chiave f
kya·vé

toilettes
gabinetto m
ga·bi·*nè*·to

lit
letto m
lè·to

salle de bain
bagno m
ba·nyo

TV
televisore m
té·lé·vi·zo·ré

Puis-je payer ... ?	*Posso pagare con ...?*	*pos*·so pa·*ga*·ré konn ...
par carte de crédit	*la carta di credito*	la *kar*·ta di *krè*·di·to
avec un chèque de voyage	*un assegno di viaggio*	ou·nas·*sè*·nyo di *vya*·djo

Voir aussi la rubrique **banque**, p. 79.

renseignements et services

À quelle heure est le petit déjeuner ?
*A che ora è la prima
colazione?*
a ké *o*·ra è la *pri*·ma
ko·la·*tsyo*·né

Où prend-on le petit déjeuner ?
*Dove si prende la
prima colazione?*
do·vé si *prènn*·dé la
pri·ma ko·la·*tsyo*·né

Réveillez-moi à (7h), s'il vous plaît.
*Mi svegli (alle sette),
per favore.*
mi *svè*·lyi (*a*·lé *sèt*·té)
pér fa·*vo*·ré

Pouvez-vous me donner un(e) autre ... ?
Può darmi un altro/a ... m/f
pwo *dar*·mi ou·*nal*·tro/a

Puis-je utiliser ... ?	*Posso usare ...?*	*po*·so ou·*za*·ré ...
la cuisine	*la cucina*	la kou·*tchi*·na
la buanderie	*la lavanderia*	la la·vann·dé·*ri*·a
le téléphone	*il telefono*	il té·*lè*·fo·no

Avez-vous ... ?	*C'è ...?*	tchè ...
un ascenseur	*un ascensore*	ou·na·chènn·*so*·ré
une buanderie	*il servizio
lavanderia*	il sér·*vi*·tsyo
la·vann·dé·*ri*·a
**un tableau
d'affichage** | *una bacheca* | ou·na ba·*kè*·ka
un coffre | *una cassaforte* | ou·na kas·sa·*for*·té
une piscine | *una piscina* | ou·na pi·*chi*·na

Est-ce que vous ... ici ?	*Si ... qui?*	si ... kwi
organisez	*organizzano*	or·ga·*ni*·dza·no
des visites	*delle gite*	dél·lé *dji*·té
changez	*cambiano*	*kamm*·bya·no
de l'argent	*i soldi*	i *sol*·di

Puis-je laisser un message pour quelqu'un ?
Posso lasciare un
messaggio per qualcuno?

po·so la·*cha*·ré ounn
mé·*sa*·djo pér kwal·*kou*·no

Y a-t-il un message pour moi ?
C'è un messaggio per me?

tché ounn mé·*sa*·djo pér mé

Ma chambre est fermée et j'ai laissé les clefs à l'intérieur.
Mi sono chiuso/a
fuori dalla mia
camera. m/f

mi *so*·no *kyou*·zo/a
fwo·ri *da*·la *mi*·a
ka·*mé*·ra

La porte (de la salle de bain) est fermée à clef.
La porta (del bagno) è
chiusa a chiave.

la *por*·ta (del *ba*·nyo) è
kyou·za a *kya*·vé

parler local

a *ou*·na pré·no·ta·*tsyo*·né
Ha una prenotazione?
Vous avez réservé ?

a ou·*za*·to il *fri*·go·bar
Ha usato Il frigobar?
**Vous avez utilisé
le mini-bar ?**

kwa·*lè* il *sou*·o *nou*·mé·ro di ka·*mé*·ra
*Qual'è il Suo numero di
camera?*
**Quel est le numéro de
votre chambre ?**

la *kya*·vé è *a*·la ré·sép·*chonn*
La chiave è alla reception.
La clef est à la réception.

mi di·*spya*·tché è komm·*plè*·to
Mi dispiace, è completo.
Désolé, c'est complet.

per kwan·*té no*·ti
Per quante notti?
Pour combien de nuits ?

réclamations

La chambre est trop ...	*La camera è troppo ...*	la *ka*·mé·ra è *trop*·po ...
froide	*fredda*	*frè*·da
sombre	*scura*	*skou*·ra
chère	*cara*	*ka*·ra
lumineuse	*luminosa*	lou·mi·*no*·za
bruyante	*rumorosa*	rou·mo·*ro*·za
petite	*piccola*	*pi*·ko·la
L'air conditionné	*L'aria condizionata*	*la*·rya konn·di·tsyo·*na*·ta
Le ventilateur	*Il ventilatore*	il vènn·ti·la·*to*·ré
Les toilettes	*Il gabinetto*	il ga·bi·*nè*·to
... ne fonctionne(nt) pas.	*... non funziona(no).*	... nonn founn·*tsyo*·na(no)

Ce(t)/cette ... n'est pas propre.

Questo/a ... non è pulito/a. **m/f** kwè·sto/a ... no·nè pou·*li*·to/a

Si vous avez d'autres envies ou besoins, consultez la rubrique dictionnaire.

on frappe à la porte...

Qui est-ce ?	*Chi è?*	ki è
Un instant.	*Un momento.*	ounn mo·*mènn*·to
Entrez.	*Avanti.*	a·*vann*·ti
Revenez plus tard, s'il vous plaît.	*Torni più tardi, per favore.*	*tor*·ni pyou *tar*·di pér fa·*vo*·ré

quitter un hôtel

À quelle heure doit-on quitter sa chambre ?
A che ora si deve lasciar   a ké o·*ra* si dè·vé la·*char*
libera la camera?   *li*·bé·ra la *ka*·mé·ra

Est-ce que je peux quitter ma chambre plus tard ?
Posso liberare la   *pos*·so li·bé·*ra*·ré la
camera più tardi?   *ka*·mé·ra pyou *tar*·di

Est-ce que je peux laisser mes bagages ici ?
Posso lasciare il mio   *po*·so la·*cha*·ré il *mi*·o
bagaglio qui?   ba·*ga*·lyo kwi

Je pars maintenant.
Parto adesso.   *par*·to a·*dès*·so

Il y a une erreur dans la note.
C'è un errore nel conto.   tché ou·nér·*ro*·ré nèl *konn*·to

Pouvez-vous m'appeler un taxi (pour 11h) ?
Può chiamarmi un tassì   pwo kya·*mar*·mi ounn tas·*si*
(per le undici)?   (pér lé *ounn*·di·tchi)

Pourrais-je avoir   *Posso avere ...,*   *po*·so a·*vè*·ré ...
..., s'il vous plaît ?   *per favore?*   pér fa·*vo*·ré
   ma caution   *la caparra*   la ka·*pa*·ra
   mon passeport   *il mio*   il *mi*·o
      passaporto   pa·sa·*por*·to
   mes objets   *i miei oggetti*   i myeille o·*djè*·ti
   de valeur   *di valore*   di va·*lo*·ré

Je reviens ...   *Torno ...*   *tor*·no ...
   dans (3) jours   *fra (tre) giorni*   fra (tré) *djor*·ni
   (mardi)   *(martedì)*   (mar·té·*di*)

C'était très bien, merci.
*Sono stato/a
benissimo/a, grazie.* m/f

so·no *sta*·to/a
bé·*nis*·si·mo/a *gra*·tsyé

Vous avez été parfait(e).
È stato/a bravissimo/a. m/f

é *sta*·to/a bra·*vis*·si·mo/a

Je vais le conseiller à mes amis.
*Lo consiglierò
ai miei amici.*

lo konn·si·lyè·*ro*
aille myeille a·*mi*·tchi

camping

il campeggio

Où est ... le/les plus proche(s) ?	*Dov'è ... più vicino?*	do·*vè* ... pyou vi·*tchi*·no
le camping	*il campeggio*	il kamm·*pè*·djo
le magasin	*il negozio*	il né·*go*·tsyo
les douches	*il servizio doccia*	il sér·*vi*·tsyo *do*·tcha

Avez-vous ... ?	*Avete ...?*	a·*vè*·té ...
l'électricté	*la corrente*	la kor·*rènn*·té
des douches	*il servizio doccia*	il sér·*vi*·tsyo *do*·tcha
un emplacement	*un sito*	ounn *si*·to
des tentes à louer	*tende da noleggiare*	*tènn*·dé da no·lé·*dja*·ré

C'est combien par ... ?	*Quant'è per ...?*	kwann·*tè* pér ...
caravane	*roulotte*	rou·*lotte*
personne	*persona*	pér·*so*·na
tente	*tenda*	*tènn*·da
véhicule	*veicolo*	vé·*i*·ko·lo

Puis-je... ?	*Si può ...?*	si pwo ...
camper ici	*campeggiare qui*	kamm·pé·*dja*·ré kwi
me garer près de ma tente	*parcheggiare accanto alla tenda*	par·ké·*dja*·ré ak·*kann*·to a·la *tènn*·da
planter ma tente ici	*piantare la tenda qui*	pyann·*ta*·ré la *tènn*·da kwi

À qui dois-je demander l'autorisation de rester ici ?
A chi chiedo permesso per　　a ki *kyè*·do pér·*mès*·so pér
stare qui?　　sta·ré kwi

Où sont les sanitaires les plus proches ?
Dove sono i servizi　　do·vé *so*·no i sér·*vi*·tsi
igienici più　　i·*djè*·ni·tchi pyou
vicini?　　vi·*tchi*·ni

Ça marche avec des jetons ?
Funziona a gettoni?　　founn·*tsyo*·na a djét·*to*·ni

L'eau est potable ?
L'acqua è potabile?　　*la*·kwa è po·*ta*·bi·lé

Est-ce que je pourrais emprunter (un maillet) ?
Potrei prendere in　　po·*treille* prènn·dé·ré inn
prestito (un mazzuolo)?　　*prè*·sti·to (ounn ma·*tswo*·lo)

Pour en savoir plus, consulter la rubrique **dictionnaire**.

location

Je viens pour le/la ... que vous louez.
Sono qui per il/la ... che　　*so*·no kwi pér il/la ... ké
date in affitto.　　*da*·té i·na·*fi*·to

Avez-vous	*Avete ...*	a·*vè*·té ...
... à louer ?	*d'affittare?*	da·fi·*ta*·ré
un appartement	*un appartamento*	ou·nap·par·ta·*mènn*·to
une cabine	*una cabina*	ou·na ka·*bi*·na
une maison	*una casa*	ou·na *ka*·za
une chambre	*una camera*	ou·na *ka*·mé·ra
une villa	*una villa*	ou·na *vil*·la
(en partie)	*(in parte)*	(inn *par*·té)
meublé/e	*ammobiliato/a* m/f	am·mo·bi·*lya*·to/a
non meublé/e	*non*	non
	ammobiliato/a m/f	am·mo·bi·*lya*·to/a
C'est combien	*Quant'è per ...?*	kwann·*tè* pér ...
pour ... ?		
(1) semaine	*(una) settimana*	(*ou*·na) sét·ti·*ma*·na
(2) mois	*(due) mesi*	(*dou*·é) *mè*·zi

Les factures sont en plus ?
Sono extra le bollette?   *so·*no *èk·*stra lé bol·*lè·*té

loger chez l'habitant

Est-ce que je peux dormir chez vous/toi ?
Posso stare da Lei/te? **pol/fam**   *po·*so *sta·*ré da leille/té

Est-ce que je peux donner un coup de main ?
Posso aiutare in   *po·*so a·you·*ta·*ré inn
qualche modo?   kwal·ké *mo·*do

J'ai	*Ho il mio*	o il *mi·*o
mon ...	*proprio ...*	*pro·*pri·o ...
matelas	*materasso*	ma·té·*ra·*so
sac de couchage	*sacco a pelo*	*sa·*ko a *pè·*lo

Est-ce que je peux ... ?	*Posso ...?*	*pos·*so ...
amener	*portare*	por·*ta·*ré
quelque chose	*qualcosa*	kwal·*ko·*za
pour le repas	*per il pasto*	pér il *pa·*sto
faire la vaisselle	*lavare i piatti*	la·*va·*ré i *pyat·*ti
mettre/débarrasser la table		
	apparecchiare/	ap·pa·rék·*kya·*ré/
	sparecchiare	spa·rék·*kya·*ré
jeter les	*gettare la*	djét·*ta·*ré la
ordures	*spazzatura*	spa·tsa·*tou·*ra

Merci pour votre/ton accueil.
Grazie per la Sua/tua   *gra·*tsyé pér la *sou·*a/*tou·*a
ospitalità. **pol/fam**   o·spi·ta·li·*ta*

Consultez également la rubrique **se restaurer**, p. 143.

Où est (la banque) ?
Dov'è (la banca)? — do·*vè* (la *bann*·ka)

Je cherche (les toilettes).
Cerco (i servizi igienici). — tchèr·ko (i sér·*vi*·tsi i·*djè*·ni·tchi)

Où se trouve (la poste) ?
Dove si trova (l'ufficio postale)? — do·*vé* si *tro*·va (louf·*fi*·tcho po·*sta*·lé)

Comment fait-on pour y aller ?
Come ci si arriva? — ko·mé tchi si ar·*ri*·va

C'est loin ?
Quant'è distante? — kwann·*tè* di·*stann*·té

Pouvez-vous me montrer (sur le plan) ?
Può mostrarmi (sulla pianta)? — pwo mo·*strar*·mi (*soul*·la *pyann*·ta)

Quelle est l'adresse ?
Qual'è l'indirizzo? — kwa·*lè* linn·di·*ri*·tso

C'est ...	*È* ...	è ...
derrière ...	*dietro ...*	*dyè*·tro ...
loin	*lontano*	lonn·*ta*·no
ici	*qui*	kwi
devant ...	*davanti a ...*	da·*vann*·ti a ...
à gauche	*a sinistra*	a si·*ni*·stra
près (de ...)	*vicino (a ...)*	vi·*tchi*·no (a ...)
près de ...	*accanto a ...*	ak·*kann*·to a ...
au coin	*all'angolo*	al *lann*·go·lo
en face de ...	*di fronte a ...*	di *fronn*·té a ...
à droite	*a destra*	a *dè*·stra
toujours tout droit	*sempre diritto*	*sèmm*·pré di·*rit*·to
là	*là*	la

Tournez ...	*Giri ...*	dji·rì ...
à l'angle	*all'angolo*	a·*lann*·go·lo
au feu	*al semaforo*	al sé·*ma*·fo·ro
à gauche/droite	*a sinistra/ destra*	a si·*ni*·stra/ *dè*·stra
C'est à ...	*È a ...*	è a ...
(100) mètres	*(cento) metri*	(*tchènn*·to) *mè*·tri
(30) minutes	*(trenta) minuti*	(*trènn*·ta) mi·*nou*·ti
en bus	*con l'autobus*	konn la·*ou*·to·bous
à pied	*a piedi*	a *pyè*·di
en taxi	*con il tassì*	ko·nil tas·*si*
en train	*con il treno*	ko·nil *trè*·no

feu
semaforo m
sé·*ma*·fo·ro

bus
autobus m
a·*ou*·to·bous

passage piéton
passaggio m *zebrato*
pa·*sa*·djo dzé·*bra*·to

croisement
incrocio m
inn·*kro*·tcho

taxi
tassì m
ta·*si*

angle
angolo m
ann·go·lo

achats
lo shopping

se renseigner

in cerca di ...

Où y a-t-il (une agence de voyages) ?
Dov'è (un'agenzia di viaggi)?   do·vè (ou·na·djènn·tsi·a di vya·dji)

Où puis-je acheter (du pain) ?
Dove posso comprare (del pane)?   do·vé pos·so komm·pra·ré (dèl pa·né)

Pour demander sa route et se faire indiquer une direction, voir la rubrique **orientation**, p. 61, et pour d'autres magasins, consulter le **dictionnaire**.

indications		
Aperto	a·pèr·to	**Ouvert**
Chiuso	kyou·zo	**Fermé**
Spingere	spinn·djé·ré	**Poussez**
Tirare	ti·ra·ré	**Tirez**

achats

fare un acquisto

Je voudrais acheter...
Vorrei comprare ...   vor·reille komm·pra·ré ...

Je ne fais que regarder.
Sto solo guardando.   sto so·lo gwar·dann·do

Combien ça coûte ?
Quanto costa questo?   kwann·to ko·sta kwè·sto

Pouvez-vous écrire le prix ?
Può scrivere il prezzo?   pwo skri·vé·ré il prè·tso

En avez-vous d'autres ?
Ne avete altri?   né a·vè·té al·tri

achats

63

Puis-je jeter un coup d'oeil ?
Posso dare un'occhiata?   po·so da·ré ou·no·*kya*·ta

Pouvez-vous l'emballer, s'il vous plaît ?
Può incartarlo,   pwo inn·kar·*tar*·lo
per favore?   pér fa·*vo*·ré

Il y a une garantie ?
Ha la garanzia?   a la ga·rann·*tsi*·a

Pouvez-vous l'expédier à l'étranger ?
Può spedirlo all'estero?   pwo spé·*dir*·lo al·*lè*·sté·ro

Pouvez-vous le commander ?
Me lo può ordinare,   mé lo pwo or·di·*na*·ré
per favore?   pér fa·*vo*·ré

Puis-je le prendre plus tard ?
Posso ritirarlo   po·so ri·ti·*rar*·lo
più tardi?   pyou *tar*·di

Il est défectueux.
È difettoso.   è di·fét·*to*·zo

Il est cassé.
È rotto.   è *rot*·to

Acceptez-vous ... ?	*Accettate ...?*	a·tchét·*ta*·té ...
les cartes	*la carta di*	la *kar*·ta di
de crédit	*credito/debito*	krè·di·to/*dè*·bi·to
les chèques	*gli assegni di*	lyi as·*sè*·nyi
de voyage	*viaggio*	di *vya*·djo

Pouvez-vous me donner..., s'il vous plaît ?

Può darmi ..., per favore?		pwo *dar*·mi ...pér fa·*vo*·ré
un sac	*un sacchetto*	ounn sa·*kèt*·to
un reçu	*una ricevuta*	ou·na ri·tché·*vou*·ta

formule de politesse

La forme de politesse "vous" se traduit par *Lei* ou *voi* en italien. Utilisez *Lei* lorsque vous vous adressez à une seule personne, et *voi* dans les autres cas. Voir la rubrique **pronoms** dans le chapitre **grammaire de A à Z**.

Je voudrais ..., s'il vous plaît.
Vorrei ..., per favore.   vor·reille ... pér fa·*vo*·ré

la monnaie	*il mio resto*	il *mi*·o *rè*·sto
être remboursé(e)	*un rimborso*	ounn rimm·*bor*·so
changer	*cambiare*	kamm·*bya*·ré
ceci	*questo/a* m/f	kwè·sto/a
rendre	*restituire*	ré·sti·tou·*i*·ré
ceci	*questo/a* m/f	kwè·sto/a

marchander

contrattare

C'est trop cher.
È troppo caro/a. m/f   è *trop*·po *ka*·ro/a

Le prix est trop élevé.
Il prezzo è molto alto.   il *prè*·tso è *mol*·to *al*·to

parler local

affaire	*affare* m	a·*fa*·ré
affairiste	*affarista* m	a·fa·*ri*·sta
arnaque	*fregatura* f	fré·ga·*tou*·ra
occasions	*occasioni* f pl	o·ka·*zyo*·ni
soldes	*saldi* m pl	*sal*·di

Pouvez-vous me faire une réduction ?
Può farmi lo sconto?   pwo *far*·mi lo *skonn*·to

Avez-vous quelque chose de moins cher ?
Ha qualcosa di meno   a kwal·*ko*·za di *mè*·no
costoso?   ko·*sto*·zo

Je vous offre ...
Le offro ...   lé *of*·fro ...

acheter des vêtements

comprare vestiti

Est-ce que je peux essayer ?
Potrei provarmelo/a? m/f   po·*treille* pro·*var*·mé·lo/a

Ça ne me va pas.
Non va bene.   nonn va *bè*·né

Je fais du ...	Sono una taglia ...	so·no ou·na ta·lya ...
L	forte	for·té
M	media	mè·dya
S	piccola	pi·ko·la

correspondances des tailles

France	Italie		
36	40	quaranta	kwa·rann·ta
38	42	quarantadue	kwa·rann·ta·dou·é
40	44	quarantaquattro	kwa·rann·ta·kwa·tro
42	46	quarantasei	kwa·rann·ta·séille
44	48	quarantotto	kwa·rann·to·to

Pour en savoir plus, reportez-vous au **dictionnaire**.

réparations

le riparazioni

Puis-je faire	Posso far	po·so far
réparer ici...	aggiustare qui?	a·djou·sta·ré kwi
mon sac à dos	il mio zaino	il mi·o dza·i·no
mon appareil	la mia macchina	la mi·a ma·ki·na
photo	fotografica	fo·to·gra·fi·ka

Quand seront	Quando saranno	kwann·do sa·ra·no
prêt(e)s ... ?	pronti/e ...? m/f pl	pronn·ti/é ...
mes lunettes	i miei occhiali m pl	i myeille o·kya·li
(de soleil)	(da sole)	(da so·lé)
mes chaussures	le mie scarpe f pl	lé mi·é skar·pé

chez le coiffeur

dal parrucchiere

Je voudrais ...	Vorrei ...	vo·reille ...
me faire teindre	farmi tingere	far·mi tinn·djé·ré
les cheveux	i capelli	i ka·pè·li
une coupe	un taglio	ounn ta·lyo
un balayage	i colpi di sole	i kol·pi di so·lé

une coupe	*un taglio*	ounn *ta*·lyo
en dégradé	*scalato*	ska·*la*·to
me rafraîchir	*una spuntatina*	ou·na spounn·ta·*ti*·na
la barbe	*alla barba*	a·la *bar*·ba
une permanente	*una permanente*	ou·na pér·ma·*nènn*·té
me faire raser	*una rasatura*	oo·na ra·za·*tou*·ra
me faire lisser	*farmi stirare i*	*far*·mi sti·*ra*·ré i
les cheveux	*capelli*	ka·*pè*·li
des mèches	*le mèches*	lé méche
rafraîchir	*una spuntatina*	ou·na spounn·ta·*ti*·na
ma coupe		

Est-ce vous faites ... ?	*Fate ...*	*fa*·té ...
des traitements	*i trattamenti di*	i tra·ta·*mènn*·ti di
de beauté	*bellezza*	bé·*lè*·tsa
(pour le visage)	*(al viso)*	(al *vi*·zo)
des massages	*i massaggi*	i ma·*sa*·dji
des épilations	*la depilazione*	la dé·pi·la·*tsyo*·né

Ne les coupez pas trop court.
Non li tagli troppo corti.   non li *ta*·lyi *tro*·po *kor*·ti

Coupez tout !
Li tagli tutti!   lì *ta*·lyi *tou*·ti

Utilisez un nouveau rasoir, s'il vous plaît.
Usi una lametta   ou·zi ou·na la·*mè*·ta
nuova, per favore.   *nwo*·va pér fa·*vo*·ré

Je n'aurais jamais dû la laisser faire !
Non dovevo mai   non do·*vè*·vo maille
permetterLe di toccarmi!   pér·*mè*·tér·lé di to·*kar*·mi

Pour les couleurs, voir le **dictionnaire**.

livres et lecture

Y a-t-il une librairie (spécialisée en langue française) ?
C'è una libreria   tché ou·na li·bré·*ri*·a
(specializzata in   (spé·tcha·li·*dza*·ta inn
lingua francese)?   linn·gwa frann·*tchè*·zé)

Y a-t-il une section (de langue française) ?
C'è una sezione   tché *ou*·na sé·*tsyo*·né
(di lingua francese)?   (di *linn*·gwa frann·*tchè*·zé)

Y a-t-il un guide des spectacles (en français) ?
C'è una guida agli   tché *ou*·na *gwi*·da *a*·lyi
spettacoli (in francese)?   spé·*ta*·ko·li (inn frann·*tchè*·zé)

Avez-vous un livre de (Alberto Moravia) ?
C'è un libro di   tché ounn *li*·bro di
(Alberto Moravia)?   (al·*bèr*·to mo·*ra*·vya)

Avez-vous des guides Lonely Planet ?
Avete le guide del   a·*vè*·té lé *gwi*·dé dél
Lonely Planet?   *lonn*·li *pla*·nét

Avez-vous un meilleur dictionnaire ?
Avete un vocabularietto   a·*vè*·té ounn vo·ka·bo·la·*ryè*·to
migliore di questo?   mi·*lyo*·ré di *kwè*·sto

musique

Je voudrais ...   *Vorrei ...*   vo·*reille* ...
  une cassette   *una cassetta*   *ou*·na ka·*sè*·ta
     vierge   *vuota*   *vwo*·ta
      un CD   *un cidì*   ounn tchi·*di*
  un casque   *delle cuffie*   *dè*·lé kou·*fyé*

---

parler local

leille *lè*·djé *li*·bri inn i·ta·*lya*·no   **Vous lisez des livres**
   Lei legge libri in   **en italien ?**
   italiano?

no nonn né a·*bya*·mo   **Non, nous n'en avons pas.**
   No, non ne abbiamo.

J'ai entendu un groupe qui s'appelle (Marlene Kuntz).
> *Ho sentito un gruppo*   o sénn·*ti*·to ounn *grou*·po
> *chiamato (Marlene Kuntz).*   kya·*ma*·to (mar·*lè*·né kounnts)

J'ai entendu un(e) chanteur(euse) qui s'appelle ...
> *Ho sentito un/una*   o sénn·*ti*·to ounn/*ou*·na
> *cantante chiamato/a ...* m/f   kann·*tann*·té kya·*ma*·to/a ...

Quel est son meilleur morceau ?
> *Qual'è la sua migliore*   kwa·*lè* la *sou*·a mi·*lyo*·ré
> *incisione?*   inn·tchi·zyo·né

Est-ce que je pourrais écouter ça ?
> *Potrei ascoltare questo?*   po·*treille* as·kol·*ta*·ré kwè·sto

photographie

Je voudrais...	*Vorrei*	vo·*reille*
une pellicule	*un rullino*	ounn rou·*li*·no
pour cet	*per questa*	pér kwè·sta
appareil	*macchina*	*ma*·ki·na
photo.	*fotografica.*	fo·to·*gra*·fi·ka
APS	*da APS*	da a·pi·è·sé
noir et blanc	*in bianco e nero*	inn *byann*·ko é *nè*·ro
couleurs	*a colori*	a *ko*·lo·ri
pour diapositives	*per diapositive*	pér dya·po·zi·*ti*·vé
(100) ASA	*di (cento) ASA*	di (*tchènn*·to) *a*·za
Pourriez-vous ... ?	*Potrebbe ...?*	po·*trè*·bé ...
développer	*sviluppare*	svi·lou·*pa*·ré
cette pellicule	*questo rullino*	kwè·sto rou·*li*·no
insérer la pellicule	*inserire il*	inn·sé·*ri*·ré il
	mio rullino	*mi*·o rou·*li*·no

Combien ça coûte pour faire développer cette pellicule ?
> *Quanto costa sviluppare*   kwann·to *ko*·sta svi·lou·*pa*·ré
> *questo rullino?*   kwè·sto rou·*li*·no

Ce sera prêt quand ?
> *Quando sarà pronto?*   kwann·do sa·*ra* pronn·to

Je voudrais des photos d'identité.
> *Vorrei delle foto tessera.*   vo·*reille* dè·lé fo·to tè·sé·ra

Ces photos ne me plaisent pas.

Non mi piacciono   nonn mi *pya*·tcho·no
queste foto.   kwè·sté *fo*·to

Pour en savoir plus sur le matériel photo, consultez le **dictionnaire**.

souvenirs		
objets anciens	*pezzi* m	*pè*·tsi
	d'antiquariato	dann·ti·kwa·*rya*·to
verre soufflé	*vetro* m *soffiato*	vè·tro so·*fya*·to
masques de	*maschere* f pl *di*	ma·ské·ré di
Carnaval	*Carnevale*	kar·né·*va*·lé
céramiques	*ceramiche* f pl	tché·*ra*·mi·ké
broderie	*ricamo* m	ri·*ka*·mo
verrerie	*vetrame* m	vé·*tra*·mé
artisanat	*ogetti* m pl	o·djè·ti
	d'artigianato	dar·ti·dja·*na*·to
bijoux	*gioielli* m pl	djo·yè·li
dentelle	*merletto* m	mér·*lè*·to
articles		
de maroquinerie	*pelletterie* f pl	pé·lé·té·*ri*·é
papier marbré	*carta* f	*kar*·ta
	marmorizzata	mar·mo·ri·*dsa*·ta
verres de	*vetri* m pl *di*	vè·tri di
Murano	*Murano*	mou·*ra*·no
articles	*articoli* m pl	ar·*ti*·ko·li
en papier	*di carta*	di *kar*·ta
bois gravé	*legno* m	*lè*·nyo
	intagliato	inn·ta·*lya*·to

poste et communications
comunicazioni

poste

l'ufficio postale

Je voudrais envoyer un/une...	*Vorrei mandare un/una...* m/f	vor·*reille* mann·*da*·ré ounn/*ou*·na...
fax	*fax* m	faks
lettre	*lettera* f	*lèt*·té·ra
paquet	*pacchetto* m	pa·*kèt*·to
carte postale	*cartolina* f	kar·to·*ll*·na
Je voudrais acheter...	*Vorrei comprare...*	vo·*reille* komm·*pra*·ré...
un aérogramme	*un aerogramma*	ou·na·é·ro·*gram*·ma
une enveloppe	*una busta*	*ou*·na *bou*·sta
des timbres	*dei francobolli*	deille frann·ko·*bol*·li

par avion	*via* f *aerea*	*vi*·a a·è·ré·a
déclaration en douane	*dichiarazione* f *doganale*	di·kya·ra·*tsyo*·né do·ga·*na*·lé
courrier domestique	*domestico/a* m/f	do·*mè*·sti·ko/a
courrier rapide	*posta* f *prioritaria*	*po*·sta pri·o·ri·*ta*·rya
fragile	*fragile*	*fra*·dji·lé
colle	*colla* f	*kol*·la
international	*internazionale*	inn·tér·na·tsyo·*na*·lé
boîte aux lettres	*buca* f *delle lettere*	bou·ka dé·lé *lèt*·té·ré
code postal	*codice* m *postale*	ko·di·tché po·*sta*·lé
envoi	*posta* f	*po*·sta
en recommandé	*raccomandata*	rak·ko·mann·*da*·ta
normal	*ordinaria/ normale*	*po*·sta or·di·*na*·rya/ nor·*ma*·lé
par bateau	*via mare*	*vi*·a *ma*·ré

Envoyez-le par avion (au Danemark), s'il vous plaît.
Lo mandi via aerea   lo *mann*·di *vi*·a a·è·ré·a
(in Danimarca),   (inn da·ni·*mar*·ka)
per favore.   pér fa·*vo*·ré

Envoyez-le (à Rome) au tarif normal, s'il vous plaît.
Lo mandi per posta   lo *mann*·di pér *po*·sta
ordinaria (a Roma),   or·di·*na*·rya (a *ro*·ma)
per favore.   pér fa·*vo*·ré

Ça contient...
Contiene...   konn·*tyè*·né...

Où est la poste restante ?
Dov'è il fermo posta?   do·*vè* il *fèr*·mo *po*·sta

Y a-t-il du courrier pour moi ?
C'è posta per me?   tché *po*·sta pér mé

téléphone

telefono

Quel est votre/ton (numéro de téléphone) ?
Qual'è il Suo/tuo   kwa·*lè* il *sou*·o/*tou*·o
numero di telefono? **pol/fam**   *nou*·mé·ro di té·*lè*·fo·no

Où est la cabine téléphonique la plus proche ?
Dov'è il telefono   do·*vè* il té·*lè*·fo·no
pubblico più vicino?   *pou*·bli·ko pyou vi·*tchi*·no

Je voudrais passer un	*Vorrei fare una*	vo·*reille* fa·ré *ou*·na
coup de téléphone	*chiamata*	kya·*ma*·ta
(à la charge	*(a carico*	(a *ka*·ri·ko
du destinataire)...	*del destinatario)...*	dél dé·sti·na·*ta*·ryo)...
en Belgique	*in Belgio*	inn *bèl*·djo
à Naples	*a Napoli*	a *na*·po·li

Je voudrais...	Vorrei...	vo·reille...
acheter une	*comprare una*	komm·*pra*·ré ou·na
carte téléphonique	*scheda*	skè·da
	telefonica	té·lé·*fo*·ni·ka
parler pendant	*parlare per*	par·*la*·ré pér
(3) minutes	*(tre) minuti*	(tré) mi·*nou*·ti
Combien coûte... ?	*Quanto costa...?*	kwann·to ko·sta...
un appel	*una telefonata*	ou·na té·lé·fo·*na*·ta
de (3) minutes	*di (tre)*	di (tré)
	minuti	mi·*nou*·ti
la minute	*ogni minuto*	o·nyi mi·*nou*·to
supplémentaire	*in più*	inn pyou

Le numéro est...
Il numero è...   il *nou*·mé·ro è...

Quel est le préfixe pour... ?
Qual'è il prefisso per...?   kwa·lè il pré·*fi*·so pér...

La ligne est occupée.
La linea è occupata.   la *li*·né·a è ok·kou·*pa*·ta

La ligne a été coupée.
È caduta la linea.   è ka·*dou*·ta la *li*·né·a

La ligne est mauvaise.
La linea non è buona.   la *li*·né·a no·nè *bwo*·na

Allô !
Pronto!   pronn·to

C'est...
Sono...   so·no...

Est-ce que je peux parler avec... ?
Posso parlare con...?   po·so par·*la*·ré konn...

Est-ce que je peux laisser un message ?
Posso lasciare un messaggio? po·so la·*cha*·ré ounn mé·*sa*·djo

Dites-lui que j'ai appelé.
Gli/Le dica che ho lyi/lé *di*·ka ké o
telefonato, per favore. m/f té·lé·fo·*na*·to pér fa·*vo*·ré

Je rappellerai plus tard.
Richiamerò più tardi. ri·kya·mé·*ro* pyou *tar*·di

Mon numéro est...
Il mio numero è... il *mi*·o nou·*mé*·ro è...

Je n'ai pas de poste fixe.
Non ho un numero fisso. non o ounn nou·*mé*·ro *fis*·so

konn ki *par*·lo *Con chi parlo?*	**Qui est-ce ?**
konn ki *vwo*·lé par·*la*·ré *Con chi vuole* *parlare?*	**Qui désirez-vous ?**
lyè·lo/lyè·la *pas*·so *Glielo/Gliela passo.*	**Je vous le/la passe.**
mi di·*spya*·tché (louille/leille) nonn tché *Mi dispiace, (lui/lei)* *non c'è.*	**Désolé, (il/elle)** **n'est pas là.**
mi di·*spya*·tché a sba·*lya*·to nou·*mé*·ro *Mi dispiace, ha sbagliato* *numero.*	**Désolé, vous avez fait** **un faux numéro.**
ou·*na*·ti·mo *Un attimo.*	**Un instant.**
si è kwi *Sì, è qui.*	**Oui, il/elle est ici.**

PRATIQUE

téléphone portable

Je voudrais...	Vorrei...	vo·reille...
un adaptateur	un adattatore	ou·na·dat·ta·to·ré
une recharge	un caricabatterie	ounn ka·ri·ka·bat·té·ri·é
louer un	un cellulare	ounn tchél·lou·la·ré
mobile	da noleggiare	da no·lé·dja·ré
un mobile	un cellulare	ounn tchél·lou·la·ré
prépayé	prepagato	pré·pa·ga·to
une recharge	una ricarica	ou·na ri·ka·ri·ka
téléphonique	telefonica	té·lé·fo·ni·ka
pour (Omnitel)	per (Omnitel)	pér (om·ni·tél)
une carte SIM	un SIM card	ounn simm kard
pour votre	per la vostra	pér la vo·stra
réseau téléphonique	rete telefonica	rè·té té·lé·fo·ni·ka

Quels sont les tarifs ?
Quali sono le tariffe?　　　　*kwa·li so·no lé tar·rif·fé*

(30 centimes) pour (30) secondes.
(Trenta centesimi) per　　　　*(trènn·ta tchènn·tè·zi·mi)*
(trenta) secondi.　　　　*pér (trènn·ta) sé·konn·di*

Internet

Où se trouve le café Internet ?
Dove si trova　　　　*do·vé si tro·va*
l'Internet Cafe?　　　　*linn·tér·nét ka·fè*

Je voudrais...	Vorrei...	vor·reille...
me connecter	usare Internet	ou·za·ré inn·tér·nét
à Internet		
contrôler	controllare le	konn·trol·la·ré lé
mes messages	mie email	mi·é i·mèl
utiliser	usare una	ou·za·ré ou·na
une imprimante	stampante	stamm·pann·té
utiliser un scanner	scandire	skann·di·ré

Combien ça coûte... ?	Quanto costa...?	kwann·to ko·sta...
pour (5) minutes	per (cinque) minuti	pér (tchinn·kwé) mi·nou·ti
par heure	all'ora	al·lo·ra
à la page	a pagina	a pa·dji·na
Avez-vous... ?	Avete...?	a·vè·té...
des PC	i PC	i pi·tchi
des Mac	i Mac	i mak
un Zip	uno ZIP drive	ou·no zip draille·ve

J'ai besoin d'aide avec l'ordinateur.

Ho bisogna d'aiuto con il computer.
o bi·zo·nyo da·you·to ko·nil komm·pyou·teur

Il est bloqué.

Si è bloccato.
si è blok·ka·to

J'ai fini.

Ho finito.
o fi·ni·to

la folie des portables

En Italie, pays où les gens sont plutôt bavards, le nombre de détenteurs de téléphones portables est l'un des plus élevés au monde. Les *cellulari* ou les *telefonini* (litt : petits téléphones) sont un accessoire de mode essentiel. Attendez-vous, dans le train ou le bus, à une véritable cacophonie de sonneries. Les Italiens utilisent leur mobile à la moindre occasion, comme ces hommes d'affaires qui n'hésitent pas, avant de quitter leur bureau, à appeler leur épouse pour la prévenir de leur arrivée.

Je suis ici pour ...	Sono qui per ...	so·no kwi pér ...
une conférence	una conferenza	ou·na konn·fé·rènn·tsa
un cours	un corso	oun kor·so
une réunion	una riunione	ou·na ri·ou·nyo·né
un salon	una fiera	ou·na fyè·ra
	commerciale	kom·mér·tcha·lé

Je suis ici avec ...	Sono qui con ...	so·no kwi konn ...
mon entreprise	la mia azienda	la mi·a a·dzyènn·da
mon collègue/	il mio collega m	il mi·o kol·lè·ga
ma collègue	la mia collega f	la mi·a kol·lè·ga
mes collègues	i miei	i myeille
	colleghi	kol·lè·ghi
(2) autres personnes	(due) altri	(dou·é) al·tri

Je suis à (l'hôtel Minerva), chambre (309).
Alloggio al (Minerva),   al·lo·djo (al mi·nèr·va)
camera (trecentonove).   ka·mé·ra (tré·tchènn·to·no·vé)

Je suis seul/e.
Sono solo/a. m/f   so·no so·lo/a

Je reste là pendant (2) jours/semaines.
Sono qui per (due)   so·no kwi pér (dou·é)
giorni/settimane.   djor·ni/sét·ti·ma·né

Voici ma carte de visite.
Ecco il mio biglietto   è·ko il mi·o bi·lyèt·to
da visita.   da vi·zi·ta

J'ai un rendez-vous avec (M. Carlucci).
Ho un appuntamento   o ou·nap·pounn·ta·mènn·to
con (il Signor Carlucci).   konn (il si·nyor kar·lou·tchi)

Ça s'est bien passé.
È andato bene.   è ann·da·to bè·né

On va boire/manger quelque chose ?
Andiamo a bere/   ann·dya·mo a bè·ré/
mangiare qualcosa?   mann·dja·ré kwal·ko·za

Où est ... ?	*Dov'è ...?*	do·vè ...
le centre d'affaires	*il business centre*	il *biz*·nis·se *sènn*·tér
la conférence	*la conferenza*	la konn·fé·*rènn*·tsa
la réunion	*la riunione*	la ri·ou·*nyo*·né
J'ai besoin d'/de...	*Ho bisogno di ...*	o bi·*zo*·nyo di ...
un ordinateur	*un computer*	ounn komm·*pyou*·teur
une connection Internet	*una connessione Internet*	ou·na kon·nés·*syo*·né *inn*·tér·nét
un interprète	*un/un'interprete* m/f	ou·ninn·*tèr*·pré·té
cartes de visite	*biglietti da visita*	bi·*lyèt*·ti da *vi*·zi·ta
un endroit pour ranger	*un posto dove sistemare*	ounn *po*·sto *do*·vé si·sté·*ma*·ré
envoyer un mail/fax	*mandare un email/fax*	mann·*da*·ré ounn i·*mèl*/faks
J'attends ...	*Aspetto ...*	a·*spèt*·to ...
un appel téléphonique	*una telefonata*	*ou*·na té·lé·fo·*na*·ta
un fax	*un fax*	ounn faks
projecteur	*proiettore* m	pro·*yét*·to·ré
tableau de conférence	*lavagna* f *con fogli*	la·*va*·nya konn *fo*·lyi
rétroprojecteur	*lavagna* f *luminosa*	la·*va*·nya lou·mi·*no*·za
tableau blanc	*lavagna* f *bianca*	la·*va*·nya *byann*·ka

la langue des affaires

En Italie, le monde des affaires est formel et hiérarchisé. Supérieur et subordonnés ne s'appellent pas par leur prénom. Utiliser le titre, professionnel (comme *avvocato*, *dottore* ou *professore*) ou personnel (selon la distinction reçue, par exemple *commandatore*), est non seulement de bon ton, mais peut vous aider à conclure une affaire !

D'habitude, on ne parle pas affaires autour d'un repas, et lorsque vous dînez avec des collègues italiens ou des partenaires commerciaux, attendez qu'ils abordent eux-mêmes le sujet. En tant que visiteur, vous êtes censé arriver *in orario* (à l'heure), mais ne soyez pas fâché si l'on vous fait attendre.

Où puis-je ... ?	*Dove posso ...?*	*do·vé pos·so …*
Je voudrais ...	*Vorrei ...*	*vo·reille …*
transférer de l'argent	*trasferire soldi*	tra·sfé·*ri·ré sol·*di
encaisser un chèque	*riscuotere*	ri·*skwo·*té·ré
	un assegno	ou·nas·*sè·*nyo
changer	*cambiare*	kamm·*bya·*ré
un chèque	*un assegno di*	ou·nas·*sè·*nyo di
de voyage	*viaggio*	*vya·*djo
changer	*camblare*	kamm·*bya·*ré
de l'argent	*denaro*	dé·*na·*ro
prélever par	*prelevare con*	pré·lé·*va·*ré konn
carte de crédit	*carta di credito*	*kar·*ta di krè·di·to
faire un retrait	*fare un prelievo*	*fa·*ré ounn pré·*lyè·*vo
Où est le ...	*Dov'è ... più*	do·*vè* ... pyou
le plus proche ... ?	*vicino?*	vi·*tchi·*no
distributeur	*Il Bancomat*	il *bann·*ko·mat
automatique		
bureau de change	*il cambio*	il *kamm·*byo

À quelle heure ouvre la banque ?
A che ora apre la banca?   a ké *o·*ra *a·*pré la *bann·*ka

Le distributeur automatique a avalé ma carte.
Il Bancomat ha   il *bann·*ko·mat a
trattenuto la mia   trat·té·*nou·*to la *mi·*a
carta di credito.   *kar·*ta di krè·di·to

J'ai oublié mon code.
Ho dimenticato il   o di·mènn·ti·*ka·*to il
mio codice PIN.   *mi·*o ko·di·tché pinn

Peut-on utiliser une carte de crédit pour faire un retrait ?
Si può usare la carta   si pwo ou·*za·*ré la *kar·*ta
di credito per fare   di krè·di·to pér *fa·*ré
prelievi?   pré·*lyè·*vi

Quel est le taux de change ?
Quant'è il cambio?   kwan·*tè* il *kamm*·byo

À combien s'élève la commission ?
Quant'è la commissione?   kwann·*tè* la kom·mi·*syo*·né

Ça coûte combien ?
Quanto costa?   kwann·to ko·sta

Est-ce que vous pouvez me donner des petites coupures ?
Mi può dare banconote   mi pwo *da*·ré bann·ko·*no*·té
più piccole?   pyou *pik*·ko·lé

Mon argent est-il arrivé ?
È arrivato il mio denaro?   è a·ri·*va*·to il *mi*·o dé·*na*·ro

Il faut combien de temps pour le transfert ?
Quanto tempo ci vorrà   kwann·to tèmm·po tchi vor·*ra*
per il trasferimento?   pér il tra·sfé·ri·*mènn*·to

Pour en savoir plus, consulter la rubrique **argent**, p. 35.

parler local		
il *sou*·o ...	il *Suo* ...	**votre ...**
do·kou·*mènn*·to	*documento*	**pièce**
di·*dènn*·ti·*ta*	*d'identità*	**d'identité**
pas·sa·*por*·to	*passaporto*	**passeport**
fra ...	*Fra* ...	**Dans ...**
(*kwat*·tro) *djor*·ni	*(quattro) giorni*	**(4) jours**
la·vo·ra·*ti*·vi	*lavorativi*	**ouvrés**
ou·na sét·ti·*ma*·na	*una settimana*	**une semaine**
pwo ...	*Può ...,*	**Pouvez-vous,**
pér fa·*vo*·ré	*per favore?*	**s'il vous plaît ... ?**
fir·*ma*·ré kwi	*firmare qui*	**signer ici**
skri·vér·lo	*scriverlo*	**l'écrire**

tché ounn pro·*blè*·ma ko·nil *sou*·o *konn*·to
C'è un problema con il   **Il y a un problème**
Suo conto.   **avec votre compte.**

nonn pos·*sya*·mo *far*·lo
Non possiamo farlo.   **Nous ne pouvons pas le faire.**

Je voudrais...	*Vorrei...*	vo·*reille*...
un écouteur	*un auricolare*	ounn a·ou·ri·ko·*la*·ré
un catalogue	*un catalogo*	ounn ka·*ta*·lo·go
un guide (-interprète)	*una guida*	*ou*·na *gwi*·da
un guide	*una guida*	*ou*·na *gwi*·da
en français	*in francese*	inn frann·*tchè*·zé
un plan	*una cartina*	*ou*·na kar·*ti*·na
du quartier	*della zona*	*dè*·la *dzo*·na
Avez-vous des	*Avete delle*	a·*vè*·té *dèl*·lé
informations	*informazioni*	inn·for·ma·*tsyo*·ni
sur des endroits... ?	*su posti...?*	sou *po*·sti...
culturels	*culturali*	koul·tou·*ra*·li
du coin	*locali*	lo·*ka*·li
religieux	*religiosi*	ré·li·*djo*·zi
particuliers	*particolari*	par·ti·ko·*la*·ri

Je voudrais voir...
Vorrei vedere... vor·*reille* vé·*dè*·ré...

C'est quoi ?
Cos'è? ko·*zè*

Qui l'a fait ?
Chi l'ha fatto? ki la *fat*·to

Ça a combien d'années ?
Quanti anni ha? *kwann*·ti *an*·ni a

Pourriez-vous me prendre en photo ?
Può farmi una foto? pwo *far*·mi *ou*·na *fo*·to

Puis-je (vous) prendre en photo ?
Posso fare una foto (di Lei)?   po·so fa·ré ou·na fo·to (di leille)

Je vous enverrai la photo.
Le spedirò la foto.   lé spé·di·ro la fo·to

panneaux

Entrata	ènn·tra·ta	**Entrée**
Gabinetti	ga·bi·nè·ti	**Toilettes**
Informazioni	inn·for·ma·tsyo·ni	**Renseignements**
Ingresso	inn·grè·so	**Entrée**
gratuito	gra·tou·i·to	**gratuite**
Messa in corso	mè·sa inn kor·so	**Mise en service**
Non Calpestare	nonn kal·pé·sta·ré	**Ne pas marcher**
l'erba	lèr·ba	**sur la pelouse**
Non entrare	no·nènn·tra·ré	**Entrée interdite**
Proibito	pro·i·bi·to	**Interdit**
Servizi	sér·vi·tsi	**Toilettes**
pubblici	pou·bli·tchi	**publiques**
Uscita	ou·chi·ta	**Sortie**
Uscita di	ou·chi·ta di	**Sortie de**
sicurezza	si·kou·rè·tsa	**secours**
Vietato	vyé·ta·to	**Interdit**
Vietato	vyé·ta·to	**Interdiction**
consumare	konn·sou·ma·ré	**de boire**
cibi o bevande	tchi·bi o bé·vann·dé	**ou de manger**
Vietato entrare	vyé·ta·to ènn·tra·ré	**Entrée interdite**
Vietato	vyé·ta·to	**Photos**
fotografare	fo·to·gra·fa·ré	**interdites**
Vietato	vyé·ta·to	**Interdiction**
fumare	fou·ma·ré	**de fumer**
Vietato	vyé·ta·to	**Entrée**
l'ingresso	linn·grè·so	**interdite**
Vietato toccare	vyé·ta·to to·ka·ré	**Interdiction de toucher**
Vietato usare	vyé·ta·to ou·za·ré	**Flashes interdits**
flash	flèsh	

accéder à un site touristique

À quelle heure ça ouvre/ferme ?
A che ora apre/chiude?   a ké o·ra a·pré/kyou·dé

Combien coûte l'entrée ?
Quant'è il prezzo d'ingresso?   kwann·tè il prè·tso dinn·grè·so

Ça coûte (7 euros).
Costa (sette euro).   ko·sta (sè·té é·ou·ro)

Y a-t-il une	*C'è uno*	tchè ou·no
réduction pour... ?	*sconto per...?*	skonn·to pér...
les enfants	*bambini*	bamm·bi·ni
les groupes	*gruppi*	group·pl
les retraités	*pensionati*	pènn·syo·na·ti
les étudiants	*studenti*	stou·dènn·ti

circuits

Pouvez-vous me	*Può consigliarmi*	pwo konn·si·lya·rmi
conseiller... ?	*una...?*	ou·na...
un tour en bateau	*gita in barca*	dji·ta inn bar·ka
une visite touristique	*gita turistica*	dji·ta tou·ri·sti·ka

À quelle heure part	*A che ora parte la*	a ké o·ra par·té la
la prochaine... ?	*prossima...?*	pros·si·ma...
excursion	*escursione*	é·skour·syo·né
excursion à la journée	*escursione in giornata*	é·skour·syo·né inn djor·na·ta

... est-il compris ?	*È incluso...?*	è inn·klou·zo...
l'hébergement	*l'alloggio*	lal·lo·djo
le couvert	*il vitto*	il vit·to
le transport	*il trasporto*	il tras·por·to

Dois-je	*Devo portare*	dè·vo por·ta·ré.
emporter... ?	*... con me?*	.. konn mé

Le guide paiera.
La guida pagherà.   la *gwi*·da pa·ghé·*ra*

Le guide a payé.
La guida ha pagato.   la *gwi*·da a pa·*ga*·to

Combien de temps dure la visite ?
Quanto dura la gita?   kwann·to *dou*·ra la *dji*·ta

À quelle heure serons-nous de retour ?
A che ora dovremmo   a ké *o*·ra do·*vrèm*·mo
ritornare?   ri·tor·*na*·ré

Revenez ici à (7h).
Torni qui alle (sette).   *tor*·ni kwi *a*·lé (*sèt*·té)

Je suis avec eux.
Sono con loro.   *so*·no konn *lo*·ro

J'ai perdu mon groupe.
Ho perso il mio gruppo.   o *pèr*·so il *mi*·o group·po

---

pour approfondir

C'est comment (Rome) ?
Com'è (Roma)?   ko·*mè* (*ro*·ma)

Il (n') y a (pas)...	*(Non) C'è...*	(nonn) tchè...
beaucoup d'offres	*molta*	*mol*·ta
culturelles	*cultura*	koul·*tou*·ra
beaucoup de	*molto da*	*mol*·to da
choses à voir	*vedere*	vé·*dè*·ré
beaucoup	*una vita*	ou·na *vi*·ta
d'animation	*notturna*	not·*tour*·na
le soir	*favolosa*	fa·vo·*lo*·za
un bon	*un buon*	ounn bwonn
restaurant/	*ristorante/*	ri·sto·*rann*·té/
hôtel	*albergo*	al·*bèr*·go

Il (n') y a (pas)...	*(Non) Ci sono...*	(nonn) tchi *so*·no...
des (d') escrocs	*imbroglioni*	imm·bro·*lyo*·ni
trop de touristes	*troppi*	*trop*·pi
	turisti	tou·*ri*·sti

un peu de latin

Si la connaissance de l'italien vous aidera dans vos voyages dans l'Italie contemporaine, celle du latin vous permettra de mieux comprendre l'Italie du passé. Voilà une série d'abréviations et d'acronymes qui vous aideront à déchiffrer quelques inscriptions au cours de vos visites :

AED	*aedilis*	magistrat
ANN	*annos/anni*	années
COL	*colonia*	colonie
COS	*consul*	consul
COSS	*consules*	consuls
C R	*cives Romani*	citoyens romains
CVR	*curavit*	prit soin de
D	*dat/dedit*	donne/donna
DEC	*decreto*	par décret
DED	*dedit*	donna
D M	*deis manibus*	aux mânes des dieux
EX S C	*ex senatus consulto*	par décret du Sénat
F	*feci/faciundum/ filius/filia*	fis/en faisant/ fils/fille
FID	*fidelis*	fidèles
IMP	*imperator*	empereur
I O M	*Iuppiter Optimus Maximus*	Jupiter le Très Grand
P C	*Patres conscripti*	sénateurs
P(ONT) M(AX)	*Pontifex Maximus*	grand pontife
P R	*Populus Romanus*	le Peuple de Rome
R	*Romanus*	Romain
REST	*restituit*	rendit
R P	*res publica*	chose publique
S C	*senatus consulto*	par décret du Sénat
S P Q R	*Senatus Populusque Romanus*	le Sénat et le Peuple de Rome

un peu de latin

quelques noms :

AVG	*Augustus*	**SP**	*Spurius*
L	*Lucius*	**CN**	*Gnaeus*
Q	*Quintus*	**MAM**	*Mamius*
A	*Aulus*	**T**	*Titus*
M	*Marcus*	**D**	*Decimus*
S	*Servius*	**P**	*Publius*
C	*Gaius*	**TI**	*Tiberius*
M'	*Manius*		

quelques nombres :

I	1	**VI**	6	**L**	50
II	2	**VII**	7	**C**	100
III	3	**VIII**	8	**D**	500
IV ou **IIII**	4	**IX**	9	**M**	1 000
V	5	**X**	10		

Voici quelques règles qui vous permettront de déchiffrer des nombres plus compliqués. En général, il suffit de soustraire le chiffre de gauche à celui de droite, si ce dernier est plus élevé (par exemple, IX = 9 et XL = 40), ou de l'ajouter, si le chiffre de gauche est plus élevé (par exemple, XI = 11 et LX = 60) :

MDCCCCLXXXV	1985
DCCCCXXV ou **CMXXV**	925
MMIV	2004

Je suis handicapé(e).
   Sono disabile.   so·no di·*za*·bi·lé

J'ai besoin d'aide.
   Ho bisogno di assistenza.   o bi·*zo*·nyo di as·si·se·*tènn*·tsa

Disposez-vous de services d'aide pour les handicapés ?
   Di quali servizi   di *kwa*·li sér·*vi*·tsi
   disponete per i   di·spo·*nè*·té pér i
   disabili?   di·*za*·bi·li

Y a-t-il un accès pour les fauteuils roulants ?
   C'è un'entrata per   tché ou·nènn·*tra*·ta pér
   sedie a rotelle?   sè·dyé a ro·*tèl*·lé

J'ai un appareil auditif.
   Ho un apparecchio   o ou·nap·pa·rè·kyo
   acustico.   a·*kou*·sti·ko

Je suis sourd(e).
   Sono sordo/a. m/f   so·no *sor*·do/a

Les chiens d'aveugle sont-ils admis ?
   Sono ammessi i cani   *so*·no am·*mè*·si i *ka*·ni
   guida?   *gwi*·da

Pouvez-vous m'aider à traverser la route ?
   Può aiutarmi   pwo a·you·*tar*·mi
   ad attraversare la strada? a·dat·tra·vér·*sa*·ré la *stra*·da

Riservato	ri·zér·*va*·to	**Réservé**
ai disabili	aille di·*za*·bi·li	**aux personnes**
		handicapées

Combien mesure l'entrée en largeur ?
    Quant'è larga l'entrata?   kwann·tè *lar*·ga lènn·*tra*·ta

Y a-t-il un ascenseur ?
    C'è un ascensore?   tchè ou·na·chènn·*so*·ré

Combien y a-t-il d'escaliers ?
    Quanti gradini ci sono?   kwann·ti gra·*di*·ni tchi *so*·no

y a-t-il un endroit où s'asseoir ?
    C'è un posto dove sedersi?   tchè ounn *po*·sto *do*·vé sé·*dèr*·si

Pouvez-vous m'appeler un taxi pour handicapés ?
    Può chiamarmi un tassì   pwo kya·*mar*·mi ounn tas·*si*
    per i disabili?   pér i di·*za*·bi·li

accès pour personnes handicapées	*accesso* m *per i disabili*	a·*tchè*·so pér i di·*za*·bi·li
bibliothèque en braille	*biblioteca* f *braille*	bi·bli·o·*tè*·ka braille
personne handicapée	*disabile* m et f	di·*za*·bi·lé
chien d'aveugle	*cane* m *guida*	*ka*·né *gwi*·da
rampe d'accès	*rampa* f	*ramm*·pa
espace (pour se déplacer)	*spazio* m	*spa*·tsyo
fauteuil roulant	*sedia* f *a rotelle*	*sè*·dya a ro·*tèl*·lé

Y a-t-il ... ?	*C'è ...?*	tchè ...
une pièce pour	*un bagno con*	ounn *ba*·nyo konn
changer les enfants	*fasciatoio*	fa·cha·*to*·yo
un service de	*un servizio*	ounn sér·*vi*·tsyo
babysitter	*di babysitter*	di bé·bi·*si*·teur
un menu	*un menù per*	ounn mé·*nou* pér
pour enfants	*bambini*	bamm·*bi*·ni
une crèche	*un asilo nido*	ou·na·*zi*·lo *ni*·do
une babysitter	*un/una*	ounn/*ou*·na
(qui parle français)	*babysitter (che*	bé·bi·*sit*·teur (ké
	parla francese) m/f	*par*·la frann·*tchè*·zé)
un tarif	*uno sconto per*	ou·no *skonn*·to pér
famille nombreuse	*famiglia*	fa·*mi*·lya
une chaise haute	*un seggiolone*	ounn sé·djo·*lo*·né
	per bambini	pér bamm·*bi*·ni
un parc	*un parco*	ounn *par*·ko
un terrain de jeux	*un parco giochi*	ounn *par*·ko djo·ki
par ici	*da queste parti*	da *kwè*·sté *par*·ti
un parc à thème	*un parco a tema*	ounn *par*·ko a *tè*·ma
un magasin	*un negozio di*	ounn né·*go*·tsyo di
de jouets	*giocattoli*	djo·*kat*·to·li
J'ai besoin ...	*Ho bisogno di ...*	o bi·*zo*·nyo di ...
d'un siège enfant	*un seggiolino*	ounn sé·djo·*li*·no
	per bambini	pér bamm·*bi*·ni
d'un siège enfant	*un seggiolino di*	ounn sé·djo·*li*·no
	di sicurezza	di si·kou·*rè*·tsa
d'un pot	*un vasino*	ounn va·*zi*·no
d'une poussette	*un passeggino*	ounn pa·sé·*dji*·no

Ça vous ennuie si j'allaite mon enfant ici ?

Le dispiace se allatto   lé dis·*pya*·tché sé a·*la*·to

il/la bimbo/a qui? m/f   il/la *bimm*·bo/a kwi

Les enfants peuvent entrer ?
I bambini sono ammessi?   i bamm·*bi*·ni *so*·no am·*mè*·si

Est-ce adapté aux enfants de (2) ans ?
Questo è adatto per bambini di (due) anni?   kwè·sto è a·*dat*·to pér bamm·*bi*·ni di (*dou*·é) *a*·ni

---

mots d'enfants

C'est quand ton anniversaire ?
Quand'è il tuo compleanno?   kwann·*dè* il *tou*·o komm·plé·*a*·no

Tu vas à l'école primaire ou à la maternelle ?
Vai a scuola o all'asilo?   vaille a *skwo*·la o a·la·*zi*·lo

Tu es en quelle classe ?
Quale classe fai?   kwa·lé *klas*·sé faille

Tu aimes aller à l'école ?
Ti piace la scuola?   ti *pya*·tché la *skwo*·la

Tu aimes faire du sport ?
Ti piace lo sport?   ti *pya*·tché lo sport

Qu'est-ce que tu fais après l'école ?
Cosa fai dopo la scuola?   ko·za faille *do*·po la *skwo*·la

Tu es en train d'apprendre le français/l'anglais ?
Stai imparando il francese/l'inglese?   staille imm·pa·*rann*·do il frann tché sé/linn·*glè*·zé

Est-ce que tu as un animal à la maison ?
Hai un animale domestico a casa?   aille ounn a·ni·*ma*·lé do·*mè*·sti·ko a *ka*·za

Tu veux jouer ?
Vuoi giocare?   vwoïl djo·*ka*·ré

Montre-moi comment on joue.
Fammi vedere come si gioca.   *fam*·mi vé·*dè*·ré ko·mé si *djo*·ka

Tu es bon(ne) à ce jeu !
Sei bravo/a in questo gioco! m/f   seille *bra*·vo/a inn kwè·sto *djo*·ko

formules de base

l'essenziale

Oui.	*Sì.*	si
Non.	*No.*	no
S'il te/vous plaît.	*Per favore.*	pér fa·*vo*·ré
Merci.	*Grazie*	*gra*·tsyé
(beaucoup)	*(mille).*	*(mil*·lé)
De rien.	*Prego.*	*prè*·go
Désolé.	*Mi dispiace.*	mi di·*spya*·tché

Excuse-moi/Excusez-moi. (pour attirer l'attention ou s'excuser).

Mi scusi. pol	mi *skou*·zi
Scusami. fam	*skou*·za·mi

Pardon (en dérangeant quelqu'un).

Permesso.	pér·*mès*·so

saluer

salutare

Si les Italiens ont l'habitude de se saluer en disant *ciao*, il vaut mieux ne pas employer ce mot lorsque vous vous adressez à des inconnus. Notez également qu'en Italie, on dit *buonasera* (bonsoir) dès le début de l'après-midi.

Bonjour.	*Buongiorno/Salve.* pol	bwonn·*djor*·no/*sal*·vé
Salut.	*Ciao.* fam	*tcha*·o
Bonsoir.	*Buonasera.*	bwo·na *sè*·ra
Bonne journée.	*Buona giornata.*	bwo·na djor·*na*·ta
Bonne soirée.	*Buona serata.*	bwo·na·sé·*ra*·ta
Bonne nuit.	*Buonanotte.*	bwo·na·*not*·té
À bientôt.	*Ci vediamo.*	tchi vé·*dya*·mo
À tout à l'heure.	*A più tardi.*	a pyou *tar*·di
Au revoir.	*Arrivederci.* pol	ar·ri·vé·*dèr*·tchi
Salut.	*Ciao.* fam	*tcha*·o
Adieu.	*Addio.*	ad·*di*·o

Comment allez-vous/vas-tu ?

Come sta? pol   *ko·mé* sta

Come stai? fam   *ko·mé* staille

Come state? pl pol et fam   *ko·mé sta·té*

Bien.

Bene.   *bè·né*

Et vous/toi ?

E Lei/tu? pol/fam   é leille/tou

Comment vous appelez-vous/t'appelles-tu ?

Come si chiama? pol   *ko·mé* si *kya·ma*

Come ti chiami? fam   *ko·mé* ti *kya·mi*

Je m'appelle ...

Mi chiamo ...   mi *kya·mo* ...

Je vous/te présente ...

Le/Ti presento ... pol/fam   lé/ti pré·*zènn·to* ...

Enchanté(e).

Piacere.   pya·*tchè·*ré

tutoiement et vouvoiement

Avec la famille, les amis, les enfants ou les animaux, l'italien utilise le pronom personnel *tu*. Lorsque vous vous adressez à des inconnus, des personnes âgées ou à des gens que vous venez de rencontrer, utilisez le *Lei* de politesse. Lorsque vos nouveaux amis jugeront qu'il est temps d'oublier les formalités, ils diront :

Tutoyons-nous.

Diamoci del tu.   *dya·*mo·tchi dél tou

Voir aussi la rubrique **pronoms** dans **grammaire de A à Z**.

s'adresser à quelqu'un

Les Italiens apprécieront beaucoup les efforts que vous ferez pour parler leur langue, et vous serez d'autant plus appréciés que vous utiliserez les bonnes formules. Ainsi à Rome et ailleurs ...

M./Monsieur	*Signore*	si·*nyo*·ré
Mme/Madame	*Signora*	si·*nyo*·ra
Mlle/Mademoiselle	*Signorina*	si·*nyo*·*ri*·na

Diplômé(e) de l'enseignement supérieur
Dottore/Dottoressa m/f   do·*to*·ré/do·to·*rè*·sa

Professeur(e) (au lycée ou à l'université)
Professore/Professoressa m/f   pro·fé·*so*·ré/pro·fé·so·*rè*·sa

Directeur/Directrice (d'une société ou d'une organisation)
Direttore/Direttrice m/f   di·ré·*to*·ré/di·ré·*tri*·tché

engager la conversation

Beau temps, n'est-ce pas ?
  Fa bel tempo, no?   fa bél *tèmm*·po no

Qu'est-ce qu'il/elle a fait (la Juventus) ?
  Cos'ha fatto (la Juve)?   ko·za *fat*·to (la *you*·vé)

Vous êtes d'ici/tu es d'ici ?
  Lei è di qui? pol   leille è di kwi
  Tu sei di qui? fam   tou seille di kwi

Où allez-vous/vas-tu ?
  Dove va/vai? pol/fam   *do*·vé va/vaille

Que faites-vous/fais-tu ?
  Che fa/fai? pol/fam   ké fa/faille

Vous attendez/tu attends (le bus) ?
  Aspetta/Aspetti   a·*spèt*·ta/a·*spèt*·ti
  (un autobus)? pol/fam   (ou·*na*·ou·to·bous)

Comment ça s'appelle ?
Come si chiama questo?   ko·mé si *kya*·ma *kwè*·sto

C'est (beau), non ?
È (bello/a), no? m/f   è (*bèl*·lo/a) no

Je vous/	*Le/Ti*	lé/ti
te présente ...	*presento ...* pol/fam	pré·*zènn*·to ...
mon/ma	*il mio/la mia*	il *mi*·o/la *mi*·a
collègue	*collega* m/f	kol·*lè*·ga
mon ami(e)	*il mio amico* m	il *mi*·o a·*mi*·ko
	la mia amica f	la *mi*·a a·*mi*·ka
mon mari	*mio marito*	*mi*·o ma·*ri*·to
mon compagnon/	*il mio compagno* m	il *mi*·o komm·*pa*·nyo
ma compagne	*la mia compagna* f	la *mi*·a komm·*pa*·nya
mon épouse	*mia moglie*	*mi*·a mo·lyé

Êtes-vous/es-tu en vacances ?
È/Sei qui in vacanza? pol/fam   è/seille kwi inn va·*kann*·tsa

Vous restez/tu restes ici pendant combien de temps ?
Quanto tempo si fermerà? pol   *kwann*·to *tèmm*·po si fér·mé·*ra*
Quanto tempo ti fermerai? fam   *kwann*·to *tèmm*·po ti fér·mé·*rai*

---

parler local

Hé !	*Uei!*	Ou·eille
Quoi de neuf ?	*Cosa mi racconta/*	*ko*·za mi rak·*konn*·ta/
	racconti? pol/fam	rak·*konn*·ti
Qu'y a-t-il ?	*Cosa c'è?*	*ko*·za tchè
Tout va bien ?	*Tutto a posto?*	*tout*·ta *po*·sto
Ça va.	*Va/Sto bene.*	va/sto *bè*·né
Super !	*Fantastico!*	fan·*ta*·sti·ko
Aucun problème.	*Non c'è problema.*	nonn tchè pro·*blè*·ma
Bien sûr.	*Certo.*	*tchèr*·to
Peut-être.	*Forse.*	*for*·sé
Absolument pas !	*Assolutamente no!*	as·so·lou·ta·*mènn*·té no

Je suis ici ...	*Sono qui ...*	*so*·no kwi ...
en vacances	*in vacanza*	inn va·*kann*·tsa
pour affaires	*per affari*	pér a·*fa*·ri

pour mes études	*per motivi di studio*	pér mo·*ti*·vi di *stou*·dyo
avec ma famille	*con la mia famiglia*	konn la *mi*·a fa·*mi*·lya
avec mon ami(e)	*con il mio compagno* m	konn il *mi*·o komm·*pa*·nyo
	con la mia compagna f	konn la *mi*·a komm·*pa*·nya

nationalités

le nazionalità

D'où venez-vous/viens-tu ?
Da dove viene/vieni? pol/fam   da *do*·vé vyè·né/vyè·ni

Je viens ...	*Vengo ...*	*vènn*·go ...
d'Angleterre	*dall'Inghilterra*	da·linn·guil·*tè*·ra
de Belgique	*dal Belgio*	dal *bel*·dgio
de France	*dalla Francia*	*dal*·la *frann*·tchia
de Suisse	*dalla Svizzera*	da·la *svi*·tsé·ra
des États-Unis	*dagli Stati Uniti*	*da*·lyi *sta*·ti ou·*ni*·ti

Pour en savoir plus, reportez-vous au **dictionnaire**.

rencontres

95

âge

Quel âge ... ?	*Quanti anni ...?*	kwann·ti an·ni ...
avez-vous/as-tu	*ha/hai* pol/fam	a/aille
a votre/ton fils	*ha Suo/tuo*	a sou·o/tou·o
	figlio pol/fam	fi·lyo
a votre/ta	*ha Sua/tua*	a sou·a/tou·a
fille	*figlia* pol/fam	fi·lya

J'ai ... ans.
Ho ... anni.   o ... an·ni

Il/elle a ... ans.
Ha ... anni.   a ... an·ni

Pour dire votre âge, reportez-vous au chapitre **nombres et quantités**, p. 29.

travail et études

Quel est votre/ton métier ?
Che lavoro fa/fai? pol/fam   ké la·vo·ro fa/faille

Je suis ...	*Sono ...*	so·no ...
manœuvre	*manovale* m et f	ma·no·va·lé
employé(e)	*impiegato/a* m/f	imm·pyé·ga·to/a
ouvrier(ère)	*operaio/a* m/f	o·pé·ra·yo/a

Je travaille dans ...	*Lavoro nel campo ...*	la·vo·ro nél kamm·po ...
l'administration	*dell'amministra-*	dél·lam·mi·ni·stra·
	zione	tsyo·né
les relations	*delle relazioni*	dèl·lé ré·la·tsyo·ni
publiques	*pubbliche*	poub·bli·ké
la vente	*della vendità*	dél·la vènn·di·ta al
au détail	*al minuto*	mi·nou·to

Je suis ...	*Sono ...*	so·no ...
à la retraite	*pensionato/a* m/f	pènn·syo·na·to/a
au chômage	*disoccupato/a* m/f	di·zok·kou·pa·to/a

Che vuoi?
ké vwoï
Qu'est-ce que tu veux ?

Chi se ne frega?
ki sé né *frè*·ga
On s'en fout !

Va' al diavolo!
va al *dya*·vo·lo
Va au diable !

Disgraziato!
di·sgra·*tsya*·to
Malheureux !

È delizioso!
è dé·li·*tsyo*·zo
C'est délicieux !

Che rottura di palle!
kér ro·*tou*·ra di *pal*·lé
Ça me casse les pieds !

Je travaille à mon compte.
   Lavoro in proprio.   la·*vo*·ro inn *pro*·pri·o

Quelles études faites-vous/fais-tu ?
   Cosa studia/studi? pol/fam   *ko*·za stou·dya/*stou*·di

Je fais des études ...	*Sto studiando ...*	sto stou·*dyann*·do ...
de lettres	*lettere*	*lèt*·té·ré
de commerce	*commercio*	kom·*mèr*·tcho
d'ingénieur	*ingegneria*	inn·djé·nyé·*ri*·a

Pour en savoir plus, consultez le **dictionnaire**.

famille

la famiglia

Avez-vous/as-tu (des enfants) ?
   Ha/Hai (bambini)? pol/fam   a/aille (bamm·*bi*·ni)

J'ai (un/une ami/amie).
   Ho (un/una compagno/a). m/f   o (ounn/*ou*·na komm·*pa*·nyo/a)

Je vous/te présente (ma mère).
   Le/Ti presento   lé/ti pré·*zènn*·to
   (mia madre). pol/fam   (*mi*·a *ma*·dré)

---

dans la gueule du loup

Un Italien vous souhaitera bonne chance en disant généralement *In bocca al lupo!*, ce qui signifie "Dans la gueule du loup !". Répondez par *Crepi!* ("Qu'il crève !") pour éloigner le mauvais sort.

Bonne chance !
   In bocca al lupo!   inn *bok*·kal·*lou*·po
Réponse :
   Crepi!   *krè*·pi

Vous vivez/tu vis (avec votre/ta famille) ?

Abita con (la Sua famiglia)? pol	*a*·bi·ta konn (la *sou*·a fa·*mi*·lya)
Abiti con (la tua famiglia)? fam	*a*·bi·ti konn (la *tou*·a fa·*mi*·lya)

Je vis avec (mes parents).

Abito con (i miei genitori).	*a*·bi·to konn (i myeille djé·ni·*to*·ri)

Êtes-vous/es-tu marié(e) ?

È sposato/a? m/f pol	è spo·*za*·to/a
Sei sposato/a? m/f fam	seille spo·*za*·to/a

Je vis avec quelqu'un.

Convivo.	konn·*vi*·vo

Pour davantage d'expressions, consultez le **dictionnaire**.

le langage du corps

Les Italiens sont très démonstratifs, alors attendez-vous à voir les gens s'embrasser sur les joues, à des accolades entre les hommes qui se connaissent bien et à des poignées de main insistantes. Les hommes, comme les femmes, marchent souvent bras dessus, bras dessous. Bousculer quelqu'un dans un lieu bondé n'est pas considéré comme incorrect, alors ne soyez pas étonné si ça vous arrive. Dans la mêlée, essayez juste de garder votre équilibre.

Si vous ne voulez choquer personne, suivez quelques règles lorsque vous entrez dans une église. Les femmes devront de préférence couvrir leur tête et éviter d'exposer leur peau nue – porter des shorts ou des tee-shirts sans manche est mal venu.

Je suis ...   *Sono ...*   *so*·no ...

marié(e)	*sposato/a* m/f	spo·*za*·to/a
séparé(e)	*separato/a* m/f	sé·pa·*ra*·to/a
célibataire		
(homme)	*celibe*	*tchè*·li·bé
(femme)	*nubile*	*nou*·bi·lé

au revoir

Demain, c'est mon dernier jour ici.
Domani è il mio — do·*ma*·ni è il *mi*·o
ultimo giorno qui. — *oul*·ti·mo *djor*·no kwi

Voici mon ...	*Ecco il mio ...*	èk·ko il *mi*·o ...
Quel(le) est ton ... ?	*Qual'è il tuo ...?*	kwa·*lè* il *tou*·o ...
adresse (e-mail)	*indirizzo*	inn·di·*ri*·tso
	(di email)	(di è·mél)
numéro de fax	*numero di fax*	nou·*mé*·ro di faks
numéro de portable		
	numero di	nou·*mé*·ro di
	cellulare	tchél·lou·*la*·ré
numéro de téléphone au travail		
	numero di	nou·*mé*·ro di
	lavoro	la·*vo*·ro
Si tu viens en	*Caso mai venissi*	ka·zo maille vé·*nis*·si
(France) ...	*in (Francia) ...*	inn (*frann*·tcha) ...
viens nous voir	*vieni a trovarci*	*vyè*·ni a tro·*var*·tchi
tu peux dormir	*puoi stare da me*	pwoïl *sta*·ré da mé
chez moi		

Ça m'a fait plaisir de faire ta connaissance.
È stato veramente un — è *sta*·to vé·ra·*mènn*·té ounn
piacere conoscerti. — pya·*tchè*·ré ko·*no*·chèr·ti

On reste en contact !
Teniamoci in contatto! — té·*nya*·mo·tchi inn konn·*tat*·to

centres d'intérêt

interessi comuni

Que fais-tu de tes loisirs ?
Cosa fai nel tuo   *ko·za* faille nél *tou·*o
tempo libero?   *tèmm·*po *li·*bé·ro

Tu aimes... ?	*Ti piace/*	ti *pya·*tché/
	piacciono...? sg/pl	*pya·*tcho·no...
J(e n)'aime (pas)...	*(Non) Mi piace/*	(nonn) mi *pya·*tché/
	piacciono... sg/pl	*pya·*tcho·no...
les jeux de carte	*i giochi* pl *di carte*	i *djo·*ki di *kar·*té
cuisiner	*cucinare*	kou·tchi·*na·*ré
dessiner	*disegnare*	di·zé·*nya·*ré
les films	*i film* pl	i film
être en groupe	*socializzare*	so·tcha·li·*dza·*ré

Pour en savoir plus, reportez-vous à la rubrique **sports** (p. 127) et au **dictionnaire**.

aimer ou pas

En italien, pour dire que quelque chose vous plaît, vous emploierez l'expression *mi piace* (litt : me plaît). Si l'objet est au pluriel, utilisez *mi piacciono* (litt : me plaisent) :

J'aime ce groupe.
Mi piace questo   mi *pya·*tché *kwè·*sto
gruppo.   *group·*po

J'aime les séries télévisées.
Mi piacciono   mi *pya·*tcho·no
le telenovelle.   lé té·lé·no·*vèl·*lé

musique

la musica

Tu aimes... ?	*Ti piace...?*	ti *pya*·tché...
danser	*ballare*	bal·*la*·ré
les concerts	*andare ai*	ann·*da*·ré aille
	concerti	konn·*tchèr*·ti
écouter	*ascoltare*	a·skol·*ta*·ré
de la musique	*la musica*	la *mou*·zi·ka
jouer d'un	*suonare uno*	swo·*na*·ré *ou*·no
instrument	*strumento*	strou·*mènn*·to
chanter	*cantare*	kann·*ta*·ré

Tu écoutes quels groupes ?
Quali gruppi   *kwa*·li *group*·pi
ti piacciono?   ti *pya*·tcho·no

Quel genre de musique aimes-tu ?
Quale tipo di   *kwa*·lé *ti*·po di
musica ti piace?   *mou*·zi·ka ti *pya*·tché

musique classique	*musica* f	la *mou*·zi·ka
	classica	*kla*·ssi·ka
musique	*musica* f	la *mou*·zi·ka
électronique	*elettronica*	é·lét·*tro*·ni·ka
jazz	*musica* f *jazz*	*mou*·zi·ka djaz
heavy metal	*musica* f *heavy*	*mou*·zi·ka *è*·vi
	metal	*mè*·tal
pop	*musica* f *pop*	*mou*·zi·ka pop
punk	*musica* f *punk*	*mou*·zi·ka pounk
rock	*musica* f *rock*	*mou*·zi·ka rok
rhythm 'n' blues	*rhythm and blues* m	ridem annd blouz
musique	*musica* f	*mou*·zi·ka
traditionnelle	*tradizionale*	tra·di·tsyo·*na*·lé
musique	*musica* f	*mou*·zi·ka
ethnique	*etnica*	*èt*·ni·ka

Vous pensez vous rendre à un concert ? Consulter la rubrique **billets**, p. 38 et **sortir**, p. 109.

cinéma et théâtre

J'ai envie	*Ho voglia*	o *vo*·lya
d'aller voir...	*d'andare a/al...*	dann·*da*·ré a/al...
un ballet	*un balletto*	ounn bal·*lè*·to
une comédie	*una commedia*	*ou*·na kom·*mè*·dya
un film	*vedere un film*	vé·*dè*·ré ounn film
une pièce de théâtre	*teatro*	té·*a*·tro

Qu'est-ce qu'ils passent au cinéma/théâtre ce soir ?
Cosa danno al cinema/   *ko*·za *dan*·no al *tchi*·né·ma/
teatro stasera?   té·*a*·tro sta·*sè*·ra

C'est en anglais/italien ?
È in inglese/italiano?   è inn inn·*glè*·zé/i·ta·*lya*·no

C'est sous-titré ?
Ci sono i sottotitoli?   tchi *so*·no i sot·to·*ti*·to·li

Est-ce que tu as vu... ?
Hai visto...?   aille *vi*·sto...

Qui sont les acteurs principaux ?
Chi sono i protagonisti?   ki *so*·no i pro·ta·go·*ni*·sti

L'acteur/actrice principal(e) est...
Il/La protagonista   il/la pro·ta·go·*ni*·sta
principale è... m/f   prinn·tchi·*pa*·lé è...

Tu as aimé (le film) ?
Ti è piaciuto (il film)?   ti è pya·*tchou*·to il film

Je l'ai trouvé...	*L'ho trovato/a...* m/f	lo tro·*va*·to/a...
excellent	*ottimo/a* m/f	*ot*·ti·mo/a
long	*lungo/a* m/f	*lounn*·go/a
pas mal	*passabile*	pas·*sa*·bi·lé

J(e n)'aime (pas)...	(Non) Mi piacciono...	(nonn) mi pya·tcho·no...
les films d'action	*i film d'azione*	i film da·tsyo·né
les films d'animation	*i film animati*	i film a·ni·ma·ti
les comédies dramatiques	*i film tragicomici*	i- film tra·dji·ko·mi·tchi
les comédies	*le commedie*	lé kom·mè·dyé
les documentaires	*i documentari*	i do·kou·mènn·ta·ri
les films dramatiques	*i film drammatici*	i film dram·ma·ti·tchi
les films noirs	*i film noir*	i film nwar
les films d'horreur	*film d'orrore*	i film dor·ro·ré
les films d'époque	*drammi d'ambiente*	i dram·mi damm·byènn·té
les films de science-fiction	*i film di fantascienza*	i film di fann·ta·chènn·tsa
les courts-métrages	*i film corti*	i film kor·ti
les films policiers	*i gialli*	i djal·li
les films de guerre	*i film di guerra*	i film di gwèr·ra

sentiments et opinions

sentiments et sensations

i sentimenti e le sensazioni

Les sentiments sont décrits par des noms ou des adjectifs : le nom s'emploie avec "avoir" en italien (par exemple : "j'ai faim") et l'adjectif avec "être" (comme en français).

Je (ne) suis (pas)...	*(Non) Sono...*	(nonn) *so*·no...
Je (ne) me sens (pas)...	*(Non) Mi sento...*	(nonn) mi *sènn*·to...
Êtes-vous/es-tu... ?	*È/Sei...?* pol/fam	è/seille...
gêné(e)	*imbarazzato/a* m/f	imm·ba·ra·*tsa*·to/a
heureux(euse)	*felice*	fé·*li*·tché
inquiet(ète)	*preoccupato/a* m/f	pré·ok·kou·*pa*·to/a
J(e n)' ai (pas)...	*(Non) Ho...*	(nonn) o...
Avez-vous/as-tu... ?	*Ha/Hai...?* pol/fam	a/aille...
froid	*freddo*	*frèd*·do
faim	*fame*	*fa*·mé
sommeil	*sonno*	*son*·no

opinions

le opinioni

Est-ce que tu as aimé ?		
Ti è piaciuto/a? m/f		ti è pya·*tchou*·to/a
Qu'en penses-tu ?		
Che cosa ne pensi?		ké *ko*·za né *pènn*·si
Je pensais que c'était...	*Pensavo che fosse...*	*pènn*·sa·vo ké *fo*·sé...
C'est...	*È...*	è...
bizarre	*bizzarro/a* m/f	bi·*dza*·ro/a
ennuyeux	*noioso/a* m/f	no·*yo*·zo/a
très bien	*ottimo/a* m/f	*ot*·ti·mo/a
intéressant	*interessante*	inn·té·rés·*sann*·té
pas mal	*passabile*	pas·*sa*·bi·lé
étrange	*strano/a* m/f	*stra*·no/a

émotions en vrac

un peu	*un po'*	ounn po
Je suis un peu triste.		
Sono un po' triste.		so·no ounn po *tri*·sté
très	*molto*	*mol*·to
Je suis très content(e).		
Sono molto contento/a. m/f		so·no *mol*·to konn·*tènn*·to/a
vraiment/très		
-issimo/a m/f		·*is*·si·mo/a
Je suis vraiment chanceux(se).		
Mi sento		mi *sènn*·to
fortunatissimo/a. m/f		for·tou·na·*tis*·si·mo/a

politique et société

le questioni politiche e sociali

Les Italiens n'éludent pas les débats sur la politique ou les questions de société, et votre opinion sur des sujets divers les intéressera toujours. Même *il Campionato,* ''le championnat de foot'', est pris très au sérieux.

Pour qui votez-vous/votes-tu ?

Per chi vota Lei? pol	pér ki *vo*·ta leille
Per chi voti? fam	pér ki *vo*·ti

Je suis pour	*Sono per*	so·no pér
le parti...	*il partito...*	il par·*ti*·to...
Je suis inscrit(e)	*Sono iscritto/a*	so·no i·*skrit*·to/a
au parti...	*al partito...* m/f	al par·*ti*·to...
communiste	*comunista*	ko·mou·*ni*·sta
conservateur	*conservatore*	konn·sér·va·*to*·ré
vert	*verde*	*vèr*·dé
libéral	*liberale*	li·bé·*ra*·lé
centriste	*centrista*	tchènn·*tri*·sta
socialiste	*socialista*	so·tcha·*li*·sta

Êtes-vous/Es-tu d'accord avec ?
È/Sei d'accordo con...? pol/fam   è/seille dak·*kor*·do konn...

Je (ne) suis pas d'accord avec...
(Non) Sono d'accordo con...   (nonn) so·no dak·*kor*·do konn...

Êtes-vous/Es-tu contre... ?
È/Sei contro...? pol/fam   è/seille *konn*·tro...

Êtes-vous/Es-tu pour... ?
È/Sei a favore di...? pol/fam   è/seille a fa·*vo*·ré di...

Que pensent les gens de... ?
Cosa pensa la gente di...?   *ko*·za pènn·sa la *djènn*·té di...

avortement	*aborto* m	a·*bor*·to
drolts des animaux	*diritti* m pl	dir·*ri*·ti
	animali	a·ni·*ma*·li
criminalité	*criminalità* f	kri·mi·na·li·*ta*
discrimination	*discriminazione* f	di·skri·mi na·*tsyo*·né
drogues	*droghe* f pl	*dro*·gué
économie	*economia* f	é·ko·no·*mi*·a
éducation	*istruzione* f	i·strou·*tsyo*·né
environnement	*ambiente* m	amm·*byènn*·té
égalité des droits	*pari opportunità* f	*pa*·ri op·por·tou·ni·*ta*
euthanasie	*eutanasia* f	é·ou·ta·na·*zi*·a
mondialisation	*globalizzazione* f	glo·ba·li·dza·*tsyo*·né
droits de l'homme	*diritti* m pl *umani*	di·*rit*·ti ou·*ma*·ni
immigration	*immigrazione* f	im·mi·gra·*tsyo*·né
inégalités	*ineguaglianza* f	i·né·gwa·*lyann*·tsa
politique de parti	*politica* f	po·*li*·ti·ka
	di partito	di par·*ti*·to
privatisation	*privatizzazione* f	pri·va·ti·dza·*tsyo*·né
racisme	*razzismo* m	ra·*tsiz*·mo
réfugiés	*profughi* m pl	*pro*·fou·gui
sexisme	*sessismo* m	sés·*siz*·mo
aides sociales	*assistenza* f *sociale*	as·si·*stènn*·tsa so·*tcha*·lé
terrorisme	*terrorismo* m	tér·ro·*riz*·mo
chômage	*disoccupazione* f	di·zok·kou·pa·*tsyo*·né

environnement

l'ambiente

Y a-t-il un problème d'(environnement) ici ?
C'è un problema   tché ounn pro·*blè*·ma
(ambientale) qui?   (amm·byènn·*ta*·lé) kwi

biodégradable	*biodegradabile*	bi·o·dé·gra·*da*·bi·lé
conservation	*conservazione* f	konn·sér·va·*tsyo*·né
déforestation	*disboscamento* m	di·sbo·ska·*mènn*·to
sécheresse	*siccità* f	si·tchi·*ta*
énergie	*energia* f	é·nér·*dji*·a
hydroélectrique	*idroelettrica*	i·dro·é·*lèt*·tri·ka
irrigation	*irrigazione* f	ir·ri·ga·*tsyo*·né
couche d'ozone	*strato* m *d'ozono*	*stra*·to do·*dzo*·no
pesticides	*pesticidi* m pl	pé·sti·*tchi*·di
pollution	*inquinamento* m	inn·kwi·na·*mènn*·to
programme	*programma* m	pro·*gram*·ma
de recyclage	*di riciclaggio*	di ri·tchi·*kla*·djo
déchets toxiques	*rifiuti* m pl	ri·*fyou*·ti
	tossici	*tos*·si·tchi

C'est un(e)...	*È... protetto/a*	. è... pro·*tèt*·to/a
protégé(e) ?	*questo/a?* m/f	*kwè*·sto/a
forêt	*una foresta* f	*ou*·na fo·*rè*·sta
parc	*un parco* m	ounn *par*·ko
espèce	*una specie* f	*ou*·na *spè*·tché

parler local

Pas du tout !	*Per niente!*	pér *nyènn*·té
Tais-toi !	*Taci!*	*ta*·tchi
C'est/ce n'est pas vrai !	*(Non) È vero!*	(nonn) è *vè*·ro
Incroyable !	*Incredibile!*	inn·kré·*di*·bi·lé
Bien sûr que non !	*Figuriamoci!*	fi·gou·*rya*·mo·tchi
Tu plaisantes !	*Scherzi!*	*skèr*·tsi
Si seulement !	*Magari!*	ma·*ga*·ree

où sortir

dove andare

Qu'est-ce qu'il y a à faire le soir ?
Cosa si fa di sera?   *ko·za si fa di sè·ra*

Qu'y a-t-il	Che c'è in	ké tché inn
de programmé ... ?	programma ...?	pro·*gram*·ma ...
aujourd'hui	*oggi*	*o*·djl
ce soir	*stasera*	sta·*sè*·ra
dans le quartier	*in zona*	inn *dzo*·na
ce week-end	*questo*	*kwè*·sto
	finesettimana	fi·né·*sét*·ti·*ma*·na

Où y a-t-il ... ?	Dove sono ...?	*do*·vé *so*·no ...
des bars	*dei locali*	deille lo·*ka*·li
des cafés	*dei bar*	deille bar
des clubs	*dei clubs*	deille kloubs
des bars gay	*dei locali gay*	deille lo·*ka*·li gué
des endroits	*posti in cui*	*po*·sti inn kou·i
où manger	*mangiare*	mann·*dja*·ré
des pubs	*dei pub*	deille pab

Y a-t-il un guide ...	C'è una guida ...	tché *ou*·na *gwi*·da ...
dans cette ville ?	*in questa città?*	inn *kwè*·sta tchit·*ta*
des spectacles	*agli spettacoli*	*a*·lyi spét·*ta*·ko·li
des films	*ai film*	aille film

C'est combien l'entrée ?
Quant'è l'ingresso?

kwann·tè linn·*grè*·so

C'est gratuit.
È gratuito.

è gra·*tou*·i·to

où boire un verre et à quelle heure ?

Vous cherchez un endroit où passer vos soirées ? Vous pourrez prendre une bière *Nastro Azzurro* dans une *birreria* ou vous trémoussez sur la piste d'une *discoteca*, mais vous aurez du mal à trouver un *bar* italien ouvert après minuit :

bar m – les bars sont des lieux conviviaux où l'on consomme du café, du thé, des boissons avec ou sans alcool, en mangeant des *cornetti*, des *tramezzini* ou des *panini*. Les bars ouvrent tôt le matin et ferment entre 22 h et minuit, en fonction de leur emplacement. Ils sont surtout fréquentés par des gens pressés qui boivent un café au comptoir – moins cher qu'à une table. Les employés de bureau ont l'habitude de quitter leur bureau quelques instants pour prendre un café au *bar*, ou de se le faire porter par le serveur.

osteria f – restaurant où l'on mange de la cuisine familiale accompagnée de vin.

pub m – récemment introduit sur la scène nocturne italienne, les pubs s'inspirent du modèle anglais et irlandais. Ils sont généralement ouverts jusqu'à 3h du matin.

birreria f – présente la même atmosphère que les pubs, mais spécialisée dans la bière.

nite m – club de nuit élégant.

nightclub m – si le terme anglais est largement employé, *il nite* reste d'usage commun.

locale notturno m – c'est le terme général pour indiquer tout type d'établissement nocturne.

discoteca f – l'endroit le plus couru des jeunes gens âgés de moins de trente ans.

J'ai envie	*Ho voglia*	o *vo*·lya
d'aller ...	*d'andare ...*	dann·*da*·ré ...
dans un bar	*a un locale*	a ounn lo·*ka*·lé
dans un café	*a un bar*	a ounn bar
prendre un café	*a un caffè*	a ounn kaf·*fè*
à un concert	*a un concerto*	a ounn konn·*tchèr*·to
au cinéma	*al cinema*	al *tchi*·né·ma
dans un night-club	*in un locale notturno*	inn ounn lo·*ka*·lé not·*tour*·no
à une fête	*a una festa*	a *ou*·na *fè*·sta
dans un pub	*a un pub*	a ounn pab
dans un restaurant	*in un ristorante*	inn ounn ri·sto·*rann*·té
au théâtre	*al teatro*	al té·*a*·tro

invitations

Que fais-tu/	*Cosa fai/*	*ko*·za faille/
faites-vous ... ?	*fate ...?* sing/pl	*fa*·té ...
maintenant	*proprio adesso*	*pro*·pri·o a·*dès*·so
ce soir	*stasera*	sta·*sè*·ra
ce week-end	*questo fine settimana*	*kwè*·sto finé sét·ti·*ma*·na
Tu as/vous avez envie	*Vuoi/Volete*	vwoï/vo·*lè*·té
d'aller au ... ?	*andare a ...?* sing/pl	ann·*da*·ré a ...
J'ai envie	*Ho voglia*	o *vo*·lya
d'aller...	*d'andare a ...*	dann·*da*·ré a ...
prendre un café	*prendere un caffè*	*prènn*·dé·ré ounn kaf·*fè*
danser	*ballare*	bal·*la*·ré
boire quelque chose	*bere qualcosa*	*bè*·ré kwal·*ko*·za
manger	*mangiare*	mann·*dja*·ré
quelque chose	*qualcosa*	kwal·*ko*·za
me promener	*spasso*	*spas*·so
faire une promenade	*fare una passeggiata*	*fa*·ré *ou*·na pa·sé·*dja*·ta

C'est ma tournée.
    Offro io.   *of·*fro *i·*o

Connais-tu/Connaissez-vous un bon restaurant ?
    Conosci/Conoscete un   ko·*no·*chi/ko·*no·*ché·té ounn
    buon ristorante? sing/pl   bwon ri·sto·*rann·*té

Tu veux/Vous voulez venir à un concert (de jazz) avec moi ?
    Vuoi/Volete venire a   vwoïl/vo·*lè·*té vé·*ni·*ré a
    un concerto (di   ounn konn·*tchèr·*to (di
    musica jazz)? sing/pl   *mou·*zi·ka djazz)

Nous faisons une fête.
    Facciamo una festa.   fa·*tchya·*mo *ou·*na fè·sta

Tu devrais/Vous devriez venir.
    Dovresti/Dovreste   do·*vrè·*sti/do·*vrè·*sté
    venire. sing/pl   vé·*ni·*ré

répondre à une invitation

                     come rispondere agli inviti

Bien sûr !
    Certo!   *tchèr·*to

Oui, j'aimerais bien.
    Sì, mi piacerebbe.   si mi pya·tché·*rèb·*bé

Où allons-nous ?
    Dove andiamo?   *do·*vé ann·*dya·*mo

Non, je crains que non.
    No, temo di no.   no *tè·*mo di no

Pourquoi pas demain ?
    Domani che ne   do·*ma·*ni ké né
    dici/dite? sing/pl   *di·*tchi/*di·*té

Désolé(e), je ne sais pas chanter/danser.
    Scusi/Scusa. pol/fam   *skou·*zi/*skou·*za.
    Non so cantare/ballare.   nonn so kann·*ta·*ré/bal·*la·*ré

fixer un rendez-vous

fissare un appuntamento

On se voit à quelle heure ?
A che ora ci vediamo?   a ké *o*·ra tchi vé·*dya*·mo

On se voit où ?
Dove ci vediamo?   do·vé tchi vé·*dya*·mo

Je viens te/vous prendre.
Ti/Vi vengo a prendere. sing/pl   ti/vi vènn·go a *prènn*·dé·ré

Je viendrai plus tard. Tu seras/vous serez où ?
Verrò più tardi.   vé·*ro* pyou *tar*·di.
Dove ti troverai? sing   do·vé ti tro·vé·*raille*
Dove vi troverete? pl   do·vé vi tro·vé·rè·té

Si je ne suis pas là à (9h), ne m'attends pas.
Se non ci sono entro   sé nonn tchi *so*·no ènn·tro
(le nove), non aspettarmi.   (lé *no*·vé) nonn a·spét·*tar*·mi

Rendez-vous ...   *Incontriamoci ...*   inn·konn·tri·*a*·mo·tchi ...
à (8h)   *alle (otto)*   *a*·lé (*ot*·to)
à l'entrée   *all'entrata*   al·lènn·*tra*·ta

D'accord !
D'accordo!   dak·*kor*·do

On se verra à ce moment-là.
Ci vediamo allora.   tchi vé·*dya*·mo al·*lo*·ra

À plus tard.
A più tardi.   a pyou *tar*·di

À demain.
A domani.   a do·*ma*·ni

J'ai hâte.
Non vedo l'ora.   nonn *vè*·do *lo*·ra

Désolé(e). Je suis en retard.
Scusa. Sono in ritardo.   *skou*·za. *so*·no inn ri·*tar*·do

Cela n'a pas d'importance.
Non importa.   nonn imm·*por*·ta

drogues

le droghe

Je ne me drogue pas.
Non mi drogo.   nonn mi *dro*·go

Je prends ... de temps en temps.
Prendo ... ogni tanto.   *prènn*·do ... *o*·nyi *tann*·to

Tu veux un joint ?
Lo vuoi uno spinello?   lo vwoï *ou*·no spi·*nèl*·lo

Je plane.
Sono stonato/a. m/f   *so*·no sto·*na*·to/a

Lonely Planet déconseille à ses lecteurs l'usage de drogues, même les plus "douces", qui modifient le comportement.

rendez-vous

Tu as envie de faire quelque chose (ce soir) ?
Vuoi fare qualcosa   vwoïl *fa*·ré kwal·*ko*·za
(stasera)?   (sta·*sè*·ra)

Oui, j'aimerais beaucoup.
Sì, mi piacerebbe molto.   si mi pya·tché·*rèb*·bé *mol*·to

Non, j'ai bien peur que non.
No, temo di no.   no *tè*·mo di no

Jamals de la vie !
Neanche se tu fossi   né·*ann*·ké sé tou *fo*·si
l'ultima persona   *loul*·ti·ma pér·*so*·na
sulla terra!   *soul*·la *tèr*·ra

T'as repéré ce type/cette fille ?
Hai adocchiato quello/a?   aille a·do·*kya*·to kwèl·lo/a

Elle est jolie comme un cœur.
È molto carina.   è *mol*·to ca *ri* na.

C'est ...	È ...	è ...
un beau mec/	*un bel figo* m	ounn bél *fi*·go
un crétin	*un bastardo*	ounn ba·*star*·do
une belle nana	*una bella figa* f	ou·na *bèl*·la *fi*·ga
une pute	*una cagna*	ou·na *ka*·nya
un connard	*uno stronzo* m	ou·no *stronn*·tso

séduction

Tu veux quelque chose à boire ?
Prendi qualcosa da bere?   prènn·di kwal·ko·za da bè·ré

Tu as du feu ?
Hai d'accendere?   aille da·tchènn·dé·ré

Tu danses très bien.
Balli benissimo.   ba·li bé·nis·si·mo

On va prendre l'air ?
Andiamo a prendere   ann·dya·mo a prènn·dé·ré
un po' d'aria fresca?   ounn po da·rya frè·ska

Je t'emmène faire un tour (de moto) ?
Ti posso portare a fare   ti pos·so por·ta·ré a fa·ré
un giro (in moto)?   ounn dji·ro (inn mo·to)

Tu as ...   *Hai ...*   aille ...
  un beau physique   *un bel fisico*   ounn bél fi·zi·ko
  de beaux yeux   *gli occhi belli*   lyi o·ki bèl·li
  de belles mains   *le mani belle*   lé ma·ni bèl·lé
  un beau rire   *un bel riso*   ounn bél ri·zo
  un beau caractère   *una bella*   ou·na bèl·la
       personalità   pér·so·na·li·ta
  un beau sourire   *un bel sorriso*   ounn bél sor·ri·zo

Est-ce que je peux ... ?   *Posso ...?*   pos·so ...
  danser avec toi   *ballare con te*   bal·la·ré konn té
  m'asseoir ici   *sedermi qui*   sé·dèr·mi kwi
  t'accompagner   *accompagnarti*   ak·komm·pa·nyar·ti
     chez toi   *a casa*   a ka·za

refus

Je suis ici avec mon petit-ami.
Sono qui con il mio ragazzo.
so·no kwi konn il *mi*·o ra·*ga*·tso

Je suis ici avec ma petite-amie.
Sono qui con la mia ragazza.
so·no kwi konn la *mi*·a ra·*ga*·tsa

Excuse-moi, il faut que j'y aille.
Scusa. Adesso devo andare.
skou·za. a·*dès*·so dè·vo ann·*da*·ré

Désolé(e), mais je n'ai pas envie.
Mi dispiace ma non ne ho voglia.
mi di·*spya*·tché ma nonn né´o *vo*·lya

Ton égo est sans limite.
Il tuo ego è fuori controllo.
il *tou*·o è·go é *fwo*·ri konn·*trol*·lo

Je ne suis pas intéressé(e).
Non mi interessa.
nonn mi inn·té·*rès*·sa

Laisse-moi tranquille !
Lasciami in pace!
la·cha·mi inn *pa*·tché

Ne me touche pas !
Non mi toccare!
nonn mi tok·*ka*·ré

Laisse-moi passer !
Lasciami passare!
la·cha·mi pas·*sa*·ré

Tire-toi !
Levati dai piedi!
lè·va·ti daille *pyè*·di

Va te faire foutre !
Vaffanculo!
vaf·fann·*kou*·lo

---

mario ou maria ?

Dans ce guide, nous avons utilisé les lettres **m** et **f** pour indiquer si un mot est masculin ou féminin.
Voir aussi la rubrique **genre** dans **grammaire de A à Z**.

tentatives d'approche

Tu es très sympathique.
Sei molto simpatico/a. m/f   seille *mol*·to simm·*pa*·ti·ko/a

Tu es génial(e).
Sei fantastico/a. m/f   seille fann·*ta*·sti·ko/a

Est-ce que je peux t'embrasser ?
Ti posso baciare?   ti *pos*·so ba·*tcha*·ré

Tu me ramènes à la maison ?
Mi porti a casa?   mi *por*·ti a *ka*·za

Tu veux entrer un moment ?
Vuoi entrare per un po'?   vwoïl ènn·*tra*·ré pér ounn po

sexe

J'ai envie de faire l'amour avec toi.
Voglio fare l'amore con te.   *vo*·lyo *fa*·ré la·*mo*·ré konn té

As-tu un préservatif ?
Hai un preservativo?   aille ounn pré·sér·va·*ti*·vo

Je ne le ferai pas sans protection.
Non lo farò senza   nonn lo fa·*ro* sènn·tsa
protezione.   pro·té·*tsyo*·né

Je pense que nous devrions en rester là.
Penso che dovremmo   *pènn*·so ké do·*vrèm*·mo
fermarci adesso.   fér·*mar*·tchi a·*dès*·so

Couchons ensemble !
Andiamo a letto!   ann·*dya*·mo a *lèt*·to

variations sur le thème

Souvenez-vous du mot *finocchio*, qui signifie "fenouil"
et "homosexuel". Dans la même lignée, *uccello* signifie
"oiseau" et "verge".

Embrasse-moi.	*Baciami.*	*ba·tcha·mi*
J'ai envie de toi.	*Ti desidero.*	ti dé·*si*·dé·ro
Tu aimes ça ?	*Ti piace questo?*	ti *pya*·tché *kwè*·sto
J(e n)' aime (pas) ça.	*(Non) Mi piace quello.*	(nonn) mi *pya*·tché *kwèl*·lo
Touche-moi ici.	*Toccami qui.*	*tok*·ka·mi kwi
Oh oui !	*Ah sì!*	a si
Oh mon dieu !	*Oh dio mio!*	o *di*·o *mi*·o
Du calme !	*Calma!*	*kal*·ma
Allez !	*Dai!*	daille

Plus fort	*più forte*	pyou *for*·té
Plus vite	*più veloce*	pyou *vé·lo*·tché
Plus doucement	*più dolcemente*	pyou dol·tché·*mènn*·té
Plus lentement	*più lentamente*	pyou lènn·ta·*mènn*·té

Je n'y arrive pas. Désolé.
Non mi si raddrizza. nonn mi si rad·*dri*·tsa.
Mi dispiace. mi di·*spya*·tché

C'était génial.
È stato stupendo. è *sta*·to stou·*pènn*·do

Est-ce que je peux passer la nuit ici ?
Posso restare la notte? *po*·so ré·*sta*·ré la *not*·té

Quand pouvons-nous nous revoir ?
Quando possiamo rivederci? *kwann*·do pos·*sya*·mo ri·vé·*dèr*·tchi

---

des mots doux

mon amour	*amore mio*	a·*mo*·ré *mi*·o
mon canari	*ciccino/a mio/a* m/f	tchi·*tchi*·no/a *mi*·o/a
mon petit bout de sucre	*delizia*	dé·*li*·tsya
mon sucre d'orge	*dolcezza*	dol·*tchè*·tsa
mon bonheur	*gioia mia*	*jo*·ya *mi*·a
mon/ma chéri(e)	*caro/a mio/a* m/f	*ka*·ro/a *mi*·o/a
mon poussin	*pollastrello/a mio/a* m/f	pol·la·*strè*·lo/a *mi*·o/a
mon trésor	*tesoro mio*	té·*zo*·ro *mi*·o

amour

l'amore

Je suis amoureux(euse) de toi.
Sono innamorato/a di te. m/f — so·no in·na·mo·ra·to/a di té

Je t'aime.
Ti amo. — ti a·mo

Est-ce que tu m'aimes ?
Mi ami? — mi a·mi

Je pense que nous allons bien ensemble.
Penso che stiamo — pènn·so ké stya·mo
bene insieme. — bè·né inn·syè·mé

Je veux que nous restions en contact.
Voglio che ci teniamo — vo·lyo ké tchi té·nya·mo
in contatto. — inn konn·tat·to

reproches

i rimproveri

Tu sors avec quelqu'un d'autre ?
Frequenti — fré·kwènn·ti
qualcun'altro/a? m/f — kwal·kou·nal·tro/a

C'est juste un ami.
È solo un amico. — è so·lo ou·na·mi·ko

C'est juste une amie.
È solo un'amica. — è so·lo ou·na·mi·ka

Je crois que ça ne marche pas entre nous.
Non credo che stia — nonn krè·do ké sti·a
funzionando fra noi due. — founn·tsyo·nann·do fra noïl dou·é

Nous trouverons une solution.
Troveremo una soluzione. — tro·vé·rè·mo ou·na so·lou·tsyo·né

Je ne veux plus jamais te revoir.
Non voglio vederti mai più. — nonn vo·lyo vé·dèr·ti maille pyou

Je veux que nous restions amis.
Voglio che restiamo amici. — vo·lyo ké ré·stya·mo a·mi·tchi

Les passionnés d'art trouveront leur bonheur en Italie. Si tel est votre cas, vous rencontrerez une quantité d'Italiens heureux de partager vos impressions sur les nombreux trésors que recèle leur pays.

La galerie ouvre à quelle heure ?
Quando è aperta   kwann·do è a·pèr·ta
la galleria?   la gal·lé·ri·a

Le musée ouvre à quelle heure ?
Quando è aperto   kwann·do è a·pèr·to
il museo?   il mou·zè·o

Vous êtes/tu es intéressé(e) par quel courant artistique ?
Che tipo di arte Le/ti   ké ti·po di ar·té lé/ti
interessa? pol/fam   inn·té·rès·sa

Que pensez-vous/penses-tu de ... ?
Cosa ne pensa/   ko·za né pènn·sa/
pensi di ...? pol/fam   pènn·si di ...

C'est une exposition d''(art futuriste).
È una mostra di   è ou·na mo·stra di
(arte futurista).   (ar·té fou·tou·ri·sta)

Je m'intéresse	*Mi interessa*	mi inn·té·rès·sa
à l'art/aux arts...	*l'arte/gli arti*	lar·té/lyi ar·ti
baroque	*barocca*	ba·rok·ka
impressionniste	*impressionista*	imm·prés·syo·ni·sta
graphiques	*grafiche*	gra·fi·ké
moderne	*modernista*	mo·dér·ni·sta
performance	*d'esibizione*	dé·zi·bi·tsyo·né
roman	*romanica*	ro·ma·ni·ka
à l'architecture ...	*l'architettura ...*	lar·ki·tét·tou·ra ...
byzantin(e)	*bizantina*	bi·dzann·ti·na
gothique	*gotica*	go·ti·ka
de la Renaissance	*rinascimentale*	ri·na·chi·mènn·ta·lé

lexique d'architecture

affresco m	af·*frè*·sko	fresque
arcata f	ar·*ka*·ta	arcade
architrave f	ar·ki·*tra*·vé	architrave
arco m	*ar*·ko	arc
badia f	ba·*di*·a	abbaye
baldacchino m	bal·dak·*ki*·no	baldaquin • ouvrage soutenu par des colonnes au-dessus d'un autel
basilica f	ba·*zi*·li·ka	basilique • dans la Rome antique, bâtiment administratif, devenu par la suite une église chrétienne
battistero m	bat·ti·*stè*·ro	baptistère
bottega f	bot·*tè*·ga	atelier
contrafforte m	konn·traf·*for*·té	contrefort
campanile m	kamm·pa·*ni*·lé	clocher
cappella f	kap·*pèl*·la	chapelle • contenant un autel secondaire dans une église
cattedrale f	kat·té·*dra*·lé	cathédrale
cenacolo m	tché·*na*·ko·lo	réfectoire
chiesa f	*kyè*·za	église
chiostro m	*kyo*·stro	cloître
circo m	*tchir*·ko	cirque • arène ovale/circulaire
cofano m	*ko*·fa·no	coffre • panneau encastré au plafond ou sur une voute
colonna f	ko·*lon*·na	colonne
colonnato m	ko·lon·*na*·to	colonnade
cortile m	kor·*ti*·lé	cour
cupola f	*kou*·po·la	coupole
cupolone m	kou·po·*lo*·né	grosse coupole
curia f	*kou*·rya	galerie de colonnes dans un palais vénitien de style byzantin
duomo m	*dwo*·mo	dôme • cathédrale
fascia f	*fa*·cha	frise
fontana f	fonn·*ta*·na	fontaine

foro m	*fo·ro*	forum
facciata f	fa·*tcha*·ta	façade
gargolla m	gar·*gol*·la	gargouille (créature sculptée, servant de dégorgeoir)
guglia f	gou·lya	flèche
intarsio m	inn·*tar*·syo	ouvrage de marqueterie
intonaco m	inn·*to*·na·ko	enduit
liagò m	lya·*go*	terrasse ou balcon couvert
loggia f	*lo*·dja	loggia • galerie dont un mur est ouvert sur l'extérieur
maestà f	ma·é·*sta*	Vierge à l'enfant
navata f	na·*va*·ta	nef centrale
centrale	tchènn·*tra*·lé	
pala f	*pa*·la	retable
d'altare	dal·*ta*·ré	
palazzo m	pa·*la*·tso	palais
persiane f pl	pér·*sya*·né	volets
piazza f	*pya*·tsa	place
piazzale m	pya·*tsa*·lé	grande place
pietà f	pyé·*ta*	pietà
ponte m	*ponn*·té	pont
portico m	*por*·ti·ko	porche
putti m pl	*pou*·ti	angelots
rilievo m	ri·*lyè*·vo	relief
rocca f	*rok*·ka	forteresse
sala f	*sa*·la	salle
sassi m pl	*sas*·si	maisons troglodytiques
scale f pl	*ska*·lé	escalier
scalinata f	ska·li·*na*·ta	escalier
scavi m pl	*ska*·vi	fouilles
terrazzo m	tér·*ra*·tso	terrasse • balcon
tondo m	*tonn*·do	tableau de forme ronde
torre m	*to*·ré	tour
trittico m	*trit*·ti·ko	triptyque
vetrata f	vé·*tra*·ta	vitrail

œuvre d'art	*opera* f *d'arte*	*o*·pé·ra *dar*·té
conservateur(trice)	*conservatore/*	konn·sér·va·*to*·ré/
	conservatrice m/f	konn·sér·va·*tri*·tché
dessin	*disegno* m	di·*zè*·nyo
gravure	*incisione* f	inn·tchi·*zyo*·né
eau-forte	*acquaforte* f	a·kwa·*for*·té
salon d'exposition	*salone* m	sa·*lo*·né
	d'esposizione	dé·spo·zi·*tsyo*·né
installation	*installazione* f	inn·stal·la·*tsyo*·né
ouverture	*apertura* f	a·pér·*tou*·ra
peintre	*pittore/pittrice* m/f	pit·*to*·ré/pit·*tri*·tché
peinture	*pittura* f	pit·*tou*·ra
tableau	*quadro* m	*kwa*·dro
période	*periodo* m	pé·*ri*·o·do
collection	*collezione* f	kol·lé·*tsyo*·né
permanente	*permanente*	pér·ma·*nènn*·té
reproduction	*riproduzione* f	ri·pro·dou·*tsyo*·né
sculpteur	*scultore/*	skoul·*to*·ré/
	scultrice m/f	skoul·*tri*·tché
sculpture	*scultura* f	skoul·*tou*·ra
statue	*statua* f	*sta*·tou·a
atelier	*studio* m	*stou*·dyo
style	*stile* m	*sti*·lé
tapisserie	*tappezzeria* f	tap·pé·tsé·*ri*·a
technique	*tecnica* f	*tèk*·ni·ka

religion

la religione

Quelle est votre/ta religion ?
Di che religione è Lei? pol — di ké ré·li·djo·né è leille
Di che religione sei tu? fam — di ké ré·li·djo·né seille tou

Je (ne) crois (pas) en Dieu.
(Non) Credo in Dio. — (nonn) krè·do inn di·o

Je (ne) suis (pas)...	*(Non) Sono ...*	(nonn) so·no ...
agnostique	*agnostico/a* m/f	a·nyo·sti·ko/a
athée	*ateo/a* m/f	a·té·o/a
bouddhiste	*buddista*	boud·di·sta
catholique	*cattolico/a* m/f	kat·to·li·ko/a
chrétien(ne)	*cristiano/a* m/f	kri·stya·no/a
hindouiste	*induisto(a)*	inn·dou·i·sto/a
juif(ive)	*ebreo/a* m/f	é·brè·o/a
musulman(e)	*musulmano/a* m/f	mou·soul·ma·no/a
pratiquant(e)	*praticante*	pra·ti·kann·té
croyant(e)	*religioso/a* m/f	ré·li·djo·zo/a

Je voudrais aller ...	*Vorrei andare ...*	vor·reille ann·da·ré ...
à l'église	*alla chiesa*	al·la kyè·za
à la mosquée	*alla moschea*	al·la mo·skè·a
à la synagogue	*alla sinagoga*	al·la si·na·go·ga
au temple	*al tempio*	al tèmm·pyo

Est-ce que je peux ... ici ? *Posso ... qui?* · po·so ... kwi

Où puis-je ...?	Dove posso ...?	do·vé pos·so ...
aller à la messe	andare a messa	ann·da·ré a mès·sa
aller à l'église	andare in chiesa	ann·da·ré inn kyè·za
me confesser	confessarmi	konn·fés·sar·mi
(en français)	(in francese)	(inn frann·tchè·zé)
prier	pregare	pré·ga·ré
recevoir la	ricevere la	ri·tchè·vé·ré la
communion	comunione	ko·mou·nyo·né

différences culturelles

C'est une tradition locale ou nationale ?

È una tradizione	è ou·na tra·di·tsyo·né
locale o nazionale?	lo·ka·lé o na·tsyo·na·lé

Ça ne me dérange pas de regarder, mais je préfère ne pas participer.

Non mi dispiace	non mi di·spya·tché
guardare ma preferisco	gwar·da·ré ma pré·fé·ri·sko
non partecipare.	non par·té·tchi·pa·ré

J'essaierai.

Lo proverò.	lo pro·vé·ro

Je suis désolé(e), je ne voulais pas commettre une maladresse.

Mi dispiace, non	mi di·spya·tché nonn
volevo dire/fare	vo·lè·vo di·ré/fa·ré
qualcosa di sbagliato.	kwal·ko·za di sba·lya·to

Je suis désolé(e),	Mi dispiace,	mi di·spya·tché
c'est contraire à ma ...	non è permesso	nonn è pér·mès·so
	dalla mia ...	dal·la mi·a ...
foi	fede	fè·dé
culture	cultura	koul·tou·ra
religion	religione	ré·li·djo·né

en parler

parlare dello sport

Aimes-tu (le sport) ?
Ti piace (lo sport)?   ti *pya*·tché (lo sport)

Oui, beaucoup.
Sì, moltissimo.   si mol·*tis*·si·mo

Pas beaucoup.
Non molto.   nonn *mol*·to

J'aime regarder.
Mi piace assistere.   mi *pya*·tché as·*si*·sté·ré

Quel sport fais-tu ?
Quale sport pratichi?   *kwa*·lé sport *pra*·ti·ki

Je fais (du football).
Pratico (il calcio).   *pra*·ti·ko (il *kal*·tcho)

Je suis (la Formule 1).
Seguo (l'automobilismo).   *sè*·gwo (laou·to·mo·bi·*liz*·mo)

Pour plus d'expressions relatives au sport, consulter le
dictionnaire.

Quel est ton sportif préféré ?
Chi è il tuo sportivo   ki è il *tou*·o spor·*ti*·vo
preferito? m   pré·fé·*ri*·to

Quelle est ta sportive préférée ?
Chi è la tua sportiva   ki è la *tou*·a spor·*ti*·va
preferita? f   pré·fé·*ri*·ta

Quelle est ton équipe préférée ?
Qual'è la tua squadra   kwa·*lè* la *tou*·a *skwa*·dra
preferita?   pré·fé·*ri*·ta

assister à un match

Tu aimerais aller voir un match ?
Ti piacerebbe andare — ti pya·tché·*règ*·bé ann·*da*·ré
ad una partita? — a·*dou*·na par·*ti*·ta

Tu préfères quelle équipe ?
Per chi fai il tifo? — pér ki faille il *ti*·fo

Qui joue ?
Chi gioca? — ki *djo*·ka

Qui gagne ?
Chi vince? — ki *vinn*·tché

Il manque combien de temps ?
Quanto tempo manca? — *kwann*·to *tèmm*·po *mann*·ka

Quel est le score ?
Qual'è il punteggio? — kwa·*lè* il pounn·*tè*·djo

Ils viennent d'égaliser.
Hanno pareggiato. — an·no pa·ré·*dja*·to

L'arbitre ne l'a pas autorisé.
L'arbitro non l'ha — *lar*·bi·tro nonn la
permesso. — pér·*mès*·so

La partie a été... !	Che partita...!	ké par·*ti*·ta...
nulle	*brutta*	*brout*·ta
assommante	*noiosa*	no·*yo*·za
fantastique	*fantastica*	fann·*ta*·sti·ka

parlons sport

Quel(le)... !	Che...!	ké...
but	*gol*	gol
coup	*colpo*	*kol*·po
tir	*calcio*	*kal*·tcho
passe	*passaggio*	pas·*sa*·djo
action	*esecuzione*	é·zé·kou·*tsyo*·né

pratiquer un sport

Tu veux jouer ?
Vuoi giocare?
vwoïl djo·*ka*·ré

Est-ce que je peux jouer ?
Posso giocare anch'io?
pos·so djo·*ka*·ré ann·*ki*·o

Oui, ça serait chouette.
Sì, sarebbe bello.
si sa·*rèb*·bé *bèl*·lo

Désolé(e), je ne peux pas.
Mi dispiace, non posso.
mi di·*spya*·tché nonn *pos*·so

Je me suis blessé(e).
Sono infortunato/a. m/f
so·no inn·for·tou·*na*·to/a

Quel est l'endroit le plus agréable pour faire du footing par ici ?
Qual'è il miglior posto   kwa·*lè* il *mi*·lyor *po*·sto
per fare il footing   pér *fa*·ré il *fou*·tinng
qui intorno?   kwi inn·*tor*·no

Où est... ?	*Dov'è...*	do·*vè*...
le/la plus proche ?	*più vicino/a?*	pyou vi·*tchi*·no/a
la salle de gym	*la palestra*	la pa·*lè*·stra
la piscine	*la piscina*	la pi·*chi*·na
le terrain	*il campo da*	il *kamm*·po da
de tennis	*tennis*	*tèn*·nis
Quel est le prix	*Qual'è il prezzo*	kwa·*lè* il *prè*·tso
pour... ?	*richiesto...?*	ri·*kyè*·sto...
une journée	*per la giornata*	pér la djor·*na*·ta
un match	*per una partita*	pér *ou*·na par·*ti*·ta
une heure	*all'ora*	al·*lo*·ra
une visite	*a visita*	a *vi*·zi·ta
Puis-je louer... ?	*Posso noleggiare...?*	pos·so no·*lé*·dja·ré...
des balles	*delle palle*	del·*lé pal*·lé
un court	*un campo*	ounn *kamm*·po
une raquette	*una racchetta*	*ou*·na rak·*kèt*·ta

sports

129

è·ra fwo·ri	*Era fuori.*	**C'était dehors.**
imm·bro·lyo·né/a	*Imbroglione/a!* m/f	**Tricheur/euse !**
gra·tsyé dèl·la par·ti·ta	*Grazie della partita.*	**Merci pour le match.**
djo·ki bè·né	*Giochi bene.*	**Tu joues bien**
pas·sa·la a mé	*Passala a me!*	**Passe-la moi !**
pounn·to a mé/té	*Punto a me/te.*	**Point pour moi/toi.**

Il faut obligatoirement être membre ?
È necessario essere soci?   è né·tchés·sa·ryo ès·sé·ré so·tchi

Y a-t-il des cours juste pour les femmes ?
Ci sono i corsi per sole donne?   tchi so·no i kor·si pér so·lé don·né

Où se trouvent les vestiaires ?
Dove sono gli spogliatoi?   do·vé so·no lyi spo·lya·to·i

vélo

il ciclismo

Où se termine la course ?
Dove finisce la gara?   do·vé fi·ni·ché la ga·ra

Où passe-t-elle ?
Dove passa?   do·vé pas·sa

Qui gagne ?
Chi vince?   ki vinn·tché

(L'étape) d'aujourd'hui a combien de kilomètres ?
(La tappa) di oggi è di quanti chilometri?   (la tap·pa) di o·dji è di kwann·ti ki·lo·mé·tri

Mon coureur préféré est...
Il mio ciclista preferito è...   il mi·o tchi·kli·sta pré·fé·ri·to è...

cycliste	*ciclista* m/f	tchi·*kli*·sta
le maillot (jaune)	*la maglia* f *(gialla)*	ma·lya *(dja·*la)
étape de montagne	*tappa* f *In salita*	*tap*·pa inn sa·*li*·ta
course	*gara*	*ga*·ra
le Tour d'Italie	*il Giro d'Italia*	il *dji*·ro di·*ta*·lya
contre la montre	*prova* f	*pro*·va
	a cronometro	a kro·*no*·mé·tro
vainqueur	*vincitore/*	vinn·tchi·*to*·ré/
(d'étape)	*vincitrice*	vinn·tchi·*tri*·tché
	(di tappa) m/f	(di *tap*·pa)

Pour les promenades à bicyclette, voir le chapitre **transports**, p. 48.

plongée

immersioni

Je voudrais...	*Vorrei...*	vor·*reille*...
explorer	*esplorare relitti*	é·splo·*ra*·ré ré·*lit*·ti
des épaves		
faire de la plongée	*fare immersioni*	fa·ré im·mér·*syo*·ni
sous-marine	*subacquee*	sou·*ba*·kwé·é
faire de la plongée	*fare immersioni*	fa·ré im·mér·*syo*·ni
en apnée	*in apnea*	i·nap·*nè*·a
participer à	*partecipare*	par·té·tchi·*pa*·ré
une journée	*ad una gita*	a·*dou*·na *dji*·ta
de plongée	*d'immersione*	di·mér·*syo*·né
louer un équipement	*noleggiare*	no·lé·*dja*·ré
de plongée	*l'attrezzatura per*	la·tré·tsa·*tou*·ra pér
	immersioni	i·mér·*syo*·ni
	subacquee	sou·*ba*·kwé·é
louer l'équipement	*noleggiare*	no·lé·*dja*·ré
pour faire	*l'attrezzatura*	la·tré·tsa·*tou*·ra pér
de la plongée	*per immersioni*	im·mér·*syo*·ni
en apnée	*in apnea*	i·nap·*nè*·a
apprendre à faire	*imparare a fare*	imm·pa·*ra*·ré a fa·ré
de la plongée	*immersioni*	im·mér·*syo*·ni
sous-marine	*subacquee*	sou·*ba*·kwé·é

Où y a-t-il de bons endroits pour faire de la plongée ?
Dove sono dei buoni — do·vé so·no deille bwo·ni
posti per fare immersioni? — po·sti pér fa·ré im·mér·syo·ni

Il y a des méduses ?
Ci sono meduse? — tchi so·no mé·dou·zé

Où puis-je louer (des palmes) ?
Dove posso noleggiare (pinne)? — do·vé pos·so no·lé·dja·ré (pi·né)

sports extrêmes

gli sport estremi

Tu es sûr que c'est sans risque ?
Sei sicuro che questo — seille si·kou·ro ké kwè·sto
sia sicuro? — si·a si·kou·ro

L'équipement est-il sûr ?
È sicura l'attrezzatura? — è si·kou·ra lat·tré·tsa·tou·ra

C'est de la folie.
Questa è roba da matti. — kwè·sta è ro·ba da mat·ti

descente	*discesa* f *a corda*	di·chè·za a kor·da
en rappel	*doppia*	do·pya
saut à l'élastique	*bungee jumping* m	bounn·dji djoumm·pinng
spéléologie	*esplorazione* f	é·splo·ra·tsyo·né
	di caverne	di ka·vèr·né
canoë-kayak	*canottaggio* m	ka·not·ta·djo
canyoning	*torrentismo* m	tor·rènn·tiz·mo
pêche dans	*pesca* f *ai pesci*	pè·ska aille pè·chi
les torrents	*selvatici*	sél·va·ti·tchi
mountain-bike	*mountain biking* m	maounn·tènn baille·kinng
parapente	*parapendio* m	pa·ra·pènn·di·o
parachutisme	*parasailing* m	pa·ra·sè·linng
ascensionnel		
escalade	*andare su roccia* f	an·da·ré sou ro·tcha

parachutisme	*paracadutismo* m	pa·ra·ka·dou·*tiz*·mo
sportif	*acrobatico*	a·kro·*ba*·ti·ko
surf des neiges	*surf* m *da neve*	sourf da *nè*·vé
randonnée pédestre	*escursionismo* m	é·skour·syo·*niz*·mo
	a piedi	a *pyè*·di
rafting	*rafting* m	*raf*·tinng

Consultez également le chapitre **activités de plein air**, p. 137, et la rubrique **camping**, p. 58.

football

il calcio

Qui joue pour (la Sampdoria) ?
*Chi gioca per
(la Sampdoria)?*
ki *djo*·ka pér
(la sammp·*do*·rya)

C'est un bon (joueur).
È un bravo (giocatore).
è ounn *bra*·vo (djo·ka·*to*·ré)

Il a fait un super match contre (l'Angleterre).
*Ha fatto un'ottima
partita contro
(l'Inghilterra).*
a *fat*·to ou·*not*·ti·ma
par·*ti*·ta *konn*·tro
(linn·guil·*tè*·ra)

Quelle équipe est à la tête du championnat ?
*Quale squadra è in
testa alla classifica?*
kwa·lé *skwa*·dra è inn
tè·sta *a*·la klas·*si*·fi·ka

Cette équipe est mauvaise !
Che squadra schifosa!
ké *skwa*·dra ski·*fo*·za

ballon	*pallone* m	pal·*lo*·né
entraîneur(euse)	*allenatore/*	al·lé·na·to·ré/
	allenatrice m/f	al·lé·na·*tri*·tché
corner	*angolo* m/	*ann*·go·lo/
	calcio m *d'angolo*	kal·tcho *dann*·go·lo
défenseur(euse)	*giocatore/*	djo·ka·*to*·ré/
	giocatrice m/f	djo·ka·*tri*·tché
	difensivo/a	dé·fènn·*si*·vo/a
expulsion	*espulsione* f	é·spoul·*syo*·né
supporters	*tifosi* m pl	ti·*fo*·zi
faute	*fallo* m	*fal*·lo
coup franc	*calcio* m	*kal*·tcho
	di punizione	di pou·ni·*tsyo*·né
but	*gol* m	gol

cage	*porta* f	*por*·ta
gardien(ne)	*portiere* m et f	por·*tyè*·ré
buteur	*cannoniere* m	kan·no·*nyè*·ré
coup d'envoi	*calcio* m *d'inizio*	*kal*·tcho di·*ni*·tsyo
ligue	*serie* f	*sè*·ryé
manager	*manager* m et f	*ma*·na·djér
avant-centre	*centrocampista*	tchènn·tro-
	m et f	kamm·*pi*·sta
hors-jeu	*fuorigioco* m	fwo·ri·*djo*·ko
penalty	*rigore* m	ri·*go*·ré
surface de réparation	*area* f *di rigore*	*a*·ré·a di ri·*go*·ré
joueur(euse)	*giocatore/*	djo·ka·*to*·ré/
	giocatrice m/f	djo·ka·*tri*·tché
carton rouge	*cartellino* m *rosso*	kar·tél·*li*·no *ro*·so
marquer	*segnare* m	sé·*nya*·ré
footballeur(euse)	*calciatore/*	kal·tcha·*to*·ré/
	calciatrice m/f	kal·tcha·*tri*·tché
attaquant/avant	*attaccante/avanti* m	at·ta·*kann*·té/a·*vann*·ti
supporters	*tifosi* m pl	ti·*fo*·zi
remise latérale	*rimessa* f *laterale*	ri·*mès*·sa la·té·*ra*·lé
avertissement	*ammonizione* f	am·mo·ni·*tsyo*·né
carton jaune	*cartellino* m *giallo*	kar·tél·*li*·no djal·lo

Vous allez voir un match ? Consultez la rubrique **assister à un match**, p. 128.

ski

sci

Je voudrais louer...	*Vorrei noleggiare...*	vor·reille no·lé·dja·ré...
des chaussures	*gli scarponi*	lyi skar·po·ni
(de ski)	*(da sci)*	(da chi)
des lunettes	*gli occhiali di*	lyi ok·kya·li di
de soleil	*protezione*	pro·té·tsyo·né
des bâtons	*i bastoncini*	i ba·stonn·tchi·ni
des skis	*gli sci*	lyi chi
une tenue de ski	*una tuta da sci*	ou·na tou·ta da chi
C'est possible	*Si può... qui/là?*	si pwo... kwi/la
de... ici/là-bas ?		
faire du ski alpin	*fare lo sci alpino*	fa·ré lo chi al·pi·no
faire du ski de fond	*fare lo sci di fondo*	fa·ré lo chi di fonn·do
faire du surf	*fare il surf*	fa·ré il sourf
des neiges	*da neve*	da nè·vé
faire de la luge	*andare in slitta*	ann·da·ré inn slit·ta

Combien coûte le forfait ?
Quant'è una tessera? kwann·tè ou·na tès·sé·ra

Est-ce que je peux prendre des leçons ?
Posso prendere lezioni? pos·so prènn·dé·ré lé·tsyo·ni

Quel est le niveau de cette piste ?
Qual'è il livello di kwa·lè il li·vèl·lo di
quella pista? kwè·la pi·sta

sports

135

Quelles sont les pistes pour... ?	Quali sono le piste per...?	kwa·li so·no lé pi·sté pér...
débutants	principianti	prinn·tchi·pyann·ti
moyens	intermedi	inn·tér·mè·di
confirmés	avanzati	a·vann·tsa·ti
Quelles sont les conditions de ski... ?	In quali condizioni sono le piste...?	inn kwa·li konn·di·tsyo·ni so·no lé pi·sté...
à (Cortina d'Ampezzo)	a (Cortina d'Ampezzo)	a (kor·ti·na damm·pè·tso)
en haut	più in alto	pyou i·nal·to
sur cette piste	su quella pista	sou kwèl·la pi·sta

téléphérique	funivia f	fou·ni·vi·a
télésiège	seggiovia f	sé·djo·vi·a
professeur(e) de ski	maestro/a m/f di sci	ma·è·stro/a di chi
station	località f	lo·ka·li·ta
de sports d'hiver	sciistica	chi·i·sti·ka
remonte-pente	sciovia f	chyo·vi·a
luge	slittino m	slit·ti·no
(semaine de)	settimana f	sét·ti·ma·na
sports d'hiver	bianca	byann·ka

exclamations

Mon dieu !	Dio!	di·o
Jésus !	Gesù!	djé·zou
Jésus Marie !	Madonna!	ma·don·na
Merde !	Merda!	mèr·da
Malédiction !	Maledizione!	ma·lé·di·tsyo·né
Putain !	Cazzo!	ka·tso

randonnée

escursionisme a piedi

Où puis-je... ?	*Dove posso...?*	do·vé pos·so...
acheter	*comprare delle*	komm·*pra*·ré dè·lé
des provisions	*provviste*	prov·*vi*·sté
me renseigner	*informarmi*	inn·for·*mar*·mi
sur les sentiers	*sulle piste per*	soul·lé *pi*·sté pér
pédestres	*l'escursionismo*	lé·skour·syo·*niz*·mo
	a piedi	a pyè·di
trouver quelqu'un	*trovare qualcuno*	tro·va·ré kwal·*kou*·no
qui connaisse	*che conosca la*	ké ko·*no*·ska la
cette région	*zona*	*dzo*·na
trouver une carte	*trovare una carta*	tro·va·ré ou·na *kar*·ta
louer l'équipement	*noleggiare*	no·lé·*dja*·ré
pour une	*l'attrezzatura per*	lat·tré·tsa·*tou*·ra pér
randonnée	*l'escursionismo*	lé·skour·syo·*niz*·mo
pédestre	*a piedi*	a pyè·di

Nous devons	*Dobbiamo*	dob·*bya*·mo
amener... ?	*portare...?*	por·*ta*·ré...
quelque chose	*qualcosa*	kwal·*ko*·za
pour dormir	*per dormire*	pér dor·*mi*·ré
de la nourriture	*del cibo*	dél *tchi*·bo
de l'eau	*dell'acqua*	dé·*la*·kwa
Combien de km fait... ?	*Quant'è...?*	kwann·*tè*...
la montée	*alta la salita*	*al*·ta la sa·*li*·ta
la randonnée	*lunga*	*lounn*·ga
	l'escursione	lé·skour·syo·né
le sentier	*lungo il*	*lounn*·go il
	sentiero	sènn·*tyè*·ro

Le sentier est-il... ?	La pista è...?	la *pi*·sta è...
(bien) signalé	(ben) segnata	(bènn) sé·*nya*·ta
dégagé	aperta	a·*pèr*·ta
panoramique	panoramica	pa·no·*ra*·mi·ka

Quel est le...	Qual'è il	kwa·*lè* il
parcours ?	percorso...?	pér·*kor*·so...
plus facile	più facile	pyou *fa*·tchi·lé
plus court	più corto	pyou *kor*·to

Où y a-t-il/se trouve... ?	Dov'è...?	do·*vè*...
un camping	un campeggio	ounn kamm·*pè*·djo
le village	il villaggio	il vil·*la*·djo
le plus proche	più vicino	pyou vi·*tchi*·no

Où sont... ?	Dove sono...?	do·*vé* so·no...
les douches	le docce	lé *do*·tché
les sanitaires	i servizi	i *sér*·vi·tsi
	igienici	i·*djè*·ni·tchi

Est-ce qu'un guide est nécessaire ?
Occorre una guida?　　ok·*ko*·ré ou·na *gwi*·da

Y a-t-il des randonnées accompagnées ?
Ci sono delle　　tchi *so*·no dè·lé
escursioni guidate?　　é·skour·*syo*·ni gwi·*da*·té

C'est sûr ?
È sicuro?　　è si·*kou*·ro

Y a-t-il un refuge là-bas ?
C'è un rifugio là?　　tchè ounn ri·*fou*·djo la

Quand est-ce que la nuit tombe ?
Quando fa buio?　　kwann·do fa *bou*·yo

D'où êtes-vous/es-tu venu(e) ?
Da dove è venuto/a? m/f pol　　da do·*vé* è vé·*nou*·to/a
Da dove sei venuto/a? m/f fam　　da do·*vé* seille vé·*nou*·to/a

Vous avez mis combien de temps ?
Quanto ci è voluto? kwann·to tchi è vo·*lou*·to

Ce sentier va-t-il vers (Ginostra) ?
Questo sentiero va verso kwè·sto sènn·*tyè*·ro va *vèr*·so
(Ginostra)? (dji·*no*·stra)

Pouvons-nous passer par là ?
Possiamo passare da qui? pos·*sya*·mo pas·*sa*·ré da kwi

L'eau est-elle potable ?
Si può bere l'acqua? si pwo bè·ré *la*·kwa

Je me suis perdu(e).
Mi sono perso/a. m/f mi *so*·no pèr·so/a

plage

Français	*Italien*	Prononciation
Où est la plage… ?	*Dov'è la spiaggia…?*	do·vè la *spya*·dja…
la plus belle	*migliore*	mI·*lyo*·ré
la plus proche	*più vicina*	pyou vi·*tchi*·na
pour nudistes	*nudista*	nou·*di*·sta
publique	*pubblica*	*poub*·bli·ka
Peut-on… sans danger ?	*Si può… senza pericolo?*	si pwo… sènn·tsa pé·*ri*·ko·lo
faire des plongeons	*fare i tuffi*	*fa*·ré i *touf*·fi
faire de la plongée	*fare le immersioni*	*fa*·ré lé im·*mér·syo*·ni
nager	*nuotare*	nwo·*ta*·ré

signalisation

Vietato nuotare	**Interdiction de nager**

À quelle heure est la marée... ?	*A che ora è... marea?*	a ké *o*·ra è... ma·*rè*·a
haute	*l'alta*	*lal*·ta
basse	*la bassa*	la *bas*·sa
Combien coûte... ?	*Quanto costa...?*	*kwann*·to *ko*·sta...
une chaise longue	*una sedia a sdraio*	*ou*·na *sè*·dya a *sdra*·yo
un cabanon	*una capanna*	*ou*·na ka·*pa*·na
un parasol	*un ombrello*	*ou*·nomm·*brèl*·lo

météo

il tempo

Quel temps fait-il ?		
Che tempo fa?		ké *tèmm*·po fa
(Aujourd'hui) il fait...	*(Oggi) È...*	(*o*·dji) è...
Est-ce qu'il y aura... demain ?	*Domani sarà...?*	do·*ma*·ni sa·*ra*...
des nuages	*nuvoloso*	nou·vo·*lo*·zo
du beau temps	*sereno*	sé·*rè*·no
du soleil	*soleggiato*	so·lé·*dja*·to

EN SOCIÉTÉ

(Aujourd'hui) il fait...	*(Oggi) Fa...*	*(o·dji)* fa...
Est-ce qu'il fera...	*Domani farà...?*	do·ma·ni fa·ra...
demain ?		
froid	*freddo*	frèd·do
chaud	*caldo*	kal·do
beau temps	*bel tempo*	bél *tèmm*·po
On gèle.	*Si gela.*	si djè·la
Il pleut	*Piove.*	pyo·vé
Il y a du vent	*Tira vento.*	ti·ra vènn·to
Est-ce qu'il...	*Domani...?*	do·ma·ni...
demain ?		
pleuvra	*pioverà*	pyo·vé·*ra*
neigera	*nevicherà*	né·vi·ké·*ra*
y aura du vent	*ci sarà vento*	tchi sa·*ra* vènn·to

faune et flore

Quel(le) (type de)...	*Che (tipo di)...*	ké (*ti*·po di)...
est-ce ?	*è quello?*	è *kwèl*·lo
animal	*animale*	a·ni·*ma*·lé
fleur	*fiore*	fyo·ré
plante	*pianta*	pyann·ta
arbre	*albero*	al·bé·ro
Est-il/elle... ?	*È...?*	è...
commune(e)	*comune*	ko·*mou*·né
dangereux(euse)	*pericoloso/a* m/f	pé·ri·ko·*lo*·zo/a
en voie d'extinction	*in pericolo d'estinzione*	inn pé·*ri*·ko·lo dé·stinn·*tsyo*·né
vénéneux(euse)	*velenoso/a* m/f	vé·lé·*no*·zo/a
protégé(e)	*protetto/a* m/f	pro·*tèt*·to/a

À quoi ça sert ?
A che cosa serve?

a ké *ko·*za *sèr·*vé

On peut le manger ?
Si può mangiarlo?

si pwo mann·*djar·*lo

mario ou maria ?

Tout au long de ce guide, nous avons utilisé la lettre m ou f pour indiquer si un mot est masculin ou féminin. Lorsqu'il existe deux formes et que seule la terminaison change, nous avons séparé le masculin du féminin par une barre oblique. Par exemple, les adjectifs "beau" et "belle" sont présentés sous la forme *bello/a* m/f.

Voir aussi **genre** dans **grammaire de A à Z**.

vocabulaire de base

vocabolario essenziale

boire	*bere*	*bè·*ré
déjeuner	*pranzo* m	*prann·*dzo
dîner	*cena* f	*tchè·*na
en-cas	*spuntino* m	spounn·*ti·*no
goûter	*merenda* f	mé·*rènn·*da
manger	*mangiare*	mann·*dja·*ré
petit déjeuner	*prima colazione* f	*pri·*ma ko·la·*tsyo·*né

établissements bon marché

La cuisine italienne, fine et délicieuse, est souvent onéreuse. Si votre budget est limité, choisissez d'explorer quelques-uns de ces endroits...

bar/caffè bar/kaf·*fè*
sert des boissons mais aussi des sandwichs et des en-cas pour les petits creux

osteria/trattoria o·sté·*ri·*a/trat·to·*ri·*a
choix de plats simples et de spécialités locales

paninoteca pa·ni·no·*tè·*ka
on y mange de délicieux sandwichs au fromage, aux tomates, à la charcuterie, etc.

tavola calda *ta·*vo·la *kal·*da
offre des spécialités locales, des pizzas, de la viande rôtie et des salades

pizzeria pi·tsé·*ri·*a
spécialisée dans la vente de *pizze* et de *calzoni* (une pizza repliée), habituellement préparés au feu de bois

ristorante ri·sto·*rann·*té
un établissement plus sophistiqué – avec un service de qualité supérieure, un menu plus cher et une bonne carte des vins

où se restaurer

Pourriez-vous me conseiller un...	*Potrebbe consigliarmi un...*	po·*trè*·bé konn·si·*lya*·rmi ounn...
café	*bar*	bar
restaurant	*ristorante*	ri·sto·*rann*·té
Où iriez-vous pour... ?	*Dove andrebbe per...*	*do*·vé ann·*drè*·bé pér...
un dîner d'affaires	*un pranzo d'affari*	ounn *prann*·dzo daf·*fa*·ri
un repas bon marché	*un pasto economico*	ounn *pa*·sto é·ko·*no*·mi·ko
une fête	*una celebrazione*	*ou*·na tché·lé·bra·*tsyo*·né
manger des spécialités locales	*le specialità locali*	lé spé·*tcha*·li·*ta* lo·*ka*·li

bwonn ap·pé·*ti*·to
Buon appetito. — **Bon appétit.**

do·vé *vwo*·lé sé·*dèr*·si
Dove vuole sedersi? — **Où voulez-vous vous asseoir ?**

é al komm·*plè*·to
È al completo. — **Nous sommes complets.**

èk·ko
Ecco! — **Voilà !**

ko·*mé* la *vwo*·lé *kot*·ta
Come la vuole cotta? — **Vous la voulez (cuite) comment ?**

ko·za lé *por*·to
Cosa Le porto? — **Qu'est-ce que vous désirez ?**

nonn ab·*bya*·mo ta·vo·li
Non abbiamo tavoli. — **Nous n'avons plus de table.**

sya·mo *kyou*·zi
Siamo chiusi. — **C'est fermé.**

À TABLE

144

Caldo	*kal·*do	**Chaud**
Donne	*don·*né	**Femmes**
Freddo	*frèd·*do	**Froid**
Gabinetti	ga·bi·*nèt·*ti	**Toilettes**
Prenotato	pré·no·*ta·*to	**Réservé**
Riservato	ri·sér·*va·*to	**Privé**
Uomini	*wo·*mi·ni	**Hommes**

Je voudrais réserver	*Vorrei prenotare*	vor·*reille* pré·no·*ta·*ré
une table pour...	*un tavolo per...*	ounn *ta·*vo·lo pér...
(2) personnes	*(due) persone*	(*dou·*é) pér·*so·*né
(8h)	*le (otto)*	lé (*ot·*to)

Je voudrais...,	*Vorrei...,*	vor·*reille...*
s'il vous plaît.	*per favore.*	pér fa·*vo·*ré
une table	*un tavolo*	ounn *ta·*vo·lo
pour (4)	*per (quattro)*	pér (*kwat·*tro)
la carte	*il menù*	il mé·*nou*
la carte	*la lista delle*	la *li·*sta *dèl·*lé
des boissons	*bevande*	bé·*vann·*dé
(non-)fumeurs	*(non) fumatori*	(nonn) fou·ma·*to·*ri

Avez-vous... ?	*Avete...?*	a·*vè·*té...
un repas	*pasti*	*pa·*sti
pour enfants	*per bambini*	pér bamm·*bi·*ni
un menu	*un menù*	ounn mé·*nou*
en français	*in francese*	inn frann·*tchè·*zé

Vous servez encore à manger ?
Servite ancora da mangiare? sér·*vi·*té ann·*ko·*ra da mann·*dja·*ré

Il faut attendre combien de temps ?
Quanto si deve aspettare? *kwann·*to si *dè·*vé as·pét·*ta·*ré

au restaurant

Je voudrais le menu, s'il vous plaît.
Vorrei il menù, per favore.   vo·*reille* il mé·*nou* pér fa·vo·ré

C'est un self-service ?
È self-service?   è sélf·*sèr*·vi·se

Nous prenons juste à boire.
Prendiamo solo da bere.   prènn·*dya*·mo *so*·lo da bè·ré

Que conseillez-vous ?
Cosa mi consiglia?   ko·za mi konn·*si*·lya

Je voudrais ce qu'ils sont en train de manger.
Vorrei quello che stanno   vo·*reille* kwèl·lo ké *stan*·no
mangiando loro.   mann·*djann*·do *lo*·ro

Je voudrais une spécialité de la région.
Vorrei una specialità   vor·*reille* ou·na spé·tcha·li·*ta*
di questa regione.   di kwè·sta ré·*djo*·né

Qu'y a-t-il dans ce plat ?
Quali ingredienti ci   kwa·li inn·gré·*dyènn*·ti tchi
sono in questo piatto?   *so*·no inn kwè·sto *pyat*·to

Il est long à préparer ?
Ci vuole molto per   tchi *vwo*·lé *mol*·to pér
prepararlo?   pré·pa·*rar*·lo

cendrier
portacenere m
por·ta·*tchè*·né·ré

cuillère
cucchiaio m
kou·*kya*·yo

fourchette
forchetta f
for·*kè*·ta

assiette
piatto m
pya·to

couteau
coltello m
kol·*tè*·lo

verre à vin
bicchiere m
da vino
bi·*kyè*·ré da
vi·no

verre
bicchiere m
bi·*kyè*·ré

table
tavolo m
ta·vo·lo

antipasti	ann·ti·*pa*·sti	hors-d'œuvre
zuppe	tsou·pé	soupes
primi (piatti)	pri·mi (*pyat*·ti)	entrées
insalate	inn·sa·*la*·té	salades
contorni	konn·*tor*·ni	garniture
pasti leggeri	pa·sti lé·*djè*·ri	repas légers
secondi (piatti)	sé·*konn*·di (*pyat*·ti)	plats principaux
dolci	*dol*·tchi	desserts
bevande	bé·*vann*·dé	boissons
aperitivi	a·pé·ri·*ti*·vi	apéritifs
bibite	*bi*·bi·té	sodas
liquori	li·*kwo*·rl	liqueurs
blrre	*bir*·ré	bières
vini della casa	vi·ni *dèl*·la *ka*·za	vins en pichet
vini locali	vi·ni lo·*ka*·li	vins de pays
vini frizzanti	vi·ni fri·*tsann*·ti	vins pétillants
vini blanchi	vi·ni *byann*·ki	vins blancs
vini rossi	vi·ni *ros*·si	vins rouges
vini rosati	vi·ni ro·*za*·ti	rosés
vini da dessert	vi·ni da dés·*sèr*	vins à dessert
digestivi	di·djé·*sti*·vi	digestifs

Consultez également le **lexique culinaire**, p. 161.

Le. .. est compris	*Il ... è compreso*	il ... è komm·*prè*·zo
dans le prix ?	*nel conto?*	nél *konn*·to
couvert	*coperto*	ko·*pèr*·to
service	*servizio*	sér·*vi*·tsyo

Vous pouvez m'apporter, s'il vous plaît... ?

	Mi porti...,	mi *por*·ti...
	per favore?	pér fa·*vo*·ré
l'addition	*il conto*	il *konn*·to
un torchon	*uno strofinaccio*	*ou*·no stro·fi·*na*·tcho
un verre	*un bicchiere*	ounn bik·*kyè*·ré

Y a-t-il (du parmesan) ?

C'è (del parmigiano)?		tchè (dél par·mi·*dja*·no)

en sauce

Les Italiens déclinent les pâtes à l'infini, des *spaghetti* – un grand classique – aux *gnocchi*, faits à base de pommes de terre, en passant par les *farfalle*, en forme de papillon. Il y a même plusieurs variétés de sauce et chaque région a sa propre spécialité. Voici quelques-unes des recettes que vous pourriez savourer. Notez que *alla* et *all'* signifient "à la mode de".

aglio e olio   a·lyo é o·lyo
   huile, ail et parfois piment

al ragù   al ra·*gou*
   viande hachée (veau ou porc), légumes, zeste de citron
   et noix de muscade

all'amatriciana   al·la·ma·tri·*tcha*·na
   joue de porc, lard, vin blanc, tomates, piment et
   fromage

alla carbonara   *al*·la kar·bo·*na*·ra
   lardons, beurre, œufs et fromage

alla partenopea   *al*·la par·té·no·*pè*·a
   mozzarella, tomates, croûtons, câpres, olives,
   anchois, basilic, huile, piment et sel

alla pescatora   *al*·la pé·ska·*to*·ra
   poisson, tomates et fines herbes

alla pommarola   *al*·la pom·ma·*ro*·la
   tomates

alla puttanesca   *al*·la pou·ta·*nè*·ska
   ail, anchois, olives noires, câpres, tomates, huile et
   piment

cacio e pepe   *ka*·tcho é *pè*·pé
   poivre noir et fromage

con il tonno   konn il *ton*·no
   avec du thon

con le vongole   konn lé *vonn*·go·lé
   avec des palourdes

con tartufo di Norcia   konn tar·*tou*·fo di *nor*·tcha
   avec des truffes de Norcia

parler gastronomie

C'était délicieux !
Era squisito!   è·ra skwi·*zi*·to

Compliments au chef !
Complimenti al cuoco!   komm·pli·*mènn*·ti al *kwo*·ko

Je suis rassasié(e).
Sono sazio/a. m/f   *so*·no *sa*·tsyo/a

J'adore...   *Vado matto/a per...* m/f   *va*·do mat·to/a pér...
  ce plat   *questo piatto*   kwè·sto *pyat*·to
  la cuisine   *la cucina*   la kou·*tchi*·na
  locale   *locale*   lo·ka·lé

C'est...   *Questo/a è...* m/f   kwè·sto/a è...
  bon   *buono*   bouo·no
  délicieux   *delizioso/a* m/f   dé·li·*tsyo*·zo/a
  piquant   *piccante*   pik·*kann*·té
  (trop) froid   *(troppo) freddo/a* m/f   (trop·po) frè·do/a
  (trop) chaud   *(troppo) caldo/a* m/f   (trop·po) *kal*·do/a

petit déjeuner

Vous prenez quoi habituellement au petit-déjeuner ?
  Qual'è la prima   kwa·*lè* la *pri*·ma
  colazione tipica?   ko·la·*tsyo*·né *ti*·pi·ka

bacon   *pancetta* f   pann·*tchè*·ta
pain   *pane* m   *pa*·né
beurre   *burro* m   *bour*·ro
céréales   *cereali* m pl   tché·ré·*a*·li
croissant   *cornetto* m   kor·*nèt*·to
œufs   *uova* f pl   *wo*·va
omelette   *frittata* f   frit·*ta*·ta
lait   *latte* m   *lat*·té
muesli   *muesli* m   *mou*·sli
gâteau   *pasta* f   *pa*·sta
toast   *pane* m *tostato*   *pa*·né to·*sta*·to

cuissons et préparations

Je le/la voudrais...	Lo/La vorrei... m/f	lo/la vor·reille...
Je ne le/la	Non lo/la	nonn lo/la
veux pas...	voglio... m/f	vo·lyo...
bouilli(e)	bollito/a m/f	bol·li·to/a
grillé(e)	cotto/a m/f	kot·to/a
	a fuoco vivo	a fwo·ko vi·vo
frit(e) dans	fritto/a m/f in	frit·to/a inn
beaucoup d'huile	abbondante olio	ab·bonn·dann·té o·lyo
frit(e)	fritto/a m/f	frit·to/a
cuit(e) au gril	(cotto/a) m/f ai ferri	(kot·to/a) aille fè·ri
pas trop cuit(e)	non troppo	nonn trop·po
	cotto/a m/f	kot·to/a
saignant(e)	al sangue	al sann·gwé
réchauffé(e)	riscaldato/a m/f	ri·skal·da·to/a
à la vapeur	cotto/a m/f	kot·to/a a va·po·ré
	a vapore	
bien cuit(e)	ben cotto/a m/f	bènn kot·to/a
avec la	con il	konn il
sauce	condimento	konn·di·mènn·to
à part	a parte	a par·té
sans...	senza...	sènn·tsa...

au bar

Excusez-moi !
Scusi!   skou·zi

Je vais prendre (un verre de vin rouge).
Prendo (un bicchiere di   prènn·do (ounn bik·kyè·ré di
vino rosso).   vi·no ros·so)

Un autre, s'il vous plaît.
Un altro, s'il per favore.   ounn al·tro pér fa·vo·ré

Sans glace, merci.
Senza ghiaccio, grazie.   sènn·tsa guya·tcho gra·tsyé

Sec, s'il vous plaît.
  Liscio, per favore.   *li·cho pér fa·vo·ré*

Je t'offre à boire.
  Ti offro da bere.   ti *of·fro da bè·ré*

Tu prends quoi ?
  Cosa prendi?   *ko·za prènn·di*

C'est ma tournée.
  Offro io.   *of·fro i·o*

La prochaine, c'est la tienne.
  La prossima la paghi tu.   la *pros·si·ma la pa·gui tou*

Vous servez à manger ici ?
  Servite da mangiare qui?   sér·vi·té da mann·*dja·ré* kwi

boissons non alcoolisées

le bevande analcoliche

sirop d'orgeat	*orzata* f	or·*dza·ta*
soda italien	*chinotto* m	ki·*not·to*
jus de fruit	*succo* m *di frutta*	*souk·ko di frout·ta*
(en bouteille)		
jus de fruit (frais)	*spremuta* f	spré·*mou·ta*
jus de pamplemousse	*succo* m *di*	*souk·ko di*
	pompelmo	pomm·*pèl·mo*
limonade	*limonata* f	li·mo·*na·ta*
jus d'orange	*succo* m	*souk·ko*
(en bouteille)	*d'arancia*	da·*rann·tcha*
jus d'orange (frais)	*spremuta* f	spré·*mou·ta*
	d'arancia	da·*rann·tcha*
orangeade	*aranciata* f	a·rann·*tcha·ta*
soda	*bibita* f	*bi·bi·ta*
(un) thé	*(un) tè* m	(ounn) tè
(un) café	*(un) caffè* m	(ounn) kaf·*fè*
... avec du lait	*... con latte*	... konn *lat·té*
... sans/avec	*... senza/con*	... *sènn·*tsa/konn
(du sucre)	*(zucchero)*	*(tsouk·ké·ro)*

eau...	*acqua* f...	*a*·kwa...
bouillie	*bollita*	bol·*li*·ta
minérale	*minerale*	mi·né·*ra*·lé
pétillante	*frizzante*	fri·*tsann*·té
naturelle	*naturale*	na·tou·*ra*·lé

à l'heure du café

Les Italiens boivent souvent leur café debout, d'autant que les bars appliquent un supplément si on consomme à une table. Si vous demandez un simple *caffè*, on vous donnera un *espresso*, et ne commandez pas de *latte* à moins de vouloir boire un verre de lait. Si vous voulez les deux, demandez un *caffellatte*, le matin de préférence.

caffè alla valdostana   kaf·*fè a*·la val·do·*sta*·na
  avec de la *grappa*, un zeste de citron et des épices

caffè americano   kaf·*fè* a·mé·ri·*ka*·no
  noir, allongé

caffè corretto   kaf·*fè* kor·*rè*·to
  avec un peu de liqueur

caffè doppio   kaf·*fè dop*·pyo
  noir, fort et allongé

caffè macchiato   kaf·*fè* mak·*kya*·to
  avec un peu de lait

caffè ristretto   kaf·*fè* ri·*strèt*·to
  café noir très fort

caffellatte   kaf·fé·*lat*·té
  café au lait – habituellement consommé au petit-déjeuner

cappuccino   kap·pou·*tchi*·no
  café au lait, servi avec beaucoup de mousse et saupoudré de cacao – servi le matin

espresso   é·*sprès*·so
  café noir, serré

ristretto   ri·*strèt*·to
  café noir, très serré

latte   *lat*·té
  lait

boissons alcoolisées

Vous n'aurez pas beaucoup de difficultés pour commander ce que vous avez envie de boire. Certains termes italiens sont passés dans la langue française (par exemple : *sambuca* et *grappa*), d'autres sont directement empruntés à l'anglais, comme le *gin*, le *rum* et le *whiskey*.

amer	*amaro* m	a·*ma*·ro
eau-de-vie	*grappa* f	*grap*·pa
bière pression	*birra* f *a la spina*	*bir*·ra a la *spi*·na
cognac	*cognac* m	ko·nyak
champagne	*champagne* m	shamm·*pa*·nyé
cocktail	*cocktail* m	kok·tél
vin	*vino* m	*vi*·no

une gorgée de...	*un sorso di...*	ounn *sor*·so di...
une bouteille de vin...	*una bottiglia*	ou·na bot·*ti*·lya
	di vino...	di *vi*·no...
un verre de vin...	*un bicchiere*	ounn bik·*kyè*·ré
	di vino...	di *vi*·no...
à dessert	*da dessert*	da dés·*sèr*
rouge	*rosso*	*ros*·so
rosé	*rosato*	ro·*za*·to
mousseux	*spumante*	spou·*mann*·té
blanc	*bianco*	*byann*·ko
pétillant	*frizzante*	fri·*dzann*·té
... de bière	*... di birra*	... di *bir*·ra
un verre	*un bicchiere*	ounn bik·*kyè*·ré
une pinte	*una pinta*	ou·na *pinn*·ta
une bouteille	*una bottiglia*	ou·na bot·*ti*·lya

un verre de trop ?

Santé !
Salute!   sa·*lou*·té

Merci, mais je n'ai pas envie.
Grazie, ma non mi va.   *gra*·tsyé ma nonn mi va

Je ne bois pas (d'alcool).
Non bevo.   nonn *bè*·vo

Je suis fatigué(e), il vaut mieux que je rentre.
Sono stanco/a, è meglio   *so*·no *stann*·ko/a è *mè*·lyo
che vada a casa. m/f   ké *va*·da a *ka*·za

Où sont les toilettes ?
Dov'è il gabinetto?   do·vè il ga·bi·*nèt*·to

Il ne manquait plus que ça !
Ci voleva proprio!   tchi vo·*lè*·va *pro*·pri·o

Je me sens pompette.
Mi sento un po'   mi *sènn*·to ounn po
ubriaco/a. m/f   ou·bri·*a*·ko/a

J'ai combien de doigts ?
Quante sono?   *kwann*·té *so*·no

Je t'aime vraiment beaucoup.
Ti amo molto molto.   ti *a*·mo *mol*·to *mol*·to

Je crois que j'ai trop bu.
Penso d'aver bevuto   *pènn*·so da·*vèr* bé·*vou*·to
troppo.   *trop*·po

Tu peux m'appeler un taxi ?
Mi puoi chiamare un   mi pwoï kya·*ma*·ré ounn
tassi?   tas·*si*

Il vaut mieux que tu ne conduises pas.
È meglio che non guidi.   è *mè*·lyo ké nonn *gwi*·di

Je suis bourré(e).
Ho la ciucca.   o la *tchouk*·ka

Je ne me sens pas bien.
Mi sento male.   mi *sènn*·to *ma*·lé

154

vocabulaire de base

il vocabolario essenziale

cuit(e)	*cotto/a* m/f	*kot*·to/a
sec/sèche	*secco/a* m/f	*sèk*·ko/a
frais/fraîche	*fresco/a* m/f	*frè*·sko/a
congelé(e)	*congelato/a* m/f	konn·djé·*la*·to/a
cru(e)	*crudo/a* m/f	*krou*·do/a

magasins d'alimentation

alimentari	a·li·mènn·*ta*·ri	épicerie
caseificio	ka·zé·i·*fi*·tcho	fromagerie
enoteca	é·no·*tè*·ka	cave
negozio	né·*go*·tsio	fromagerie (vend aussi
di formaggi	di for·*ma*·dji	d'autres produits
		laitiers)
macelleria	ma·tchél·lé·*ri*·a	boucherie
mercato	mér·*ka*·to	marché
pasticceria	pa·sti·tché·*ri*·a	pâtisserie
pastificio	pa·sti·*fi*·tcho	magasin de pâtes
		alimentaires
pescheria	pé·ské·*ri*·a	poissonnerie
polleria	pol·lé·*ri*·a	rôtisserie
salumeria	sa·lou·mé·*ri*·a	charcuterie
tabacchi	ta·*bak*·ki	tabac
torrefazione	tor·ré·fa·*tsyo*·né	maison du café

faire les courses

Combien ?
Quanto/a? m/f   kwann·to/a

Combien coûte (un kilo de fromage) ?
Quanto costa (un chilo   kwann·to ko·sta (ounn ki·lo
di formaggio)?   di for·ma·djo)

Quelle est la spécialité de la région ?
Qual·è la specialità   kwa·lè la spé·tcha·li·ta
di questa regione?   di kwè·sta ré·djo·né

C'est quoi ?
Cos'è?   ko·zè

Je peux goûter ?
Lo/La posso assaggiare? m/f   lo/la pos·so as·sa·dja·ré

Est-ce que vous pouvez me donner un sachet, s'il vous plaît ?
Posso avere un sacchetto,   pos·so a·vè·ré ounn sak·kè·to
per favore?   pér fa·vo·ré

Je voudrais...	Vorrei...	vo·reille...
100 grammes	un etto	ou·nè·to
(200) grammes	(due) etti	(dou·é) è·ti
un kilo	un chilo	ounn ki·lo
(2) kilos	(due) chili	(dou·é) ki·li
une bouteille	una bottiglia	ou·na bot·ti·lya
une douzaine	una dozzina	ou·na do·dzi·na
un pot	un barattolo	ounn ba·rat·to·lo
un sac(het)	un sacchetto	ounn sak·kèt·to
un morceau	un pezzo	ounn pè·tso
(3) morceaux	(tre) pezzi	(tré) pè·tsi
une tranche	una fetta	ou·na fèt·ta
(6) tranches	(sei) fette	(seille) fèt·té
une boîte	una scatola	ou·na ska·to·la
des...	alcuni/e... m/f	al·kou·ni/é...
celui-là/celle-là	quello/a m/f	kwèl·lo/a
celui-ci/celle-ci	questo/a m/f	kwè·sto/a

Ça suffit, merci.	*Basta, grazie.*	*ba·sta gra·tsyé*
Un peu plus.	*Un po' di più.*	ounn po di pyou
Moins.	*(Di) Meno.*	(di) *mè·no*
Avez-vous	*Avete...?*	a·vè·té...
quelque chose... ?	*qualcosa di*	kwal·*ko*·za di
de moins cher	*meno costoso*	*mè*·no ko·*sto*·zo
d'autre	*altri tipi*	*al*·tri *ti*·pi

parler local

dé·*zi*·dé·ra *al*·tro *Desidera altro?*	**Vous désirez autre chose ?**
è (dèl par·mi·*dgia*·no) *È (del parmigiano).*	**C'est (du parmesan).**
è é·za·ou·*ri*·to/a *È esaurito/a.* m/f	**Il n'y en a plus.**
é poï *E poi?*	**Et avec ça ?**
ko·za dé·*si*·dé·ra *Cosa desidera?*	**Que désirez-vous ?**
nonn né ho *Non ne ho.*	**Je n'en ai pas.**
pos·so a·you·*tar*·la *Posso aiutarLa?*	**Puis-je vous aider ?**
so·no (tchinn·kwé è·ou·ro) *Sono (cinque euro).*	**Ça fait (5 euros).**

cuisiner

157

Où puis-je trouver	*Dove posso trovare*	*do·vé pos·so tro·va·ré*
le rayon... ?	*il reparto...?*	il ré·*par*·to...
des laitages	*dei latticini*	deille lat·ti·*tchi*·ni
des surgelés	*dei surgelati*	deille sour·djé·*la*·ti
des fruits et	*della frutta e*	dè·la *frout*·ta é
légumes	*verdura*	vér·*dou*·ra
de la viande	*della carne*	dèl·la *kar*·né
des volailles	*del pollame*	dél pol·*la*·mé

ustensiles de cuisine

utensili da cucina

Puis-je emprunter (un tire-bouchon), s'il vous plaît ?
Posso prendere in   *pos·so prènn·dé·ré inn*
prestito (un cavatappi),   *prè·sti·to (ounn ka·va·tap·pi)*
per favore?   pér fa·*vo*·ré

Où y a-t-il (une casserole) ?
Dov'è (un tegame)?   do·*vè* (ounn té·*ga*·mé)

Pour un vocabulaire plus précis, consulter le **dictionnaire**.

commander

ordinare da mangiare

Y a-t-il un	*C'è un*	tchè ounn
restaurant...	*ristorante...*	ri·sto·*rann*·té…
près d'ici ?	*qui vicino?*	kwi vi·*tchi*·no
halal	*halal*	a·*lal*
kasher	*kasher*	ka·*shér*
végétarien	*vegetariano*	vé·djé·ta·*rya*·no

Avez-vous des plats (végétariens) ?
Avete piatti (vegetariani)?   a·vè·té *pya*·ti (vé·djé·ta·*rya*·ni)

Je suis végétalien(ne).
Sono vegetaliano/a. **m/f**   so·no vé·djé·ta·*lya*·no/a

Je ne mange pas de (poisson).
Non mangio (pesce).   nonn *mann*·djo (pè·ché)

Est-ce cuit avec de (l'huile) ?
È cotto con (olio)?   è *ko*·to konn (o·lyo)

C'est... ?	*È...?*	è…
décaféiné(e)	*decaffeinato/a* **m/f**	dé·ka·fé·i·*na*·to/a
sans cholestérol	*senza*	*sènn*·tsa
	colesterolo	ko·lé·sté·*ro*·lo
sans produits	*senza prodotti*	*sènn*·tsa pro·*do*·ti
d'origine animale	*animali*	a·ni·*ma*·li
fermier	*ruspante*	rou·*spann*·té
génétiquement	*geneticamente*	djé·né·ti·ka·*mènn*·té
modifié(e)	*modificato/a* **m/f**	mo·di·fi·*ka*·to/a
sans gluten	*senza glutine*	*sènn*·tsa *glou*·ti·né
à basse teneur	*a basso*	a *ba*·so
en	*contenuto*	konn·té·*nou*·to
graisses/sucre	*lipidico/glucosio*	li·*pi*·di·ko/glou·*ko*·zyo
biologique	*biologico/a* **m/f**	byo·*lo*·dji·ko/a
sans sel	*senza sale*	*sènn*·tsa sa·lé

Pouvez-vous préparer	*Potreste preparare*	po·trè·sté pré·pa·*ra*·ré
un repas sans... ?	*un pasto senza...?*	ounn *pa*·sto sènn·tsa ...
beurre	*burro*	*bour*·ro
œufs	*uova*	*wo*·va
bouillon de	*brodo di*	*bro*·do
viande/poisson	*carne/pesce*	di *kar*·né/*pè*·ché
porc	*carne di maiale*	*kar*·né di ma·*ya*·lé
volaille	*pollame*	pol·*la*·mé
viande rouge	*carne rossa*	*kar*·né ros·sa

parler local

konn·*trol*·lo konn il *kwo*·ko	
Controllo con il cuoco.	**Je vérifie auprès du chef.**
pwo mann·*dja*·ré ...	
Può mangiare...?	**Vous pouvez manger... ?**
tout·to konn·*tyè*·né (la *kar*·né)	
Tutto contiene (la carne).	**Tous les plats contiennent (de la viande).**

allergies et régimes spéciaux

allergie e diete speciali

Je suis un régime spécial.
Seguo una dieta speciale.   sè·gwo *ou*·na dyè·ta spé·*tcha*·lé

Je suis allergique...	*Sono allergico/a...* **m/f**	*so*·no al·*lèr*·dji·ko/a...
aux produits laitiers	*ai latticini*	aille lat·ti·*tchi*·ni
aux œufs	*alle uova*	*al*·lé *wo*·va
au poisson	*al pesce*	al *pè*·ché
à la gélatine	*alla gelatina*	*al*·la djé·la·*ti*·na
au gluten	*al glutine*	al *glou*·ti·né
au miel	*al miele*	al *myè*·lé
au glutamate	*al glutammato*	al glou·tam·*ma*·to
de sodium	*monosodico*	mo·no·*so*·di·ko
aux noix	*alle noci*	*al*·lé *no*·tchi
aux cacahouètes	*alle arachidi*	*al*·lé a·*ra*·ki·di
aux fruits de mer	*ai frutti di mare*	aille *frout*·ti di ma·ré
aux crustacés	*ai crostacei*	aille kro·*sta*·tché·i

À TABLE

160

Plusieurs plats énumérés ci-dessous sont des spécialités régionales. La cuisine italienne possède de nombreuses variantes locales. Les ingrédients et les recettes de ce lexique sont classés par ordre alphabétique. Pour rechercher une recette, rendez-vous au premier mot (par exemple : **tacchino con sugo di melagrana** *dinde au jus de grenade* sera classée à "tacchino").

A

abbacchio m ab-*ba*-kyo *agneau de lait*
— **alla cacciatora** *al*-la ka-tcha-to-ra *agneau à la cocotte, avec des épices, du vin blanc et des anchois*
— **a scottadito** a-skot-ta-*di*-to *côtelettes d'agneau cuites à la poêle*

acciughe f pl a-*tchou*-gué *anchois (souvent saumurés)*

aceto m a-*tché*-to *vinaigre*

acquacotta f a-kwa-*kot*-ta *soupe préparée avec des tomates, du poivron, du céleri, des œufs, des artichauts ou des champignons*

acquapazza f a-kwa-*pa*-tsa *"eau folle" – soupe de poisson*

aglio m *a*-lyo *ail*
— **e olio** m é o-lyo *sauce à l'ail et à l'huile d'olive*

agnello m a-*nyèl*-lo *agneau*
— **ai funghi** aille founn-gui *avec des champignons*
— **al forno** al *for*-no *cuit au four, avec de l'ail et parfois des pommes de terre*
— **da latte** da *lat*-té *agneau de lait*

agnolini m pl a-nyo-*li*-ni *raviolis ronds farcis de viande, d'œufs, de fromage et d'autres ingrédients*

agnolotti m pl **ripieni** a-nyo-*lot*-ti ri-*pyè*-ni *raviolis farcis de viande, de fines herbes, d'œufs et de parmesan*

agro, all' *a*-gro, all *assaisonné à l'huile d'olive et au citron*

albicocca f al-bi-*kok*-ka *abricot*

alborella f al-bo-*rèl*-la *ablette (poisson d'eau douce)*

alici f pl a-*li*-tchi *anchois*
— **a crudo** a *krou*-do *crus, marinés à l'huile d'olive et aux épices*

al dente al *dènn*-té *"à la dent" – se dit des pâtes et du riz quand ils sont encore fermes après la cuisson*

all'alla... all/*al*-la... *à la mode...*

alloro m al-*lo*-ro *laurier*

al sangue al *sann*-gwé *saignant(e)*

amaretti m pl a-ma-*rèt*-ti *biscuits aux amandes (macarons)*

amatriciana a-ma-tri-*tcha*-na, al *sauce tomate épicée avec du lard, des poivrons et du fromage*

ananas m *a*-na-na-se *ananas*

anatra f *a*-na-tra *canard*
— **al sale** al *sa*-lé *rôti de canard cuit en croûte de sel*

angiulottus m pl ann-djou-*lot*-tous *raviolis servis avec une sauce tomate simple ou une sauce bolognaise*

anguilla f ann-*gwi*-la *anguille*

anice m *a*-ni-tché *anis*

annoglia f an-*no*-lya *saucisse de porc séchée au piment*

anolini m pl a-no-*li*-ni *sorte de raviolis farcis de bœuf braisé, de fromage, de parmesan, d'œufs et de chapelure*

aragosta f a-ra-go-sta *langouste • homard*

arancia f a-*rann*-tcha *orange*

arancia, all' a·*rann*·tcha, al *arrosé(e) ou cuit(e) au four dans du jus d'orange*

arancini m pl a·*rann*·*tchi*·ni *boulettes de riz farcies de viande*

aranzada f a·*rann*·*tsa*·da *nougat aux amandes*

arborio m ar·*bo*·ryo *riz à grains courts utilisé pour le risotto*

aringa f a·*rinn*·ga *hareng*

arista f a·*ri*·sta *carré de porc*
— **alla fiorentina** *al*·la fyo·*rènn*·*ti*·na *cuit au four avec des épices*

aromi m pl a·*ro*·mi *aromates*

arrabbiata, all' ar·rab·*bya*·ta, al *"en colère" – avec une sauce épicée*

arrosticini m ar·ro·*sti*·*tchi*·ni *viande rôtie et brochettes – d'agneau souvent*

arrosto/a m/f ar·*ro*·sto/a *rôti(e)*
— **alla griglia** a·la *gri*·lya *au gril*

artigianale ar·ti·dja·*na*·lé *artisanal(e)*

asiago m a·*zya*·go *fromage à pâte dure*

asparagi m pl a·*spa*·ra·dji *asperges*

aspro/a m/f a·*spro*/a *âpre*

B

babà m ba·*ba* *baba (au rhum) avec des raisins secs*

baccalà m bak·ka·*la* *morue séchée*
— **alla pizzaiola** *al*·la pi·*tsa*·yo·la *avec une sauce tomate*
— **mantecato** mann·té·*ka*·to *servi avec une purée*

baci m pl ba·tchi *"baisers" – chocolats • type de pâtisserie ou de biscuit*

bagnetto m **verde** ba·*nyèt*·to vèr·dé *sauce persillée à l'ail*

barbabietola f bar·ba·*byè*·to·la *betterave*

basilico m ba·*zi*·li·ko *basilic*

batsoà m ba·*tso*·a *pieds de porc désossés, bouillis puis frits*

battuto m bat·*tou*·to *assaisonnement de soupe ou de viande, au lard et aux légumes*

bavetta f ba·*vè*·ta *pâtes longues et larges*

bel paese m bél pa·è·zé *fromage crémeux à pâte molle*

besciamella f bé·cha·*mèl*·la *sauce béchamel*

bescó'cc m bé·skotch *biscuits aux amandes trempés dans de la grappa*

bianchetti m pl byann·*kèt*·ti *petits poissons frits*

bianco m **d'uovo** byann·ko dwo·vo *blanc d'œufs*

bigné m bi·*nyè* *chou (petit gâteau)*

bigoli m pl bi·go·li *spaghettis épais, à la farine complète*

bisció'la f bi·*cho*·la *gâteau aux noisettes, aux figues et aux raisins secs*

biscotti m pl bi·*skot*·ti *biscuits*

biscó'cc m bi·skoch *voir* **bescó'cc**

bisi m pl bi·zi *pois*

bistecca f bi·*stèk*·ka *steak*
— **alla fiorentina** *al*·la fyo·*rènn*·*ti*·na *côte de bœuf épaisse et savoureuse*

bitto m bit·to *fromage au lait de vache*

blanc manger m blannk *mann*·djé *dessert en gelée au lait, au sucre et à la vanille*

bocconcini m pl bok·konn·*tchi*·ni *bouchées de mozzarella • se réfère à tout autre produit de petite taille*

boghe f pl **in scabescio** bo·gué inn ska·*bè*·cho *poisson mariné, saupoudré de farine et doré à l'huile*

bollito m bol·*li*·to *bouilli*

bollito (bú'i) m bol·*li*·to (bou·i) *bouilli de viande mixte, servi avec des sauces variées*

bomba f di **riso** bomm·ba di *ri*·zo *riz, pigeon braisé, œufs, champignons, truffes et saucisse cuits au four*

bombas m bomm·ba·se *boulettes de veau en ragoût*

bonèt m bo·*nète* *dessert aux macarons, avec du cacao, du café, du marsala et du rhum*

bostrengo m bo·*strènn*·go *gâteau de riz préparé avec du chocolat, du sucre, des épices et des pignes*

boudin m bou·*dinn* *boudin noir*

bra m bra *fromage doux*

braciola f bra·*tcho*·la *côtelette*

braciolone napoletano bra·tcho·*lo*·né na·po·lé·*ta*·no *bœuf roulé, farci de jambon, de provolone et d'aromates*

branzi m pl brann·dzi *fromage à pâte molle*

branzino m brann·*dzi*·no *bar • loup*

brasato m bra·za·to *bœuf mariné au vin rouge et aux épices, puis braisé*

brasare bra·za·ré *braiser*

brioche m bri·oche *viennoiserie*

brochat m bro·chat *crème épaisse et sucrée, à base de lait et de vin, que l'on mange sur du pain de seigle*

brodetto di pesce bro·dèt·to di pè·ché *soupe de poisson*

brodo m bro·do *bouillon*

brôs m brou·se *pâté préparé avec du fromage fermenté, des fines herbes, des épices et de la* **grappa**

bruschetta f brou·skèt·ta *tranche de pain grillée, frottée d'ail et assaisonnée avec du sel, du poivre et de l'huile d'olive*

bruscitt m brou·chi·te *morceaux de bœuf au vin rouge, servis avec de la polenta ou une purée de pommes de terre*

brutti ma buoni m pl brout·ti ma bwo·ni *"laids mais bons" – macarons aux noisettes*

bucatini m pl bou·ka·ti·ni *pâtes alimentaires en forme de longs tubes creux*

buccellato di Lucca bou·tché·lat·to di lou·ka *gâteau traditionnel en forme d'anneau*

budino m bou·di·no *flan*

bugie f pl bou·dji·é *"mensonges" – l'équivalent des bugnes*

burro m bou·ro *beurre*

burtléina f bour·té·lé·i·na *petite omelette préparée avec de l'eau, de la farine, du lard et des oignons, servie avec du saucisson*

busecca f bou·zè·ka *tripes*

bussolà vicentina bous·so·la vi·tchènn·ti·na *dessert à base de biscuit de Savoie*

C

caciotta f ka·tchot·ta *fromage doux à pâte demi-molle*

cacciucco (alla livornese) ka·tchouk·ko (al·la li·vor·né·zé) *soupe de poisson faite avec au moins cinq poissons différents*

cacio m ka·tcho *nom donné aux fromages, en général • fromage crémeux*

caciocavallo m ka·tcho·ka·val·lo *fromage de vache à pâte pressée du sud de l'Italie*

cacioricotta f ka·tcho·ri·kot·ta *petit fromage rond fabriqué avec du lait caillé de vache/brebis/chèvre*

caciuni m pl ka·tchou·ni *gros raviolis ou feuilletés farcis de jaune d'œufs, de fromages, de sucre et de zeste de citron*

caffè m kaf·fè *café (voir aussi p. 152)*

calamari m pl ka·la·ma·ri *calamars*

calhiettes m tradizionali ka·lyète tra·di·tsyo·na·li *mélange de pommes de terre crues, râpées, de pain dur, de lardons, d'oignons, de farine, d'œufs battus et d'œufs mollets, habituellement utilisé pour préparer des boulettes et des omelettes*

calzone m kal·tso·né *pâte à pizza pliée en deux, fourrée de toutes sortes d'ingrédients et cuite au feu de bois*

canederli m pl ka·nè·dér·li *grosses boulettes de vieux pain, de* **speck** *et d'autres ingrédients comme du foie, du fromage, des épinards ou des pruneaux*

cannaroni m pl kan·na·ro·ni *pâtes alimentaires en forme de gros tubes*

cannella f ka·nèla *cannelle*

cannelloni m pl kan·nél·lo·ni *pâtes en forme de cigare farcies d'épinards, de viande hachée, de jambon, d'œufs, de parmesan et d'épices*

cannoli m pl (ripieni) kan·no·li (ri·pyè·ni) *pâtisserie en forme de rouleau, fourrée de fruits confits, de ricotta et d'autres ingrédients*

cantarelli m pl kann·ta·rèl·li *chanterelles (champignons)*

cantucci m pl kann·tou·tchi *biscuits croquants, à l'anis et aux amandes*

capasante f pl ka·pa·santé *coquilles Saint-Jacques*

capocollo m ka·po·kol·lo *saucisse de porc séchée, mouillée de vin rouge*

caponata f ka·po·na·ta *hors-d'œuvre de légumes cuits à l'huile et au vinaigre – servi avec des olives, des anchois et des câpres*

capelli m pl **d'angelo** ka-*pèl*-li dann-djé-lo "cheveux d'ange" – pâtes alimentaires très longues et fines

cappellacci m pl **di zucca** kap-pé-*la*-tchi di tsou-ka petites pâtes farcies de courge et de parmesan

cappelletti m pl kap-pé-*lèt*-ti semblables aux tortellinis, en plus grand

cappello m **da prete** kap-*pèl*-lo da prè-té partie la plus basse du pied de porc, braisée, servie avec une **salsa verde** ou de la moutarde

capperi m pl *kap*-pé-ri câpres

cappon magro kap-ponn ma-gro salade de légumes, poisson et crustacés, assaisonnée d'une sauce verte

capra f *ka*-pra chèvre • fromage de chèvre

caprese f ka-*prè*-zé salade de tomates, basilic et mozzarella

capretto m ka-*prè*-to chevreau

caprino m ka-*pri*-no fromage de chèvre à pâte molle

carbonada f kar-bo-*na*-da bœuf salé, coupé en dés et cuit au vin rouge

carbonara f kar-bo-*na*-ra, *a*-la sauce pour pâtes avec des œufs, du fromage et de la **pancetta**

carciofi m pl kar-*tcho*-fi artichauts

cardoncelli m pl kar-donn-*tchèl*-li champignons qui ressemblent à des champignons chinois

carnaroli m pl kar-na-*ro*-li riz à grains courts utilisé pour le risotto

carne f *kar*-né viande
— **equina** é-*kwi*-na viande de cheval
— **suina** sou-*i*-na viande de porc
— **trita/tritata** *tri*-ta/tri-*ta*-ta viande hachée

carota f ka-*ro*-ta carotte

carpa f *kar*-pa carpe

carpaccio m kar-*pa*-tcho tranches très minces de viande crue

carpione m kar-*pyo*-né poisson frit, mariné dans de l'huile et des épices

carta f **da musica** *kar*-ta da *mou*-zi-ka sorte de pain très croustillant et très mince

cartoccio m kar-*to*-tcho méthode de cuisson où le poisson, le poulet ou le gibier, est cuit dans du papier alu

cascà di carloforte ka-*ska* di kar-lo-*for*-té couscous aux légumes, à la viande hachée et aux épices

câsonséi m pl ka-zonn-*seille* rectangles de pâte farcis de parmesan, de légumes et de saucisse

cassata f ka-*sa*-ta crème glacée ou biscuit de Savoie farci de ricotta, vanille, chocolat, pistache, fruits confits et liqueur

cassola f kas-*so*-la soupe de poisson à la sauce tomate et aux fines herbes

casoncelli m pl ka-zonn-*tchèl*-li pâtes alimentaires farcies de viande et, selon les régions, d'épinards, d'œufs, de raisins, de biscuits aux amandes, de fromage ou de chapelure

castagnaccio m ka-sta-*nya*-tcho gâteau à base de farine de châtaigne, saupoudré de pignes et de romarin

castagne f pl ka-*sta*-nyé châtaignes

castelmagno m ka-stél-*ma*-nyo fromage bleu persillé

casunzei m pl ka-zounn-*seille* sorte de raviolis farcis de potiron ou d'épinards, de jambon et de cannelle – servis avec de la ricotta fumée

caulada f ka-ou-*la*-da soupe aux choux avec de la viande, de la menthe et de l'ail

cavallucci m pl ka-val-*lou*-tchi bonbons faits avec de l'orange confite, des noisettes et des épices

cavatelli m pl ka-va-*tèl*-li petites pâtes de forme ronde, faites maison, – souvent servies avec de la sauce tomate, de l'huile d'olive et de la roquette

cavolo m *ka*-vo-lo chou (légume)

cavolfiore m ka-vol-*fyo*-ré chou-fleur

cazzimperio m ka-tsimm-*pè*-ryo légumes frais et croquants trempés dans une sauce savoureuse

cazzmar m kats-mar saucisse épicée à base d'abats de volaille et d'agneau, et de foie

cecenielli m pl tché-tché-*nyèl*-li très petits poissons qu'on mange en friture ou sur une pizza

ceci m pl *tchè*-tchi pois chiches

cefalo m *tchè*-fa-lo mulet

cervello m tchér-*vèl*-lo cerveau

cervo m *tchér*-vo cerf

cevapcici m pl tché·*vap*·tchi·tchi *saucisses fraîches et pimentées de porc, bœuf ou agneau*

chenella f ké·*nèl*·la *boulettes de viande (parfois de poisson)*

chinulille f pl ki·nou·*lil*·lé *raviolis farcis de sucre, ricotta, jaunes d'œufs, zeste de citron et d'orange*

chiodino m kyo·*di*·no *armillaire de miel – champignon à cuire*

ciabatta f tcha·*bat*·ta *pain croustillant, plat et rond*

cialzons m pl tchal·*tsonns* *raviolis farcis de ricotta, d'épinards, de raisins secs, de chocolat et parfois de poulet et de fines herbes*

ciambelle f pl **al mosto** tchamm·*bèl*·lé al mo·sto *gâteaux ronds au moût de raisin*

ciammotta f tcham·*mot*·ta *friture de légumes variés*

cianfotta f tchann·*fot*·ta *purée de légumes à l'ail et au basilic*

ciaudedda f tchaou·*dèd*·da *sorte de purée à base d'artichauts, d'oignons et de pommes de terre*

ciavarro m tcha·*var*·ro *soupe printanière aux céréales et aux légumes*

cibuddau m tchi·boud·*da*·ou *plat à base d'oignons*

cicala f tchi·*ka*·la *cigale de mer*

ciccioli m pl *tchi*·tcho·li *petits morceaux de porc cuits dans leur graisse*

ciceri m pl **e tria** f *tchi*·tché·ri é *tri*·a *plat de pois chiches bouillis et de pâtes, servi avec des oignons*

cicirata f tchi·tchi·*ra*·ta *boulettes frites recouvertes de miel*

ciliegia f tchi·*lyè*·dja *cerise*

cima f *tchi*·ma *poitrine de veau*

cime f pl **di rapa** *tchi*·mé di *ra*·pa *pousses de navet*

cioccolato m tchok·ko·*la*·to *chocolat*
— **fondente** fonn·*dènn*·té *chocolat noir*

cipollata f tchi·pol·*la*·ta *plat à base de maigre de porc, de pain dur et de beaucoup d'oignons blancs*

cipolle f pl tchi·*pol*·lé *oignons*
— **ripiene** ri·*pyè*·né *oignons farcis*
— **selvatiche** sél·*va*·ti·ké *oignons sauvages*

coccois m kok·*ko*·is *pain plat fait avec du fromage salé et de la couenne rissolée*

cocomero m ko·ko·*mé*·ro *pastèque*

coda f *ko*·da *queue • lotte (de mer)*

cognà m ko·*nya* *sauce à base de pomme, poire, figue et raisin*

coieitas m pl ko·yè·*tase* *rouleaux de bœuf au chou frisé de Milan et à la sauce bolognaise*

colombo/a m/f ko·*lomm*·bo/a *pigeon • colombe • nom d'un gâteau*

conchiglie f pl konn·*ki*·lyé *pâtes alimentaires en forme de coquillages*

condimento m konn·di·*mènn*·to *assaisonnement*

confetti m pl konn·*fè*·ti *dragées*

coniglio m ko·*ni*·lyo *lapin*

conserva f konn·*sèr*·va *conserve*
— **di pomodoro** di po·mo·*do*·ro *sauce tomate traditionnelle*

cornetto m kor·*nè*·to *croissant*

coscia f *ko*·sha *cuisse*

costata f ko·*sta*·ta *côte*
— **alla napoletana** al·la na·po·lé·*ta*·na *avec de l'huile, de la sauce tomate, de l'origan, de l'ail et du vin blanc*
— **di manzo alla pizzaiola** di mann·dzo a·la pi·tsa·yo·la *avec de l'ail, de l'huile, des tomates et de l'origan*

costine f pl ko·*sti*·né *côtelettes*
— **di maiale** di ma·*ya*·lé *côtes de porc cuites au gril*

costoletta f ko·sto·*lè*·ta *escalope de veau*

cotechinata f ko·té·ki·*na*·ta *rouleaux de couenne farcis d'ail, de persil et de lardons, cuits avec de la sauce tomate*

cotechino m ko·té·*ki*·no *saucisse de porc bouillie*
— **in galera** inn ga·*lè*·ra *"en prison" – pain de viande farci de **cotechino** cuit à l'eau*

cotoletta f ko·to·*lèt*·ta *escalope (de veau) panée*
— **alla bolognese** al·la bo·lo·nyè·zé *escalope de veau panée, sautée au beurre et passée au four avec du jambon sec et du parmesan frais*

— alla milanese al·la mi·la·nè·zé *escalope de veau panée, cuite au beurre, à la poêle*

cotto/a m/f *kot·to/ta cuit(e)*
ben — ben *bien cuit(e)*
non troppo — non *trop·po pas trop cuit(e)*
poco — po·ko *saignant(e)*

cozze f pl *ko·tsé moules*

crema f **inglese** krè·ma inn·glè·zé *crème anglaise*

cren m krènn *raifort*

crescenza f kré·chènn·tsa *fromage frais à pâte molle, voir* **stracchino**

crespella f kré·spèl·la *crêpe*

crespelle f pl **bagnate** kré·spèl·lé ba·nya·té *crêpes au fromage servies dans un bouillon de poulet*

crocchette f pl kro·kèt·té *croquettes de pommes de terre et d'ingrédients divers*

crostacei m pl kro·sta·tché·i *crustacés*

crostata f kro·sta·ta *tarte sucrée*

crostini m pl kro·sti·ni *tranches de pain grillé garnies de mets salés*

crostoi m pl kro·stoï *petits beignets sucrés ou salés*

crostoli m pl kro·sto·li *pâtisserie frite recouverte de sucre glace • petits pains plats*

crucetta f krou·tchèt·ta *gâteau aux figues et aux noisettes, en forme de croix*

crudo/a m/f krou·do/a *cru(e)*

crumiri m pl krou·mi·ri *type de biscuits secs*

crusca f krou·ska *son (céréale)*

culatello m **(di Busseto)** kou·la·tèl·lo (di bous·sé·to) *jambon élaboré à partir de la culotte de porc salée et pimentée*

culingiones m pl kou·linn·djo·nése *sorte de raviolis aux pommes de terre ou aux blettes, avec du fromage de chèvre, de l'ail et de la menthe*

cupeta f kou·pè·ta *nougat placé entre deux gaufrettes*

cuscus m *kouse·kouse couscous*

cutturiddi m pl kout·tou·rid·di *civet d'agneau préparé avec du piment, des tomates, de petits oignons et du céleri*

D

di/d'… di/d… *de…*

datteri m pl *dat·té·ri dattes (fruit)*
— di mare di *ma·rê type de moules*

della casa dèl·la *ka·za "de la maison" – spécialité du chef*

diavola, alla dya·vo·la, a·la *plat épicé*

diavolicchio m dya·vo·lik·kyo *piment rouge*

ditali(ni) m pl di·ta·li/di·ta·li·ni *pâtes à potage*

dolce dol·tché *dessert • sucré(e) • doux(ce)*

dolcelatte m dol·tché·lat·té *fromage bleu à pâte molle*

dolcetti m pl **di pasta di mandorle** dol·tchè·ti di po·sta di mann·dor·lé *gâteaux traditionnels à base de pâte d'amandes, de sucre et de blancs d'œufs*

E

erbazzone m ér·ba·tso·né *pâte cuite au four farcie d'épinards, de lardons, d'épices, de parmesan, d'œufs et de persil*
— dolce dol·tché *pâte brisée cuite au four farcie avec des blettes hachées et bouillies, mélangées à de la ricotta, du sucre et des amandes*

erbe f pl èr·bé *fines herbes*

F

fagiano m fa·dja·no *faisan*

fagioli m pl fa·djo·li *haricots – habituellement secs*

fagiolini m pl fa·djo·li·ni *haricots verts*

false salsicce f pl fal·sé sal·si·tché *"fausses saucisses" – saucisses de lard et de patates, colorées avec de la betterave*

farcito m far·tchi·to *plat farci*

farfalle f pl far·fal·lé *pâtes en forme de papillon*

farina f fa·ri·na *farine*

farinata f fa·ri·na·ta *pain plat et mince, à base de farine de pois chiches*

farro m far·ro *épeautre*

fasoi m pl **col muset** fa·zoï kol mou·zète *plat de haricots secs, de saucisse, de couenne et d'épices*

fatto/a m/f *fat·to/a* fait(e)
— **a mano** a *ma·no* fait(e) à la main
— **in casa** inn *ka·za* fait(e) maison • fait(e) sur place

favata f *fa·va·ta* recette rustique de fèves, lard, porc, saucisses, tomates et fines herbes

fave f pl *fa·vé* fèves

fegato m *fé·ga·to* foie

felino m *fé·li·no* type de salami

ferri, ai *fèr·ri*, aille *cult(e) au gril*

fesa f *fè·za* veau, en dialecte du Nord

fetta f *fèt·ta* une tranche de viande, fromage, etc.

fettuccine f pl *fét·tou·tchi·né* pâtes en forme de longs rubans
— **alla romana** *al·*la *ro·ma·na* "à la mode de Rome" – servies avec une sauce bolognaise, des champignons et du fromage de brebis

fiadoni m pl **alla trentina** fya·do·ni *al·*la *trènn·ti·na* gâteaux fourrés d'amandes, de miel, de cannelle et de rhum

fiandolein m fyann·do·*leille·ne* "lait de poule" à base de jaunes d'œufs, de lait, de sucre et d'un zeste de citron

fico m *fi·ko* figuier • figues

filoncino m fi·lonn·*tchi·no* baguette

finanziera f fi·nann·*tsyè·ra* ris de veau ou d'agneau, champignons et foie de poulet dans une sauce crémeuse

finocchio m fi·nok·kyo fenouil

fior di latte f fyor di *lat·te* fromage frais à pâte molle • saveur d'un *gelato*

fiori m pl *fyo·*ri fleurs – on mange en particulier les fleurs de courgette
— **di zucca farciti** di *tsou·*ka far·*tchi·*ti fleurs de courges ou de courgettes farcies et frites

focaccia f fo·*ka·*tcha pain plat souvent rempli de fromage, de jambon, de légumes et d'autres ingrédients

foglia d'alloro *fo·*lya da·*lo·ro* feuille de laurier

fondo m *fonn·*do fond

fondua f fonn·*dou·*a **fontina** mélangée à du beurre, des œufs, et recouverte de minces tranches de truffe

fontina f fonn·*ti·*na fromage doux, à pâte demi-molle

formaggio m for·*ma·*djo fromage

forno, al *for·*no, al cuit(e) au four

fragole f pl *fra·*go·*lé* fraises

freddo/a m/f *frèd·*do/a froid(e)

fresco/a m/f *frè·*sko/a frais(fraîche)

fregola f *frè·*go·la type de couscous

fregnacce f pl fré·*nya·*tché crêpes roulées farcies de viande

frisceu m fri·*chè·*ou beignets avec de la laitue, de la petite friture, des courgettes, du foie, de la cervelle, de la merluche, du potiron, etc.

frisedde m fri·*zèd·*dé sorte de biscuit sec en forme d'anneau, mouillé puis servi avec des tomates, de l'huile, du sel et de l'origan

fritole f pl *fri·*to·lé beignets avec des raisins secs, des pignes, du citron confit et de la liqueur

frittata f frit·*ta·*ta omelette, servie froide ou chaude

frittatensuppe f pl frit·ta·*tènn·*sou·pé omelette coupée en tranches minces et servie avec de la couenne

frittatine f pl **di farina al miele di fichi** frit·ta·*ti·*né di fa·*ri·*na al *myè·*lé di *fi·*ki sorte de crêpes servies avec du miel de figues

frittelle f pl frit·*tèl·*lé beignets

frittelloni m pl frit·tél·*lo·*ni tortellinis aux épinards, cuits à l'eau, sautés dans du beurre, avec des raisins secs et du fromage, puis frits dans de la graisse

fritto/a m/f *frit·*to/a frit(e)

frito m **misto** *fri·*to *mi·*sto mélange d'ingrédients variés, qui changent en fonction de la région et de la période de l'année, frit dans de l'huile d'olive (certaines versions contiennent des abats)
— **abruzzese** a·brou·*tsè·*zé artichauts en dés et fenouil bouilli, panés et frits

frumento m frou·*mènn·*to froment

frutta f *froul·*ta fruits • dessert
— **secca** *sè·*ka fruit sec

frutti m pl **di mare** *froul·*ti di *ma·*ré fruits de mer

fugazza f fou·*ga·*tsa sorte de fougasse

funghi m pl founn·gui champignons

fusilli m pl fou·*zil·*li pâtes en forme de tire-bouchon

G

galani m pl ga-*la*-ni bandes de pâte frites saupoudrées de sucre glace

gallina f gal-*li*-na poule

gambero m gamm-*bé*-ro écrevisse • homard

gamberoni m pl gamm-bé-*ro*-ni crevettes

gambon m gamm-*bonn* pied de porc désossé et saumuré

garagoli m pl ga-*ra*-go-li fruits de mer ressemblant aux bigorneaux

garganelli m pl gar-ga-*nèl*-li pâtes courtes servies avec différentes sauces

gattò m **di patate e salsiccia** gat-*to* di pa-*ta*-té é sal-*si*-tcha pain de viande cuit au four avec des patates en purée, des œufs, du jambon et du fromage

gelato m djé-*la*-to glace

genovese, alla djé-no-vè-zé, *al*-la sauce à base d'huile d'olive, d'ail et de fines herbes

gerstensuppe m guér-stènn-*soup*-pé soupe d'orge avec des oignons, du persil, des épices et du **speck**

gianduiotto m djann-dou-*yot*-to chocolat aux noisettes

giardiniera f djar-di-*nyè*-ra légumes macérés

girello m dji-*rèl*-lo morceaux de viande ronds

gnocchi m pl *nyok*-ki petites boulettes de pâte – habituellement boulettes de pommes de terre

gnocchetti m pl nyok-*kèt*-ti petites pâtes en forme de coquille

gnocco m **di pane (al prosciutto)** *nyok*-ko di *pa*-né (al pro-*chout*-to) morceaux de pain frits dans un mélange de beurre, d'œufs, de lait (et de fromage)

goregone m go-ré-*go*-né corégone (poisson de lac)

gorgonzola f gor-gonn-*dzo*-la fromage de vache persillé, à pâte molle

grana f (padana) *gra*-na (pa-*da*-no) fromage à pâte dure, qui ressemble au parmesan

granchio m *grann*-kyo crabe

granita f gra-*ni*-ta glace pilée au sirop

granseola f grann-sé-*o*-la araignée de mer

grano m *gra*-no blé

gran(o)turco m gra-n(o)-*tour*-ko maïs

grappa f *grap*-pa moût de raisin distillé

grissini m pl gris-*si*-ni gressins

guanciale m gwann-*tcha*-lé joue, de cochon habituellement

gubana f gou-*ba*-na pâtisserie

I

impanada f imm-pa-*na*-da tourte aux légumes et à la viande ou au poisson

impepata f di cozze imm-pé-*pa*-ta di ko-*tsé* poisson préparé avec des moules et du citron

infarinata f inn-fa-ri-*na*-ta sorte de polenta en soupe, ou frite en tranches, avec différents types de viandes et de légumes

insalata f inn-sa-*la*-ta salade
— **caprese** ka-*prè*-zé avec de la mozzarella, des tomates et du basilic
— **di carne cruda** di *kar*-né *krou*-da avec de fines tranches de viande

involtini m pl inn-vol-*ti*-ni rouleaux de viande ou de poisson
— **di carne** di *kar*-né petites tranches de viande, farcies, présentées en rouleau, cuites au four ou au gril
— **siciliani** si-tchi-*lya*-ni viande panée, farcie d'œuf, de jambon et de fromage

J

jota f yo-*ta* soupe de haricots avec du lait et de la polenta • soupe aux haricots, avec des pommes de terre, de la choucroute et de la couenne de porc fumé

L

laganelle f pl e fagioli la-ga-*nèl*-lé é fa-*djo*-li larges feuilles de pâtes, servies dans une soupe aux haricots

lamponi m pl lamm-*po*-ni framboises

lasagne f pl la-*za*-nyé feuilles de pâtes aux œufs

— **alla bolognese** *al*·la bo·lo·*nyè*·zé *lasagnes cuites au four avec une sauce bolognaise, de la béchamel et du parmesan*

lattuga f lat·*tou*·ga *laitue*

lavarelli m pl la·va·*rèl*·li *lavarets (poisson)*

lecca-lecca f *lèk*·ka *lè*·ka *sucette*

lenticchie f pl lenn·*ti*·kyé *lentilles*

lepre f *lè*·pré *lièvre*

lesso/a m/f *lès*·so/a *bouilli(e)*

liscio/a m/f *li*·cho/a *lisse – caractérise un type de pâtes, à la surface régulière*

lianeddè m pl lya·nè·*dè* *pâtes servies avec une sauce au lapin ou aux pois chiches*

lievito m *lyè*·vi·to *levure*

limone m li·*mo*·né *citron*

lingua f *linn*·gwa *langue*

linguine f pl linn·*gwi*·né *rubans de pâtes longs et minces*

luccio m *lou*·tcho *brochet*

luganega f lou·*ga*·nè·ga *saucisse de porc*

luganiga di verze f lou·*ga*·ni·ga di *vèr*·dzé *saucisse au chou préparée avec de la viande hachée, du fromage, des œufs et de la chapelure*

lumache f pl lou·*ma* ké *escargots*

luppolo m *loup*·po·lo *houblon*

M

maccaruni m pl di casa con ragù mak·ka·*rou*·ni di *ka*·za konn ra·*gou* *pâtes en forme de petits tubes, servies avec une sauce bolognaise*

maccheroni m pl mak·ké·*ro*·ni *pâtes en forme de tube*

— **alla chitarra** *al*·la ki·*ta*·ra *spaghettis carrés, généralement servis avec une sauce bolognaise*

— **con la ricotta** konn la ri·*kot*·ta *pâtes servies avec de la ricotta, du fromage de brebis et parfois du parmesan*

magro/a m/f *ma*·gro/a *maigre • sans viande*

maiale m ma·*ya*·lé *cochon*

mais m *ma*·ise *maïs*

malfatti m pl mal·*fa*·ti *boulettes aux épinards préparées avec des œufs et du fromage*

malloreddus m pl mal·lo·rè·*dou*·se *boulettes au safran avec une sauce bolognaise*

maltagliati m pl mal·ta·*lya*·ti *pâtes découpées irrégulièrement*

mandorle f pl *mann*·dor·lé *amandes*

manteca f mann·*tè*·ka *boulettes de fromage frais farcies de beurre*

mantecato m mann·té·*ka*·to *glace crémeuse servie dans une coupe • ingrédients réduits en crème*

manzo m *mann*·dzo *bœuf*

maraschino m ma·ra·*ski*·no *marasquin*

marcetto m mar·*tchèt*·to *gâteau au fromage très épicé*

marille f pl ma·*ri*·lé *pâtes à la forme excentrique, censées retenir un maximum de sauce*

marinara, alla ma·ri·*na*·ra, *al*·la *plat au poisson ou aux fruits de mer*

maritozzi m pl ma·ri·*to*·tsi *petits gâteaux avec des pignons, des raisins secs, un zeste d'orange et des fruits*

marrone m mar·*ro*·né *marron (fruit)*

marsala f mar·*sa*·la *marsala*

marubini m pl ma·rou·*bi*·ni *pâtes farcies de pain grillé, de parmesan, de courge et d'œufs*

mascarpone m ma·skar·*po*·né *fromage à pâte molle, très crémeux*

maturo/a m/f ma·*tou*·ro/a *mûr(e)*

mazzafegato f pl ma·tsa·fè·ga·to *saucisse de porc sèche, à base de foie haché, de rognons, de tripes et de lobes de poumon*

mela f *mè*·la *pomme*

melagrana f mé·la·*gra*·na *grenade*

melanzanata f (di Lecce) mé·lann·dza·*na*·ta (di lè·*tché*) *sauce aux aubergines • aubergines au four, tomates, oignon, basilic et fromage de brebis*

melanzane f pl mé·lann·*dza*·né *aubergines*

— **ripiene** ri·*pyè*·né *aubergines au four farcies d'œufs, de fromage, de fines herbes, d'épices et recouvertes de chapelure*

— **violette** vyo·*lèt*·té *aubergines violettes*

meringa f mé·*rinn*·ga *meringue*

merlano m mére·*la*·no *merlan*

merluzzo m mére·*lou*·tso *cabillaud*

mesta f e fasoi m pl *mè·*sta é fa*·zoï* polenta cuite avec des haricots

miele m myè*·*lé miel

migliaccio m **"e cigule f pl** mi*·lya·*tcho é tchi*·gou·*lé *polenta au four avec des saucisses de porc, du fromage de brebis et du poivre*

milanese, alla mi*·*la*·*nè*·*zé, *al·*la *sauce à la mode de Milan – comprend d'habitude du beurre*

millecosedde m mil*·*lé*·*ko*·*zèd*·*dé *soupe copieuse avec des légumes verts et des légumes secs, et de petites pâtes*

minestra f mi*·*nè*·*stra *terme général indiquant la soupe*
— **alla pignata** al·la pi*·*nya*·*ta *avec des haricots, du porc et des légumes verts*
— **con ceci** konn tchè*·*tchi *avec des pois chiches et des pâtes*

minestrone m mi*·*né*·*stro*·*né *soupe avec des légumes verts et parfois des pâtes ou du riz, des lardons et de la couenne*

misticanza f mi*·*sti*·*kann·*tsa *salade mixte*

misto/a m/f mi*·*sto/a *mixte*

mollusco m mol*·lou·*sko *mollusque*

montasio f monn*·*ta*·*zyo *fromage à pâte pressée*

montato/a m/f monn*·*ta*·*to/a *monté(e) en neige*

morbido/a m/f mor*·*bi*·*do *doux/douce*

mortadella f (di Bologna) mor*·*ta*·*dèl·*la (di bo*·*lo*·*nya) *charcuterie à base de porc haché, de lardons et de poivre noir*

mostaccioli m pl mo*·*sta*·*tcho·*li *petits biscuits enrobés de chocolat*

mozzetta f mo*·*tsèt*·*ta *charcuterie à base de cuissot de chèvre de montagne ou de chamois, salée et séchée*

mozzarella f mo*·*tsa*·*rèl·*la *fromage de vache frais, à pâte molle*
— **di bufala** di bou*·*fa*·*la *fabriqué à partir du lait de bufflonne*
— **in carrozza** inn kar*·*ro*·*tsa *sur des tranches de pain, trempé dans de l'œuf et de la farine, puis frit*

"mpanada f m*·*pa*·*na·*da *voir* **impanada**

"mpepata f di cozze m*·*pé*·*pa·*ta di ko*·*tsé *voir* **impepata di cozze**

muggine m mou*·*dji*·*né *mulet*

N

napoletana, alla na*·*po*·*lé*·*ta·*na, al·la *à la mode de Naples – généralement à base de tomates et d'ail*

nasello m na*·*zèl·*lo *merlu*

"ndugghia f n*·*dou·*guya *saucisse de porc séchée aux graines de fenouil*

nero m di seppia/calamaro nè*·*ro di sèp*·*pya/ka*·*la·*ma*·*ro *encre de seiche*

nocciola f no*·*tcho·*la *noisette*

noce m no*·*tché *noix*
— **di cocco** di kok*·*ko *noix de coco*
— **moscata** mo*·*ska·*ta *noix de muscade*

norma, alla nor*·*ma, al·la *sauce aux aubergines et aux tomates*

nostrano m no*·*stra·*no *fromage à pâte pressée • produit artisanal ou fait maison*

O

oca f o*·*ka *oie*

offelle f pl of*·*fèl·*lé *biscuits sucrés aux fruits secs*

olio m o*·*lyo *huile – presque toujours de l'huile d'olive*

ombrichelli m pl omm*·*bri*·*kèl·*li *gros spaghettis faits maison*

opinus m pl o*·*pi*·*nou·*se *biscuits en forme de pomme de pin, saupoudrés de sucre fondu et de blanc d'œuf*

orata f o*·*ra·*ta *dorade*

orecchiette f pl o*·*ré*·*kyèt*·*té *pâtes artisanales en forme de coquille, servies avec des légumes et de l'huile d'olive ou une copieuse sauce bolognaise*

orzo m or*·*dzo *orge*
— **e fagioli** é fa*·*djo·*li *bouillon épais d'orge et de haricots*

ossi di morti m pl os*·*si di mor*·*ti *"os de morts" – biscuits très croustillants*

ossobuco m os*·*so*·*bou·*ko *osso buco*
— **milanese** mi*·*la*·*nè*·*zé *coupé en petits morceaux et cuisiné avec des épices*

ostriche f pl o*·*stri*·*ké *huîtres*

P

pagnottella f pa·nyot·*tèl*·la miche de pain

palle f pl *pal*·lé boules

— **del nonno** dél *non*·no "boules du grand-père" – boulettes de ricotta panées • saucisses de porc

— **di riso** di *ri*·zo croquettes de riz

palombo m pa·*lomm*·bo palombe • pigeon

— **alla todina** al·la to·*di*·na pigeon au gril

pan m **biscotto condito** pann bi·*skot*·to konn·*di*·to pain grillé avec de l'huile, des tomates et des fines herbes

panadas f pl pa·*na*·dase voir **pancotto**

pancetta f pann·*tchèt*·ta lard

pancotto m pann·*kot*·to soupe de pain bouilli, de fromage, d'œufs et de tomates fraîches

pane m pa·*né* pain

— **all'olio** al·*lo*·lyo pain à l'huile

— **aromatico** a·ro·*ma*·ti·ko pain aux fines herbes ou aux légumes

— **carasau** ka·ra·*za*·ou pain ferme que mangent les bergers

— **casereccio** ka·zé·*rè*·tcho pain ferme et savoureux

— **col mosto** kol *mo*·sto pain aux noix, à l'anis, aux amandes, au raisin, au sucre et au moût

— **di segale** di *sè*·ga·lé pain de seigle

— **frattau** frat·*ta*·ou tranches de pain avec du fromage de brebis, une sauce tomate ou bolognaise, du bouillon et des œufs

— **fresa** *frè*·za pain plat croustillant

— **integrale** inn·té·*gra*·lé pain complet

— **pugliese** pou·*lyè*·zé grosse miche de pain croustillante

— **salato** sa·*la*·to pain salé

— **toscano** to·*ska*·no pain sans sel friable

— **unto** *ounn*·to tranches de pain grillé avec de l'ail, de l'huile d'olive, du sel et du poivre

panelle f pl pa·*nèl*·lé beignets à la farine de pois chiches

panforte m **(senese)** pann·*for*·té (sé·*nè*·zé) gâteau dur avec des amandes, des fruits et des épices

panino m pa·*ni*·no sandwich

paniscia f **novarese** pa·*ni*·cha no·va·*rè*·zé riz accompagné d'oignons, de saucisses et de soupe

panna f *pan*·na crème

— **cotta** *kot*·ta dessert crémeux épais

panpepato m pann·pé·*pa*·to gâteau en forme d'anneau

pan m **speziale** pann spé·*tcha*·lé pain au miel, aux noix, au raisin et aux fruits

panzanella f pan·tsa·*nèl*·la pain toscan avec de la sauce tomate, des oignons, de la salade, des anchois, du basilic, de l'huile d'olive, du vinaigre et du sel

panzerotti m pl pann·tsé·*rot*·ti pâtes ou pâtisseries en forme de demi-lune

paparot m pa·pa·*rote* soupe aux épinards et au maïs

papassinas m pl pa·pa·*si*·na·se petits gâteaux en forme de cône

pappa f *pap*·pa bouillie pour enfant

— **col pomodoro** kol po·mo·*do*·ro soupe avec de minces tranches de pain dur, des tomates et des épices

pappardelle f pl pap·par·*dèl*·lé larges rubans de pâtes

— **alla lepre** al·la lè·*pré* avec du lièvre en civet, du vin rouge, et de la sauce tomate

parmigiana, alla par·mi·*dja*·na, al·la toute préparation à base de parmesan

parmigiana f **di melanzane** par·mi·*dja*·na di mé·lann·*dza*·né aubergines frites recouvertes d'œuf, de basilic, de sauce tomate, d'oignon et de mozzarella

parmigiano m **(reggiano)** par·mi·*dja*·no (ré·*dja*·no) parmesan, parfois appelé **grana**

parrozzo m par·*ro*·tso pain, parfois enrobé de chocolat

passatelli m pl pas·sa·*tèl*·li petites boulettes faites avec des œufs, du parmesan, de la mœlle de bœuf et de la noix de muscade

pasta f *pa*·sta pâtes • pâte • pâtisserie
— **col bianchetto** kol byann·*kèt*·to spaghettis avec de la petite friture, une sauce tomate épicée et de l'ail
— **cresciuta** kré·*chou*·ta beignets aux anchois ou aux fleurs de courgette
— **e fagioli** é fa·*djo*·li soupe aux haricots avec des pâtes
— **fresca** frè·ska terme général pour les pâtes fraîchement confectionnées

pastasciutta f pa·sta·*chout*·ta 'pâtes sèches' • pâtes

pastissada/pastizzada f pa·sti·*ssa*·da/pa·sti·*tsa*·da ragoût de bœuf ou de viande de cheval, aux légumes verts

patate f pl pa·*ta*·té pommes de terre

pecorino m **(romano)** pé·ko·*ri*·no (ro·*ma*·no) fromage de brebis épicé, à pâte dure

penne f pl *pèn*·né pâtes courtes en forme de tube

pepe m *pè*·pé poivre

peperonata f pé·pé·ro·*na*·ta poivrons, oignons et tomates cuits à l'huile d'olive

peperoncini m pl pé·pé·ronn·*tchi*·ni piment

peperoni m pl pé·pé·*ro*·ni poivrons
— **ripieni** ri·*pyè*·ni farcis de différents ingrédients

pere f pl *pè*·ré poires
— **imbottite** imm·bo·*tit*·té poires farcies, cuites au four

persico m *pèr*·si·ko perche (poisson)

pesca f *pè*·ska pêche

pesce m *pè*·ché poisson

pesto m *pè*·sto sauce préparée avec du basilic frais, des pignes, de l'huile d'olive, de l'ail, du fromage et du sel

petto m *pèt*·to poitrine

pettole f pl *pèt*·to·lé rubans de pâtes faits maison, longs et minces

piadina f pya·*di*·na pain rond plat

piccagge f pl pik·*ka*·djé pâtes en longs rubans servies avec du **pesto** ou une sauce aux artichauts et aux champignons

piccata f pik·*ka*·ta veau servi avec une sauce au citron et au marsala

picchi pacchiu m *pik*·ki pak·*kyou* sauce pour pâtes avec des tomates et du piment

pici m pl *pi*·tchi pâtes fraîches qui ressemblent à d'épais spaghettis

piccione m pi·*tcho*·né pigeon

picula f **ad caval** pi·kou·*la* ad ka·*val* viande de cheval en civet

pinoli m pl pi·*no*·li pignes

pinza f **padovana** *pinn*·tsa pa·do·*va*·na pâtisserie

pinzimonio m pinn·tsi·*mo*·nyo sorte de vinaigrette dans laquelle on trempe des légumes crus (voir aussi **cazzimperio**)

piopparello m pyo·pa·*rèl*·lo pholiote du peuplier (champignon)

pisarei m pl **e fasó** m pl pi·za·*reille* é fa·*zo* boulettes relevées d'une sauce tomate, et servies avec du lard et des haricots cuits

piselli m pl pi·*zèl*·li petits pois

pistum m *pi*·stoumm boulettes aigres-douces servies avec du jus de porc

pitta f *pit*·ta petit pain plat

pitte f pl *pit*·té petit gâteau en forme de demi-lune

pizza f *pi*·tsa il y a plus de 50 sortes de pizza, différemment garnies
— **a(l) taglio** a(l) *ta*·lyo tranche de pizza
— **dolce di Pasqua** dol·tché di pa·skwa pizza sucrée aux fruits secs
— **Margherita** mar·gué·*ri*·ta garnie d'ingrédients simples comme de l'huile d'olive, des tomates, de la mozzarella, du basilic et de l'origan
— **rustica** rou·sti·ka garnie au choix de jambon, salami, saucisse, œuf ou fromage

pizzaiola, alla pi·tsa·*yo*·la, *al*·la avec une sauce tomate et de l'huile d'olive

pizzoccheri m pl pi·*tso*·ké·ri pâtes courtes aux blé noir servies avec des choux et des pommes de terre

polenta f po·*lènn*·ta polenta
— **al ragù** al ra·*gou* servie avec une sauce bolognaise

— concia konn·tcha *avec plusieurs fromages*

— e osei é o·zeille *servie avec des moineaux, des grives ou des alouettes* • *biscuit de Savoie avec de la confiture*

— pasticciata pa·sti·tcha·ta *au four avec une sauce bolognaise, des champignons et du fromage*

— sulla spianatoria soul·la spya·na·to·rya *avec des saucisses, des tomates et du fromage de brebis, servie sur une spianatoria (plat à dessert)*

— taragna ta·ra·nya *polenta de blé noir*

polipo m po·li·po *poulpe (voir* **polpi***)*

pollo m pol·lo *poulet*

— alla diavola al·la dya·vo·la *au gril avec du poivre rouge ou du piment*

— con peperoni e patate al coccio konn pé·pé·ro·ni é pa·ta·té al ko·tcho *cuit à feux doux dans un plat en terre cuite avec de la sauge, des pommes de terre et des poivrons*

polpette f pl pol·pèt·té *boulettes de viande*

polpettine f pl pol·pét·ti·né *petites boulettes de viande*

— di carne con salsa di pomodoro di kar·né konn sal·sa di po·mo·do·ro *à la sauce tomate*

polpettone m pol·pét·to·né *pain de viande*

polpi m pl pol·pi *poulpes (qu'on appelle aussi* **polipi***)*

— alla luciana al·la lou·tcha·na *poulpes en tranches avec des tomates, de l'huile, de l'ail, du persil et du citron*

— in purgatorio inn pour·ga·to·ryo *garnis de tomates, de persil, de piment et d'ail*

pomodori m pl po·mo·do·ri *tomates*

— secchi sèk·ki *tomates sèches*

pomodorini m pl po·mo·do·ri·ni *petites tomates* • *tomates séchées au soleil*

pompelmo m pomm·pèl·mo *pamplemousse*

porchetta f por·kèt·ta *cochon de lait au four ou au gril*

porcini m pl por·tchi·ni *cèpes*

porco m por·ko *porc*

potizza f po·ti·tsa *gâteau mou préparé avec du pain au levain*

prataiolo m pra·ta·yo·lo *champignon de Paris*

preboggion m pré·bo·djonn *mélange d'herbes des champs*

prosciutto m pro·chout·to *nom donné au jambon coupé en tranches minces*

— affumicato af·fou·mi·ka·to *salami fumé*

— San Daniele sann da·nyè·lé *jambon cru, doux et délicat*

provola f pro·vo·la *fromage de lait de vache et de buflonne, à pâte demi-dure*

provolone m pro·vo·lo·né *fromage de vache savoureux à pâte demi-molle*

prugna f prou·nya *prune*

puttanesca, alla pout·ta·nè·ska, a·la *"à la mode des putains" – sauce tomate avec du piment, des anchois et des olives noires*

Q

quaglia f pl kwa·lya *caille*

quartirolo m kwar·ti·ro·lo *fromage à pâte molle, doux et délicat*

quattro formaggi kwat·tro for·ma·dji *sauce faite avec quatre fromages différents*

quattro stagioni kwat·tro sta·djo·ni *pizza avec différents ingrédients sur chaque quart*

R

rabarbaro m ra·bar·ba·ro *rhubarbe*

radicchio m ra·di·kyo *chicorée*

— rosso ros·so *légume amer avec de longues feuilles rouges*

rafano m tedesco ra·fa·no té·dè·sko *raifort*

ragù m *sauce tomate à la viande, mais parfois aux légumes seulement*

— alla bolognese al·la bo·lo·nyè·zé *sauce à base de porc et de veau*

— alla napoletana al·la na·po·lé·ta·na *sauce à base de gros morceaux de viande, de légumes et de vin rouge*

rambasicci m pl ramm·ba·*zí*·tchi *feuilles de chou farcies*

rapa f *ra*·pa *navet*

ravioli m pl ra·*vyo*·li *carrés de pâtes habituellement farcis de viande, de parmesan et de chapelure*
— **liguri** *li*·gou·ri *parfois farcis de ricotta et de fines herbes*

raviolini m pl ra·vyo·*li*·ni *petits raviolis*

ravioloni m pl ra·vyo·*lo*·ni *gros raviolis*

razza f *ra*·tsa *raie (poisson)*

ri(so) m **in cagnon** *ri*(zo) inn ka·*nyonn riz sauté dans de l'ail, du beurre, de la sauge et saupoudré de parmesan*

ribes m **nero** *ri*·bése nè·ro *cassis*

ribes m **rosso** *ri*·bése *ro*·so *groseille rouge*

ribollita f ri·bol·*li*·ta *soupe de légumes remise sur le feu et épaissie*

ricciarelli m pl ri·tcha·*rèl*·li *biscuits aux amandes*

ricotta f ri·*kot*·ta *fromage frais de vache ou de brebis*
— **affumicata** af·fou·mi·*ka*·ta *ricotta fumée*
— **infornata** inn·for·*na*·ta *au four*

rigaglie f pl ri·*ga*·lyé *abattis*

rigatoni m pl ri·ga·*to*·ni *pâtes courtes en forme de gros tubes*
— **con la pagliata** konn la pa·*lya*·ta *servis avec des abats de veau*

ripieno m ri·*pyè*·no *farce*

risi m pl **e bisi** m pl *ri*·zi é *bi*·zi *soupe de riz épaisse avec des pois*

risi m pl **e bruscandoli** m pl *ri*·zi é brou·*skann*·do·li *pousses de houblon amères, cuites dans un bouillon avec du riz*

riso m *ri*·zo *riz*
— **al salto** al *sal*·to *riz bouilli sauté au safran*
— **comune** ko·mou·né *de qualité inférieure, utilisé dans la soupe*
— **fino** fi·no *de bonne qualité avec de gros grains*
— **semifino** sè·mi·fi·no *d'une qualité supérieure au* riz **comune**, *avec de plus gros grains*

— **superfino** sou·pér·fi·no *la meilleure qualité de riz, utilisé pour faire le risotto*

risotto m ri·*zot*·to *plat à base de riz cuit lentement dans un bouillon, d'une consistance épaisse*
— **alla milanese** al·la mi·la·nè·zé *avec de la mœlle de bœuf, du bouillon de viande et du safran*
— **alla monzese** al·la monn·dzè·zé *avec de la saucisse, du safran ou du vin rouge*
— **alla piemontese** al·la pyé·monn·*tè*·zé *avec du vin blanc et des truffes (et parfois de la sauce tomate)*
— **alla sbirraglia** al·la sbi·*ra*·lya *avec du blanc de poulet*
— **alla trevisana** al·la tré·vi·*za*·na *avec de la saucisse ou du foie de poulet*
— **allo zafferano** al·lo dza·fé·*ra*·no *voir* **risotto alla milanese**
— **con filetti di pesce persico** konn fi·*lèt*·ti di *pé*·ché *pèr*·si·ko *avec des filets de perche*
— **con le rane** konn lé *ra*·né *aux cuisses de grenouille, avec du bouillon de grenouille et des fines herbes*
— **nero** *nè*·ro *risotto noir avec des blettes, des oignons et de la seiche*
— **polesano** po·lé·*za*·no *avec de l'anguille, du mulet, du bar, du vin blanc et du bouillon de poisson*

roast beef m ro·sbif *rosbif*

robiola f ro·*byo*·la *fromage de vache doux*

romana, alla ro·*ma*·na, *al*·la *avec une sauce tomate*

rombo m romm·bo *turbot*

rosolata f ro·zo·*la*·ta *plat sauté*

rospo m *ro*·spo *lotte de mer*

rosumada f ro·zou·*ma*·da *dessert aux œufs avec du vin rouge*

rotolo m ro·to·lo *pâte pliée en deux, farcie d'épinard, de ricotta ou de viande*

ruchetta f rou·*kèt*·ta *roquette*

rucola f *rou*·ko·la *roquette*

rum-babà m roumm ba·*ba baba arrosé de rhum et saupoudré de sucre*

ruta f *rou*·ta *rue (plante)*

S

sa fregula f sa·frè·gou·la *soupe avec des boulettes de farine et de safran*

sagne chine f sa·nyé ki·né *pâtes au four avec des boulettes de viande, des œufs et du fromage*

salama f da sugo ferrarese sa·la·ma da sou·go fé·ra·rè·zé *saucisse de porc*

salame f di Felino sa·la·mé di fé·li·no *saucisson sec*

salami m pl sa·la·mi *saucissons*

salamino m sa·la·mi·no *petit saucisson*

salato/a m/f sa·la·to/a *salé(e)*

sale m sa·le *sel*

salmì m sal·mi *marinade avec des épices et parfois du vin*

salmone m sal·mo·né *saumon*

salsa f sal·sa *sauce*
— **Alfredo** al·frè·do *avec du beurre, de la crème, du parmesan et du persil*
— **alla checca** al·la kèk·ka *sauce tomate froide avec des olives, du basilic, des câpres et de l'origan*
— **alla pizzaiola** al·la pi·tsa·yo·la *sauce tomate avec de l'ail et de l'origan*
— **di cren** di krènn *avec du radis râpé, des pommes, de l'oignon, du bouillon et du vin blanc*
— **di pomodoro al tonno e funghi** di po·mo·do·ro al ton·no é founn·gui *sauce tomate au thon et aux champignons*
— **di pomodoro alla siciliana** di po·mo·do·ro al·la si·tchi·lya·na *avec des aubergines, des anchois, des olives, des câpres, des tomates et de l'ail*
— **verde** vèr·dé *sauce verte avec des fines herbes, des câpres, des olives, des noix, des anchois, de la chapelure, de l'ail et du vinaigre*

saltimbocca f sal·timm·bo·ka *"saute dans la bouche" – de petite taille*

salume m sa·lou·mé *charcuterie*

sanguinaccio m sann·gwi·na·tcho *boudin noir préparé avec du sang de porc, des olives et du cacao*

saor, in saor, inn *marinade pour poisson aigre-douce*

sarago m sa·ra·go *brème*

sarde f pl sar·dé *sardines*
— **a scapece** a ska·pè·tché *sardines frites*
— **alla marchigiana** al·la mar·ki·dja·na *sardines marinées au four*

sardele in saor f pl sar·dè·lé inn saor *plat de sardines marinées grillées*

sartù m "e riso m sar·tou é ri·zo *savoureux plat de riz*

sas melicheddas m pl sa·se mé·li·kè·da·se *gâteaux à la pâte d'amandes, saupoudrés de sucre*

sausa f d'avie saou·sa da·vi·é *sauce moutarde, aux noix et au miel*

savolardi m pl sa·vo·yar·di *boudoirs*

sbrofadej m sbro·fa·deille *pâtes épaisses*
— **in brodo** in bro·do *au bouillon*

scagliuozzoli m pl ska·lyou·o·tso·li *polenta et provolone frits*

scaloppine f pl ska·lop·pi·né *minces côtelettes de dinde, de porc ou de veau*
— **al marsala** al mar·sa·la *escalopes de veau au marsala*

scamorza f ska·mor·tsa *fromage frais qui ressemble à de la mozzarella, mais qu'on mange souvent fumé*

scampi m pl skamm·pi *sorte de petites langoustines*

scapece m ska·pè·tché *marinade dans laquelle macère habituellement du poisson*
— **di Vasto** di va·sto *poisson frit en tranches, mariné*

scarole m ska·ro·lé *scarole*

schiaffettuni m pl chini skya·fét·tou·ni ki·ni *macaronis avec du porc et des œufs*

schmorbraten m chmor·bra·tènn *veau mariné, cuit dans du vin et de la sauce tomate*

sciatt m chatte *beignets sucrés contenant de la grappa*

scimú'd m chi·moud *fromage au lait écrémé, salé et épicé*

sciroppo m chi·ro·po *sirop*

scivateddi m pl chi·va·tèd·di *spaghettis épais servis avec une sauce bolognaise et de la ricotta*

scottiglia f skot-*ti*-lya *daube à la sauce tomate*

sebadas m pl sé-*ba*-da-se *gros raviolis ronds au fromage et au miel*

seccia f **"mbuttunata** sè-tcha m-bout-tou-*na*-ta *seiche farcie cuite à feu doux avec une sauce tomate*

selvaggina f sél-va-*dji*-na *gibier*

semifreddo m sè-mi-*frèd*-do *dessert crémeux préparé avec de la glace*
— **al torrone** al tor-ro-né *dessert avec du lait, de la vanille, des œufs et du nougat*

semola f sè-*mo*-la *son (de blé)* • *semoule*

semolino m sé-mo-*li*-no *semoule*

senape f sè-na-pé *moutarde*

seno m sè-no *sein*

seppia f sè-pya *seiche*

serpe f sèr-pé *gâteau aux amandes, au sucre glace ou au chocolat*

sfogliatelle f pl sfo-lya-*tèl*-lé *pâtisserie fourrée de ricotta, de cannelle, de fruits confits et de vanille*

sformato m sfor-*ma*-to *flan*
— **di spinaci con cibreo al vinsanto** di spi-*na*-tchi konn tchi-*brè*-o al vinn-*sann*-to *flan aux épinards, servi avec du foie*

sgombro m *sgomb*-bro *maquereau*

sogliola f so-*lyo*-la *sole*

sopa f còada so-pa ko-*a*-da *bouillon de viande, pigeon, fromage et pain*

soppressa f sop-*près*-sa *saucisse de porc*

soppressata f sop-prés-*sa*-ta *saucisson épicé, fait avec des morceaux de la tête de cochon et la couenne* • *saucisson doux de porc et de lard*
— **molisana** mo-li-*za*-na *grosse saucisse*

sorbetto m sor-*bèt*-to *sorbet*

sott'aceti m pl sot-ta-*tchè*-ti *pickles (petits légumes marinés)*

sott'olio m sot-*to*-lyo *petits légumes à l'huile*

spaghetti m pl spa-*guèt*-ti *pâtes alimentaires fines et longues*

spá'tzle m spa-tslé *petites boulettes qu'on peut servir en bouillon*

speck m spék *type de jambon fumé*

spiedino/spiedo m spyè-*di*-no/spyè-do *brochette*

spezie f pl spè-tsyé *épices*

spigola f *spi*-go-la *loup (de mer)*

spinaci m pl spi-*na*-tchi *épinards*

sponga(r)da f sponn-*ga*(r)-da *dessert à la vanille, aux œufs et parfois aux fruits confits*

spugnola f spou-*nyo*-la *morille*

stecchi m pl *stèk*-ki *bâtonnets* • *kebabs*
— **alla ligure** al-la *li*-gou-ré *avec du veau, du poulet, du ris d'agneau, des œufs, des champignons, des artichauts et des épices*

stiacciata f stya-*tcha*-ta *petit gâteau*

stinco m *stinn*-ko *jarret*

stoccafisso m stok-ka-*fis*-so *stockfisch (morue séchée à l'air)*
— **a brandacujun** a rann-da-*kou*-younn *plat crémeux de patates et de stockfish*
— **accomodato** ak-ko-mo-*da*-to *stockfish cuit à la casserole avec des anchois ou des champignons*

stracchino m strak-*ki*-no *fromage frais délicat*

stracciatella f stra-tcha-*tèl*-la *bouillon avec des œufs battus et du parmesan*

stracotto m stra-*kot*-to *bœuf en civet*

stracotto/a m/f stra-*kot*-to/a *cuit(e) pendant longtemps* • *en daube*

strangolapreti m pl strann-go-la-*prè*-ti *"étouffe-prêtres" – boulettes de fromage à l'œuf, dont la recette varie selon les régions*

stravecchio m stra-*vè*-kyo *"très vieux" – dont la maturation a duré très longtemps*

stringozzi m pl strinn-*go*-tsi *pâtes courtes à la sauce tomate ou à la sauce bolognaise*

strinù m stri-nou *saucisse grillée*

stroscia f (di Pietrabruna) stro-cha (di pyé-tra-*brou*-na) *gâteau*

strozzapreti m pl stro-tsa-*prè*-ti *pâtes longues* • *boulettes aux épinards, aux blettes et à la ricotta*

strudel m strou-dél *pâtisserie aux pommes*

stufatino m stou·fa·*ti*·no *veau en daube cuit avec des tomates et des épices*

supa f **barbetta** sou·pa bar·*bèt*·ta *consistant bouillon de viande et de légumes*

suppa f *soup*·pa *soupe*

supplì m soup·*pli* *boulettes de riz frites (voir crocchette)*

suricitti m sou·ri·*tchit*·ti *savoureuses boulettes de polenta*

susamelli m pl sou·za·*mèl*·li *biscuits en forme de S*

T

tacchino m tak·*ki*·no *dinde*
— **alla gosutta** al·la go·*zout*·ta *dinde à la casserole avec du fenouil et du bouillon*
— **con sugo di melagrana** konn *sou*·go di mé·la·*gra*·na *avec un jus de grenade*

tagliatelle f ta·lya·*tèl*·lé *pâtes en forme de longs rubans*
— **alla salsa di noci** al·la *sal*·sa di no·tchi *avec des noix, du huile, du beurre, de la ricotta et du parmesan*
— **con finocchio selvatico** konn fi·no·kyo sél·*va*·ti·ko *servi avec une sauce au fenouil, au lard et au persil*

taglierini m pl ta·lyé·*ri*·ni *minces bandes de pâtes*
— **al ragù** al ra·*gou* *servi avec une sauce bolognaise*

tagliolini (blò blò) m pl ta·lyo·*li*·ni (blo blo) *minces bandes de pâtes en bouillon, avec du fromage râpé*

tajarin m pl ta·ya·*rinn* *pâtes minces servies habituellement avec une sauce bolognaise*

taleggio m ta·*lè*·djo *fromage frais, gras, avec une petite croûte*

taralli m pl ta·*ral*·li *biscuits salés et croustillants, cuits au four*

tartufo m tar·*tou*·fo *truffe*

tè m tè *thé*

tegamata f **di maiale** té·ga·*ma*·ta di ma·*ya*·lé *casserole de porc et de graines de fenouil*

tegame, in té·*ga*·mé, inn *frit(e) • braisé(e)*

tegole f pl **d'Aosta** *tè*·go·lé da·*os*·ta *biscuits aux amandes*

testaió m té·sta·yo *pâtes carrées servies avec du pesto et du parmesan*

testaroli m pl té·sta·ro·li *disques de pâte, un peu comme des galettes*

tiramisù m ti·ra·mi·*sou* *biscuits de Savoie ou savoiardi trempés dans du café et disposés en couches avec du mascarpone, puis saupoudrés de cacao*

tòcco m **di carne** tok·ko di kar·né *sauce à base de veau*

toma f *to*·ma *fromage ferme de vache ou de brebis*
— **piemontese** pyé·monn·*tè*·zé *variété de toma un peu plus douce*

tomaxelle f pl to·ma·*ksèl*·lé *rouleau de veau dans du vin et du bouillon*

tomino m to·*mi*·no *petit fromage frais*

tonno m *ton*·no *thon*

torciarelli m pl **al tartufo** tor·tcha·*rèl*·li al tar·*tou*·fo *pâtes servies avec une sauce à base de fines tranches de porc, d'épices, de champignons, de truffes et de fromage*

torcinelli m pl tor·tchi·*nèl*·li *abats d'agneau ou de chevreau en daube*

torcolo m **di San Costanzo** tor·ko·lo di sann ko·*stann*·tzo *gâteau en forme d'anneau*

torresani m pl tor·ré·*za*·ni *kebabs de pigeon*

torrone m tor·ro·né *nougat*
— **al cioccolato** al tchok·ko·*la*·to *nougat très mou au chocolat*

torroni m pl **di semi di sesamo** tor·ro·ni di sè·mi di sè·za·mo *bonbons croustillants aux graines de sésame*

torta f *tor*·ta *gâteau • tarte*

tortelli m tor·*tèl*·li *grosses pâtes farcies*
— **di San Leo** di sann *lè*·o *aux épinards et au fromage*
— **di zucca** di *tsouk*·ka *au potiron*

tortellini m pl tor·tél·*li*·ni *pâtes farcies de viande, parmesan et œufs*

tortelloni m pl tor·tél·*lo*·ni *gros tortellinis*

tosella f to·*zèl*·la *fromage frais frit*

totano m to·*ta*·no *variété de calamar*

tramezzino m tra·mé·*dzi*·no *sandwich*

trebbiano m tréb·*bya*·no *cépage blanc présent dans toute l'Italie*

trenette f pl **al pesto** tré·*nèt*·té al *pè*·sto *pâtes plates et longues au* **pesto**

trifola f *tri*·fo·la *truffe blanche*

triglia f *tri*·lya *moule rouge*

trota f *tro*·ta *truite*

tubetti m pl tou·*bèt*·ti *pâtes en forme de petits tubes*

turcinelli m pl **arrostiti** tour·tchi·*nèl*·li a·ro·*sti*·ti *abats de veau en daube*

U

uardi m pl **e fasoi** m pl *war*·di é fa·*zoille* *soupe aux haricots, à l'orge, aux épices, avec un os de jambon*

umbrici m pl oumm·*bri*·tchi *spaghettis épais, faits maison*

uova m pl *wo*·va *œufs*

uva f *ou*·va *raisin(s)*
— **bianca** *byann*·ka *raisin(s) blanc(s)*
— **nera** *nè*·ra *raisin(s) rouge(s)*
— **passa** *pas*·sa *raisins secs*

V

vapore, cotto/a a m/f va·*po*·ré, *ko*·to/a a *vapeur, cuit(e) à la*

vecchio/a m/f *vèk*·kyo/a *vieux/vieille*

ventresca f di tonno vènn·*trè*·ska di *to*·no *poitrine de thon*

verdura/verdure f vér·*dou*·ra/vér·*dou*·ré *légumes*

verza f *vèr*·dza *chou frisé*

vialone nano m vya·*lo*·né *na*·no *petit grain de riz utilisé pour le risotto*

vincisgrassi m pl vinn·tchiz·*gras*·si *plat au four copieux, avec des abats, du fromage et parfois des truffes*

viscidu m vi·*chi*·dou *fromage sec aigre-doux, coupé en tranches et mariné*

vitello m vi·*tèl*·lo *veau*

— **tonnato** ton·*na*·to *minces tranches de veau recouvertes d'une sauce au thon, aux câpres et aux anchois*

vongole f pl *vonn*·go·lé *palourdes*

Z

zabaglione m dza·ba·*lyo*·né *mousse sucrée à base d'œufs battus, de marsala et de sucre*

zampetto m dzamm·*pèt*·to *pied de porc, d'agneau ou de veau*

zenzero m *dzènn*·dzé·ro *gingembre*

zeppule f pl "e cicenielli m pl *dzép*·pou·lé é tchi·tché·*nyè*·li *beignets au fromage et aux anchois*

zeppule f pl "e San Giuseppe *dzèp*·pou·lé é sann djou·*zè*·pé *petits gâteaux en forme d'anneau, frits*

zimin m pl *dzi*·minn *soupe aux haricots, au porc et aux blettes • plat aux calmars et aux blettes*

ziti m pl *dzi*·ti *longues pâtes épaisses et creuses*

zucca f *tsouk*·ka *potiron*
— **gialla in agrodolce** *djal*·la inn a·gro·*dol*·tché *frit et servi avec des épices et des câpres*

zucchero m *tsouk*·ké·ro *sucre*

zuccotto m **fiorentino** tsou·*kot*·to fyo·rènn·*ti*·no *biscuit de Savoie avec de la liqueur, de la crème anglaise, du chocolat et de la crème instantanée*

zuppa f *tsoup*·pa *potage*
— **alla canavesana** *al*·la ka·na·vé·*za*·na *potage au pain, au chou, avec du beurre, du lard, des oignons et de l'ail*
— **di ceci** di *tchè*·tchi *potage aux pois chiches*
— **di pesce alla marinara** di *pè*·ché *al*·la ma·ri·*na*·ra *soupe de poisson*
— **"e zuffritto** é dzouf·*frit*·to *sauce préparée avec des abats de cochon, du vin rouge et de la sauce tomate.*

l'essentiel

l'essenziale

Au secours !	*Aiuto!*	a·*you*·to
Stop !	*Fermi!*	*fèr*·mi
Circulez !	*Vai via!*	vaille *vi*·a
Au voleur !	*Ladro!*	*la*·dro
Au feu !	*Al fuoco!*	al *fwo*·ko
Attention !	*Attenzione!*	at·tènn·*tsyo*·né

Appelez la police !
Chiami la polizia!   kya·mi la po·li·*tsi*·a

Appelez un docteur !
Chiami un medico!   kya·mi ounn *mè*·di·ko

Appelez une ambulance !
Chiami un'ambulanza!   kya·mi
ou·namm·bou·*lann*·tsa

C'est une urgence !
È un'emergenza!   é ou·né·mér·*djènn*·tsa

Pouvez-vous m'aider, s'il vous plaît ?
Mi può aiutare,   mi pwo a·you·*ta*·ré
per favore?   pér fa·*vo*·ré

Je dois passer un coup de fil.
Devo fare una   dè·vo fa·ré ou·na
telefonata.   té·lé·fo·*na*·ta

signalisation

Carabinieri	ka·ra·bi·*nyè*·ri	**Carabiniers**
Polizia	po·li·*tsi*·a	**Police**
Posto di	*po*·sto di	**Hôtel de police**
polizia	po·li·*tsi*·a	
Pronto soccorso	*pronn*·to sok·*kor*·so	**Urgences**
Questura	kwé·*stou*·ra	**Préfecture de police**

Je suis perdu(e).
Mi sono perso/a. m/f — mi *so*·no *pèr*·so/a

Où sont les toilettes ?
Dove sono i gabinetti? — *do*·vé *so*·no i ga·bi·*nèt*·ti

police

la polizia

Où est l'hôtel de police ?
Dov'è il posto di — do·*vè* il *po*·sto di
polizia? — po·li·*tsi*·a

Je voudrais porter plainte.
Voglio fare una — *vo*·lyo fa·ré ou·na
denuncia. — dé·*nounn*·tcha

On a volé (mon sac).
Mi hanno rubato — mi *an*·no rou·*ba*·to
(la mia borsa). — (la *mi*·a *bor*·sa)

J'ai perdu (mon portefeuille).
Ho perso (il mio — o *pèr*·so (il *mi*·o
portafoglio). — por·ta·*fo*·lyo)

Je me suis fait voler.
Sono stato/a derubato/a. m/f — *so*·no *sta*·to/a dé·rou·*ba*·to/a

Il/elle a été agressé(e).
È stato/a aggredito/a. m/f — é *sta*·to/a ag·gré·*di*·to/a

On m'a violé(e).
Sono stato/a violentato/a. m/f — sono *sta*·to/a vyo·lènn·*ta*·to/a

les forces de l'ordre

En Italie, c'est la *polizia*, la police nationale, et les *carabinieri*, une force de police administrée par le ministère de la Défense, qui veillent à l'ordre public. Ces deux corps s'occupent de nombreux délits, mais pour dénoncer un vol, il vaut mieux s'adresser au *posto di polizia*, le commissariat, ou à la *questura*, la préfecture de police. Si vous êtes toutefois près d'une *caserma* (caserne) de *carabinieri*, n'hésitez pas. Ces derniers vous redirigeront, si nécessaire, vers le bon interlocuteur.

Il/elle a été violé(e).
È stato/a violentato/a. m/f   é *sta*·to/a vyo·lènn·*ta*·to/a

Il/elle a essayé   *Ha cercato di...*   a tchér·*ka*·to di...
de...
   m'agresser   *aggredirmi*   ag·gré·*dir*·mi
   me violer   *violentarmi*   vyo·lènn·*tar*·mi
   me voler   *derubarmi*   dé·rou·*bar*·mi

Je voudrais   *Vorrei contattare...*   vo·*reille* konn·tat·*ta*·ré...
contacter...
   mon ambassade   *la mia*   la *mi*·a
      ambasciata   amm·ba·*cha*·ta
   mon consulat   *Il mio*   il *mi*·o
      consolato   konn·so·*la*·to

Est-ce que je peux appeler quelqu'un ?
Posso chiamare qualcuno?   *pos*·so kya·*ma*·ré kwal·*kou*·no

Est-ce que je peux appeler un avocat ?
Posso chiamare   *pos*·so kya·*ma*·ré
un avvocato?   ou·nav·vo·*ka*·to

Est-ce que je peux avoir un avocat qui parle français ?
Posso avere un avvocato   *pos*·so a·*vè*·ré ou·nav·vo·*ka*·to
che parli francese?   ké *par*·li frann·*tchè*·zé

Est-ce qu'une amende permettrait d'effacer tout ça ?
C'è una multa che   tché *ou*·na *moul*·ta ké
possiamo pagare per   *pos*·*sya*·mo pa·*ga*·ré pér
chiarire tutto questo?   kya·*ri*·ré *tout*·to *kwè*·sto

Ce médicament est pour mon usage personnel.
Questo medicinale è   *kwè*·sto mé·di·tchi·*na*·lé è
per uso personale.   pér *ou*·zo pér·so·*na*·lé

J'ai une ordonnance pour ce médicament.
Ho una ricetta per questa   o *ou*·na ri·*tchèt*·ta pér *kwè*·sta
medicina.   mé·di·*tchi*·na

Je (ne) comprends (pas).
(Non) Capisco.   (nonn) ka·*pi*·sko

On m'accuse de quoi ?
Di che cosa sono stato/a   di ké *ko*·za *so*·no *sta*·to/a
accusato/a? m/f   ak·kou·*za*·to/a

Excusez-moi.
Mi scusi.   mi *skou*·zi

Désolé(e).
Mi dispiace.   mi di·*spya*·tché

Je ne savais pas que je faisais quelque chose de mal.
Non sapevo che facessi   nonn sa·*pè*·vo ké fa·*tchès*·si
qualcosa di male.   kwal·*ko*·za di *ma*·lé

Ce n'est pas moi qui l'ai fait.
Non sono stato/a io. m/f   nonn *so*·no *sta*·to/a *i*·o

Je suis innocent(e).
Sono innocente.   *so*·no in·no·*tchènn*·té

la police dira...		
Tu seras accusé(e) de...	*Sarai accusato/a di...* m/f	sa·*raille* ak·kou·*za*·to/a di...
Il/Elle sera accusé(e) de/pour...	*Lui/Lei sarà accusato/a di...* m/f	*louï*/leille sa·*ra* ak·kou·*za*·to/a di...
agression	*aggressione*	ag·gré·*syo*·né
trouble de l'ordre public	*disturbo della quiete pubblica*	di·*stour*·bo dèl·la kwyè·té poub·bli·ka
meurtre	*omicidio*	o·mi·*tchi*·dyo
ne pas avoir de visa	*non avere un visto*	no·na·*vè*·ré ounn *vi*·sto
détention (de substances illégales)	*possesso (di sostanze illecite)*	pos·*sè*·so (di so·*stann*·tsé il·*lè*·tchi·té)
viol	*stupro*	*stou*·pro
vol à l'étalage	*taccheggio*	tak·*kè*·djo
excès de vitesse	*eccesso di velocità*	é·*tchès*·so di vé·lo·tchi·*ta*
vol	*furto*	*four*·to

consulter un professionnel de santé

consultare un medico

Où se trouve...	Dov'è... più	do·vè... pyou
le/la plus proche... ?	vicino/a? m/f	vi·tchi·no/a
la pharmacie	la farmacia f	la far·ma·tchi·a
(de garde)	(di turno)	(di tour·no)
le/la dentiste	il/la dentista m/f	il/la dènn·ti·sta
le médecin	il medico m	il mè·di·ko
l'hôpital	l'ospedale m	lo·spé·da·lé
le cabinet médical	l'ambulatorio m	lamm·bou·la·to·ryo
l'opticien	l'ottico m	lot·ti·ko

J'ai besoin d'un médecin (qui parle français).
Ho bisogno di un medico   o bi·zo·nyo di ounn mè·di·ko
(che parli francese).   (ké par·li frann·tchè·zé)

Est-ce que je peux voir un médecin femme ?
Posso vedere una   po·so vé·dè·ré ou·na
dottoressa?   dot·to·rè·sa

Est-ce que le médecin peut venir ici ?
Può venire qui il medico?   pwo vé·ni·ré kwi il mè·di·ko

J'ai été vacciné(e) contre...	Sono stato/a vaccinato/a per... m/f	so·no sta·to/a va·tchi·na·to/a pér...
Il/Elle a été vacciné(e) contre...	Lui/Lei è stato/a vaccinato/a per...	louille/leille è sta·to/a va·tchi·na·to/a pér...
l'hépatite A/B/C	l'epatite A/B/C	lé·pa·ti·té a/bi/tchi
le tétanos	il tetano	il tè·ta·no
la typhoïde	il tifo	il ti·fo

J'ai besoin de... *Ho bisogno di...* o bi·*zo*·nyo di...
  nouvelles lunettes *nuovi occhiali* nwo·vi ok·*kya*·li
  nouvelles lentilles *nuove lenti a* nwo·vé *lènn*·ti a
  de contact *contatto* konn·*tat*·to

J'ai fini mes médicaments.
  Ho finito la mia o fi·*ni*·to la *mi*·a
  medicina. mé·di·*tchi*·na

Pourriez-vous me donner une facture pour l'assurance ?
  Potrebbe darmi una po·*trèb*·bé *dar*·mi *ou*·na
  ricevuta per ri·tché·*vou*·ta pér
  l'assicurazione? las·si·kou·ra·*tsyo*·né

le médecin dira...

Quel est le problème ?
  Qual'è il problema? kwa·*lè* il pro·*blè*·ma

Où avez-vous mal ?
  Dove Le fa male? *do*·vé lé fa *ma*·lé

Avez-vous de la température ?
  Ha la febbre? a la *fèb*·bré

Depuis quand vous sentez-vous comme ça ?
  Da quanto (tempo) è da *kwann*·to (*tèmm*·po) è
  che si sente così? ké si *sènn*·té ko·zi

Vous avez déjà eu ce genre de symptômes ?
  Si è mai sentito/a si é maille sènn·*ti*·to/a
  così prima? m/f ko·zi pri·ma

Avez-vous des rapports sexuels réguliers ?
  È sessualmente é sés·sou·al·*mènn*·té
  attivo/a? m/f at·*ti*·vo/a

Avez-vous eu des rapports non protégés ?
  Ha avuto rapporti a a·*vou*·to rap·*por*·ti
  non protetti? nonn pro·*tèt*·ti

le médecin dira...

Êtes-vous allergique à quelque chose ?

È allergico/a   é al·*lèr*·dji·ko/a
a qualcosa? m/f   a kwal·*ko*·za

Prenez-vous des médicaments ?

Sta prendendo   sta prènn·*dènn*·do
medicine?   mé·di·*tchi*·né

Êtes-vous enceinte ?

È incinta?   é inn·*tchinn*·ta

Votre voyage doit durer combien de temps ?

Per quanto tempo   pér *kwann*·to tèmm·po
viaggia?   vya·dja

Est-ce que vous... ?

buvez	*Beve?*	bè·vé
fumez	*Fuma?*	fou·ma
vous droguez	*Si droga?*	si *dro*·ga

Il faut qu'on vous hospitalise.

Deve essere ricoverato/a   dè·vé ès·sé·ré ri·ko·vé·*ra*·to/a
in ospedale. m/f   i·no·spé·*da*·lé

Vous devriez le faire contrôler par votre médecin quand vous rentrerez chez vous.

Dovrebbe farlo   do·*vrèb*·bé *far*·lo
controllare dal   konn·trol·*la*·ré dal
medico quando   mè·di·ko *kwann*·do
ritorna a casa.   ri·*tor*·na a *ka*·za

Vous devriez rentrer chez vous et vous faire soigner.

Dovrebbe tornare   do·*vrèb*·bé tor·*na*·ré
a casa per farsi curare.   a *ka*·za pér *far*·si kou·*ra*·ré

Vous êtes hypocondriaque.

È un ipocondriaco/a. m/f   é ou·ni·po·konn·*dri*·a·ko/a

Profitez bien de vos vacances !

Vada a godersi   va·da a go·*dèr*·si
le vacanze!   lé va·*kann*·tsé

symptômes et condition physique

Je suis malade.
Mi sento male. mi *sènn*·to *ma*·lé

Mon ami(e) est malade.
Il mio amico è malato. m il *mi*·o a·*mi*·ko è ma·*la*·to
La mia amica è malata. f la *mi*·a a·*mi*·ka è ma·*la*·ta

J'ai mal ici.
Mi fa male qui. mi fa *ma*·lé kwi

Je me suis blessé(e).
Sono stato/a ferito/a. m/f *so*·no *sta*·to/a fé·*ri*·to/a

J'ai vomi plusieurs fois.
Ho vomitato alcune volte. o vo·mi·*ta*·to al·*kou*·né *vol*·té

Je n'arrive pas à dormir.
Non riesco a dormire. nonn ri·è·sko a dor·*mi*·ré

Utilisez une nouvelle seringue, s'il vous plaît.
Usi una siringa ou·si ou·na si·*rinn*·ga
nuova, per favore. *nwo*·va pér fa·*vo*·ré

J'ai ma seringue.
Ho con me la mia siringa. o konn mé la *mi*·a si·*rinn*·ga

Je ne veux pas de transfusion sanguine.
Non voglio una nonn *vo*·lyo ou·na
trasfusione di sangue. tra·sfou·*syo*·né di *sann*·gwé

J'ai...	*Ho...*	o...
la tête qui tourne	*il capogiro*	il ka·po·*dji*·ro
des bouffées	*vampate*	vamm·*pa*·té
de chaleur	*di calore*	di ka·*lo*·ré
la nausée	*la nausea*	la *na*·ou·zé·a
des frissons	*i brividi*	i *bri*·vi·di

Je me sens...	Mi sento...	mi *sènn*·to...
mieux	*meglio*	mè·lyo
bizarre	*strano/a* m/f	*stra*·no/a
faible	*debole*	dè·bo·lé
moins bien	*peggio*	pè·djo

Je me sens...	Sono...	so·no...
anxieux(euse)	*ansioso/a* m/f	ann·*syo*·zo/a
déprimé(e)	*depresso/a* m/f	dé·*près*·so/a

J'ai...	Ho...	o...
un rhume	*un raffreddore*	ounn raf·fréd·*do*·ré
de la toux	*la tosse*	la *tos*·sé
de la fièvre	*la febbre*	la fèb·bré
mal à la tête	*mal di testa*	mal di tè·sta
un problème	*un problema*	ounn pro·*blè*·ma
cardiaque	*cardiaco*	kar·*di*·a·ko
la migraine	*un'emicrania*	ou·né·mi·*kra*·nya

Je suis...	Sono...	so·no...
asthmatique	*asmatico/a* m/f	az·*ma*·ti·ko/a
diabétique	*diabetico/a* m/f	dya·*bè*·ti·ko/a
épileptique	*epilettico/a* m/f	é·pi·*lèt*·ti·ko/a

J'ai (récemment) eu...
Ho avuto ... (di recente).   o a·*vou*·to... (di ré·*tchènn*·té)

Il/Elle a (récemment) eu...
Ha avuto... (di recente).   a a·*vou*·to... (di ré·*tchènn*·té)

Je prends des médicaments pour...
Prendo la medicina per...   *prènn*·do la mé·di·*tchi*·na pér...

Il/Elle prend des médicaments pour...
Prende la medicina per...   *prènn*·dé la mé·di·*tchi*·na pér...

Pour en savoir plus, consulter le **dictionnaire**.

santé au féminin

la salute delle donne

Je crois que je suis enceinte.
Penso di essere incinta.   pènn·so di ès·sé·ré inn·tchinn·ta

Je suis enceinte.
Sono incinta.   so·no inn·tchinn·ta

Je prends la pillule.
Prendo la pillola.   prènn·do la pil·lo·la

J'ai (2) semaines de retard.
Sono (due) settimane   so·no (dou·é) sét·ti·ma·né
che non mi vengono le   ké nonn mi vènn·go·no lé
mestruazioni.   mé·strou·a·tsyo·ni

J'ai remarqué une grosseur ici.
Ho notato un nodulo/   o no·ta·to ounn no·dou·lo/
gonfiore qui.   gonn·fyo·ré kwi

le médecin dira...

Est-ce que vous utilisez une méthode contraceptive ?
Prende contraccettivi?   prènn·dé konn·tra·tchét·ti·vi

Êtes-vous réglée ?
Ha le mestruazioni?   a lé mé·strou·a·tsyo·ni

Êtes-vous enceinte ?
È incinta?   é inn·tchinn·ta

Quand avez-vous eu vos règles pour la dernière fois ?
Quand'è l'ultima volta   kwann·dè loul·ti·ma vol·ta
che Le sono venute le   ké lé so·no vé·nou·té lé
mestruazioni?   mé·strou·a·tsyo·ni

Vous êtes enceinte.
È incinta.   é inn·tchinn·ta

J'ai besoin...	*Ho bisogno...*	o bi·*zo*·nyo...
d'une méthode contraceptive	*di contraccettivi*	di konn·tra·tchét·*ti*·vi
de la pillule du lendemain	*della pillola del mattino dopo*	dé·la *pil*·lo·la dél mat·*ti*·no *do*·po
d'un test de grossesse	*di un test di gravidanza*	di ounn tést di gra·vi·*dann*·tsa

Pour en savoir plus, consultez le **dictionnaire**.

allergies

le allergie

Je suis allergique...	*Sono allergico/a...* m/f	*so*·no al·*lèr*·dji·ko/a...
Il/Elle est allergique...	*È allergico/a...* m/f	è al·*lèr*·dji·ko/a...
aux	*agli*	*a*·lyi
antibiotiques	*antibiotici*	ann·ti·*byo*·ti·tchi
aux	*agli*	*a*·lyi
anti-inflammatoires	*antinfiammatori*	ann·tinn·fyam·ma·*to*·ri
à l'aspirine	*all'aspirina*	al·la·spi·*ri*·na
aux piqûres d'abeille	*alle api*	*al*·lé *a*·pi
à la codéine	*alla codeina*	*al*·la ko·dé·*i*·na
à la	*alla*	*al*·la
pénicilline	*penicillina*	pé·ni·tchil·*li*·na
au pollen	*al polline*	al *pol*·li·né

J'ai une allergie de la peau.
Ho un'allergia alla pelle.   o ou·nal·lér·*dji*·a *a*·la pèl·lé

Pour en savoir plus sur les allergies alimentaires, consulter le chapitre **végétariens/régimes spéciaux**, p. 159.

parties du corps

J'ai mal à l'estomac.
Mi fa male (lo stomaco).   mi fa *ma*·lé (lo *sto*·ma·ko)

Je n'arrive pas à bouger (ma cheville).
Non riesco a muovere   nonn ri·è·sko a *mwo*·vé·ré
(la caviglia).   (la ka·*vi*·lya)

J'ai une crampe (au pied).
Ho crampi (al piede).   o *kramm*·pi (al pyè·dé)

(Ma gorge) est irritée.
(La gola) è gonfia.   (la *go*·la) è gonn·fya

Pour en savoir plus sur les parties du corps, consulter le **dictionnaire**.

oreille
orecchio m
o·*rèk*·kyo

œil
occhio m
o·kyo

nez
naso m
na·so

bouche
bocca f
bok·ka

tête
testa f
tè·sta

main
mano m
ma·no

bras
braccio m
bra·tcho

poitrine
petto m
pè·to

estomac
stomaco m
sto·ma·ko

jambe
gamba f
gamm·ba

pied
piede m
pyè·dé

pharmacie

J'ai besoin de quelque chose contre (la diarrhée).
Ho bisogno di   o bi·zo·nyo di
qualcosa per (la diarrea).   kwal·ko·za pér (la dyar·rè·a)

Il faut une ordonnance pour (les antihistaminiques) ?
C'è bisogno di una   tché bi·zo·nyo di ou·na
ricetta per (gli   ri·tchèt·ta pér (lyi
antistaminici)?   ann·ti·sta·mi·ni·tchi)

Combien de fois par jour ?
Quante volte al giorno?   kwann·té vol·té al djor·no

Ça me fera dormir ?
Mi farà dormire?   mi fa·ra dor·mi·ré

Pour en savoir plus, consulter le **dictionnaire**.

---

parler local

dè·vé komm·plé·ta·ré il tchi·klo
Deve completare   **Vous devez compléter**
il ciclo.   **votre cycle.**

dou·é vol·té al djor·no (konn i pa·sti)
Due volte al giorno   **Deux fois par jour**
(con i pasti).   **(à l'heure des repas).**

kwè·sto la maille prè·so
Questo l'ha mai preso?   **En avez-vous déjà pris ?**

sa·ra pronn·to fra (vènn·ti mi·nou·ti)
Sarà pronto fra   **Ça sera prêt d'ici**
(venti minuti).   **(20 minutes).**

chez le dentiste

J'ai...	*Ho...*	o...
une dent cassée	*un dente rotto*	ounn dènn·té rot·to
un trou	*una cavità*	ou·na ka·vi·ta
mal aux dents	*mal di denti*	mal di dènn·ti

J'ai besoin d'un(e)... *Ho bisogno di...* o bi·zo·nyo di...
anesthésiant *un anestetico* ou·na·né·sté·ti·ko
plombage *un'otturazione* ou·not·tou·ra·tsyo·né
couronne *una corona* ou·na ko·ro·na

J'ai perdu un plombage.
Ho perso un'otturazione. o pèr·so ou·not·tou·ra·tsyo·né

Mon dentier est cassé.
La mia dentiera è rotta. la mi·a dènn·tyè·ra è rot·ta

J'ai mal aux gencives.
Mi fanno male le gengive. mi fan·no ma·lé lé djènn·dji·vé

Je ne veux pas qu'on me l'enlève.
Non voglio che mi venga nonn vo·lyo ké mi vènn·ga
tolto. tol·to

Aïe !
Ahi! a·i

---

parler local

a·pra bè·né la bok·ka
Apra bene la bocca. **Ouvrez bien la bouche.**

nonn lé fa·ra ma·lé pér nyènn·té
Non Le farà male per niente. **Vous ne sentirez rien du tout.**

for·sé lé fa·ra ounn po ma·lé
Forse Le farà un po' male. **Ça vous fera peut-être un peu mal.**

mor·da kwè·sto
Morda questo. **Mordez ça.**

cha·kwi
Sciacqui! **Rincez-vous la bouche !**

tor·ni kwi ké nonn o fi·ni·to
Torni qui che non **Revenez ici, je n'ai pas**
ho finito. **fini.**

À l'heure des grands débats sur l'avenir de la planète, la question des effets du tourisme se pose avec de plus en plus d'insistance. L'une des réponses dans le cadre de vos voyages consiste à faire en sorte que votre impact sur l'environnement, les cultures régionales et l'économie locale soit aussi positif que possible. Voici quelques phrases basiques pour vous aider…

différences culturelles et communication

J'aimerais apprendre un dialecte régional.
Vorrei imparare un   vor·*reille* im·pa·*ra*·ré ounn
dialetto regionale.   dya·*lét*·to ré·djo·*na*·lé

Voulez-vous que je vous apprenne un peu de français ?
Vuole che le insegni   vwo·lé ké lé inn·*sé*·gni
un po' di francese?   ounn po di frann·*tché*·zé

Est-ce une coutume locale ou nationale ?
Questa è un'usanza   kwé·sta è ounn ou·*zann*·tsa
locale o nazionale?   lo·*ka*·lé o na·tsyo·*na*·lé

Je respecte vos coutumes.
Rispetto le vostre usanze.   ris·*pét*·to lé *vos*·tré ou·*zan*·tsé

problèmes de société

À quelles difficultés est confrontée cette communauté ?
Quali problemi ci sono   kwa·li pro·*blé*·mi tchi *so*·no
da queste parti?   da kwé·sté *par*·ti

le crime organisé   *criminalità*   kri·mi·na·li·*ta*
   organizzata f   or·ga·ni·*dza*·ta

le racisme   *razzismo* m   ra·*tsi*·smo

les relations entre   *rapporti fra*   rap·*por*·ti fra
 l'Église et l'État   *Chiesa e Stato* m   kyé·za é *sta*·to

      disoccupazione f   di·zo·kou·pa·*tsyo*·né

J'aimerais proposer mes compétences.
> *Vorrei offrirvi la mia*   vor·*reille* of·*frir*·vi la *mi*·a
> *competenza.*   komm·pé·*tenn*·tsa

Existe-t-il des programmes de bénévolat dans la région ?
> *Ci sono programmi di*   tchi *so*·no pro·*gram*·mi di
> *volontariato da queste*   vo·lon·ta·*rya*·to da *kwé*·sté
> *parti?*   *par*·ti

environnement

Où puis-je recycler ceci ?
> *Dove lo posso riciclare?*   *do*·vé lo *po*·so ri·tchi·*kla*·ré

transports

Peut-on s'y rendre en transports en commun ?
> *Possiamo arrivarci con*   po·*sya*·mo ar·ri·*var*·tchi konn
> *i mezzi pubblici?*   i *mé*·dzi poub·bli·tchi

Peut-on s'y rendre en vélo ?
> *Possiamo arrivarci*   po·*sya*·mo ar·ri·*var*·tchi
> *in bicicletta?*   inn bi·tchi·*klét*·ta

Je préfère y aller à pied.
> *Preferisco andarci*   pré·fé·*ris*·ko ann·*dar*·tchi
> *a piedi.*   a *pyé*·di

hébergement

J'aimerais loger dans un hôtel géré localement.
> *Vorrei stare in un albergo*   vor·*reille* sta·ré in ounn al·*bèr*·go
> *a gestione locale.*   a djés·*tyo*·né lo·*ka*·lé

Puis-je arrêter la climatisation et ouvrir la fenêtre ?
> *Posso spegnere l'aria*   *po*·so spé·gné·ré *la*·ri·a
> *condizionata e aprire*   konn·di·tsyo·*na*·ta é a·*pri*·ré
> *la finestra?*   la fi·*nés*·tra

Ce n'est pas la peine de changer mes draps.

Non c'è bisogno di   nonn tché bi·*zo*·gno di
cambiare le lenzuola.   kamm·*bya*·ré lé lèn·*tswo*·la

achats

Où puis-je acheter des objets/souvenirs produits sur place ?

Dove posso comprare   *do*·vè *po*·so komm·*pra*·ré
oggetti/souvenirs di   o·*djé*·ti/souv·*nir* di
produzione locale?   pro·dou·*tsyo*·né lo·*ka*·lé

Vendez-vous des produits du commerce équitable ?

Vendete prodotti del   vènn·*dé*·té pro·*dot*·ti dèl
Commercio Equo e Solidale?   ko·*mèr*·tcho é·kwo é so·li·*da*·lé

alimentation

Vendez-vous ...?	*Vendete ...?*	venn·*dé*·té ...
des produits	*prodotti*	pro·*dot*·ti
alimentaires	*alimentari*	a·li·mènn·*ta*·ri
locaux	*locali*	lo·*ka*·li
des produits	*prodotti*	pro·*do*·ti
bio	*biologici*	bi·o·*lo*·dji·tchi

Quels plats typiques me conseillez-vous de goûter ?

Mi può dire quali piatti   mi pwo *di*·ré *kwa*·li *pyat*·ti
tradizionali dovrei   tra·di·tsyo·*na*·li do·*vrey*
provare?   pro·*va*·ré

visites touristiques

Proposez-vous des circuits culturels ?

Si possono fare   si *po*·so·no *fa*·ré
gite culturali?   *dji*·té koul·tou·*ra*·li

Est-ce que votre agence …?	La vostra agenzia …?	la vos·tra a·djèn·tsi·a …
donne de l'argent pour les causes humanitaires	fa offerte a organizzazioni umanitarie	fa of·fèr·té a or·ga·ni·tsa·tsyo·ni ou·ma·ni·ta·ryé
fait appel à des guides locaux	assume guide del posto	as·sou·mé goui·dé dèl pos·to
propose des visites d'entreprises locales	visita imprese locali	vi·si·ta im·pré·zé lo·ka·li

Le guide parle-t-il… ?	La guida parla …?	la gwi·da parla …
abruzzais	Abruzzese	a·brou·tsé·zé
apulien	Pugliese	pou·li·é·zé
calabrais	Calabrese	ka·la·bré·zé
émilien-romagnol	Emiliano-Romagnolo	é·mi·li·a·no ro·ma·nyo·lo
frioulan	Friulano	fri·ou·la·no
ligure	Ligure	li·gou·ré
lombard	Lombardo	lomm·bar·do
marchigiano	Marchigiano	mar·ki·dja·no
napolitain	Napoletano	na·po·lé·ta·no
ombrien	Umbro	oumm·bro
piémontais	Piemontese	pié·mon·té·zé
romain	Romanesco	ro·ma·nès·ko
sarde	Sardo	sar·do
sicilien	Siciliano	si·tchi·lia·no
toscan	Toscano	to·ska·no
vénitien	Veneto	vé·né·to

Le genre des noms et des adjectifs est indiqué par un m (masculin) et/ou un f (féminin). Si le mot est au pluriel, il sera suivi de pl. Les adjectifs qui se terminent par -e, qui ont la même forme au masculin et au féminin, ne sont suivis d'aucune indication. Les mots et les expressions de ce dictionnaire sont classés par ordre alphabétique. Pour rechercher une expression, rendez-vous au premier mot (par exemple : **en noir et blanc** in bianco e nero est classée à "en").

A

à *a* a
   — **côté de** *accanto a* ak·*kann*·to a
   — **droite** *a destra* a *dè*·stra
   — **l'étranger** *all'estero* al·lè·sté·ro
   — **la mer** *al mare* al *ma*·ré
   — **la retraite** *in pensione*
   inn pènn·*syo*·né
   — **plein temps** *a tempo pieno* a
   tèmm·po pyè·no
abeille *ape* f a·pé
abîmé(e) *guasto/a* gwa·sto/a • *guastato/a*
   gwa·*sta*·to/a
abîmer *guastare* gwa·*sta*·ré
   s'abîmer *guastarsi* gwa·*star*·si
abricot *albicocca* f al·bi·*ko*·ka
accident *incidente* m inn·tchi·*dènn*·té
accord m *accordo* ak·*kor*·do
accrocher *agganciare* ag·gann·*tcha*·ré
acheter *comprare* komm·*pra*·ré
actualité *attualità* f at·tou·a·li·*ta*
acupuncture *agopuntura* f
   a·go·pounn·*tou*·ra
addition *conto* m *konn*·to
administration *amministrazione* f
   am·mi·ni·stra·*tsyo*·né
admirer *ammirare* am·mi·*ra*·ré
adonné(e) *dipendente* m/f
   di·*pènn*·dènn·té
adresse *indirizzo* m inn·di·*ri*·tso
adulte *adulto/a* m/f a·*doul*·to/a
aérobic *aerobica* f a·é·*ro*·bi·ka
aéroport *aeroporto* m a·é·ro·*por*·to

affaire *affare* m pl af·*fa*·re
affranchir *affrancare* af·frann·*ca*·ré
Afrique *Africa* f a·*fri*·ka
âge *età* f é·*ta*
agence de voyage *agenzia* f *di viaggio*
   a·djènn·*tsi*·a di *vya*·djo
agenda *agenda* f a·*djènn*·da
agir *agire* a·*dji*·ré
agneau *agnello* m a·*nyèl*·lo
agressif(ive) *aggressivo/a* m/f ag·gré·*si*·vo/a
agriculteur(trice) *agricoltore/agricoltrice*
   m/f a·gri·kol·*to*·ré/a·gri·kol·*tri*·tché
agriculture *agricoltura* f a·gri·kol·*tou*·ra
aide *aiuto* a·*you*·to
aider *aiutare* a·you·*ta*·ré
aides sociales *assistenza* f *sociale*
   as·si·*stènn*·tsa so·*tcha*·lé
aiguille *ago* m a·go
   — **de seringue** *ago* m *da siringa* a·go
   da si·*rinn*·ga
aiguisé(e) *affilato/a* m/f af·fi·*la*·to/a
ail *aglio* m a·lyo
aile *ala* f a·la
aimer *amare* a·*ma*·ré
air *aria* f a·rya
   — **conditionné** *aria condizionata*
   a·rya konn·di·tsyo·*na*·ta
alcool *alcol* m al·kol
Allemagne *Germania* f djér·*ma*·nya
aller *andare* ann·*da*·ré
   s'en aller *andarsene* ann·dar·*sé*·né
   (un) **aller simple** *(un biglietto di)*
   solo andata (ounn bi·*lyèt*·to di) *so*·lo
   ann·*da*·ta

(billet) **aller-retour** *(biglietto) di andata e ritorno* (bi·lyè·to) di ann·*da*·ta é ri·*tor*·no

allergia *allergia* f al·lér·*dji*·a

allocations chômage *sussidio* m *di disoccupazione* sous·*si*·dyo di di·zok·kou·pa·*tsyo*·né

allonger *allungare* al·lounn·*ga*·ré

s'allonger *stendersi* stènn·dér·si

allumage *ascensione* f a·chènn·*syo*·né

allumette *fiammifero* m pl fyam·*mi*·fé·ro

alpinisme *alpinismo* m al·pi·*niz*·mo

altitude *quota* f *kwo*·ta

amande *mandorla* f *mann*·dor·la

amant *amante* m a·*mann*·té

ambassade *ambasciata* f amm·ba·*cha*·ta

ambassadeur(drice) *ambasciatore/ ambasciatrice* m/f amm·ba·cha·to·ré/ amm·ba·cha·*tri*·tché

ambulance *ambulanza* f

amende *multa* f *moul*·ta

Amérique *America* f a·*mè*·ri·ka

ami(e) *amico/a* m/f a·*mi*·ko/a

ampoule (électrique) *lampadina* f lamm·pa·*di*·na

ampoule *vescica* f vé·*chi*·ka

amusant(e) *divertente* di·vér·*tènn*·té

amuser *divertire* di·vér·ti·ré

s'amuser *divertirsi* di·vér·*tir*·si

analgésique *analgesico* m a·nal·*djè*·zi·ko

analyse de sang *analisi* f *del sangue* a·*na*·li·zi dél sann·gwé

ananas *ananas* m *a*·na·nas

ancien(ne) *antico/a* m/f ann·*ti*·ko/a

anglais(e) *inglese* inn·glè·zé

angle *angolo* m ann·go·lo

Angleterre *Inghilterra* f inn·guil·*tèr*·ra

animal *animale* m a·ni·*ma*·lé

anneau *anello* m a·*nèl*·lo

année *anno* m *an*·no

cette année *quest'anno* m kwè·*stan*·no

l'année dernière *l'anno* m *scorso* lan·no skor·so

anniversaire *compleanno* m komm·plé·*an*·no

annonce *annuncio* m an·*nounn*·tcho

annuaire téléphonique *elenco* m *telefonico* é·*lènn*·ko té·lé·fo·ni·ko

annuel(le) *annuale* an·nou·*a*·lé

antibiotiques *antibiotici* m pl ann·ti·*byo*·ti·tchi

antihistaminiques *antistaminici* m pl ann·ti·sta·*mi*·ni·tchi

antinucléaire *antinucleare* ann·ti·nou·klé·*a*·ré

antiseptique *antisettico* m ann·ti·*sèt*·ti·ko

appareil *apparecchio* m ap·pa·rè·kyo

— **auditif** *apparecchio acustico* ap·pa·rè·kyo a·*kou*·sti·ko

— **photo** *macchina* f *fotografica* mak·ki·na fo·to·gra·*fi*·ka

appartement *appartamento* m ap·par·ta·*mènn*·to

appel *chiamata* f kya·*ma*·ta

— **à la charge du destinataire** *chiamata* f *a carico del destinatario* kya·*ma*·ta a *ka*·ri·ko dél dé·sti·na·*ta*·ryo

appendicite *appendicite* f ap·pènn·*di*·tchi·té

apprendre *imparare* imm·pa·*ra*·ré

après *dopo* do·po

après-demain *dopodomani* do·po·do·*ma*·ni

après-midi *pomeriggio* m po·mé·*ri*·djo

après-rasage *dopobarba* m do·po·*bar*·ba

après-shampooing *balsamo* m *per i capelli* bal·sa·mo pér i ka·*pè*·li

arachides *arachidi* f pl a·*ra*·ki·di

araignée *ragno* m *ra*·nyo

arbitre *arbitro* m *ar*·bi·tro

arbre *albero* m al·bé·ro

archéologique *archeologico/a* m/f ar·ké·o·*lo*·dji·ko/a

architecte *architetto* m ar·ki·*tèt*·to

architecture *architettura* f ar·ki·tét·*tou*·ra

argent (matière) *argento* m ar·*djènn*·to

argent *denaro* m dé·*na*·ro • *soldi* m pl *sol*·di

armoire *armadio* m ar·*ma*·dyo

arrêt *fermata* f fér·*ma*·ta

— **d'autobus** *fermata* f *d'autobus* fér·*ma*·ta da·ou·to·bou·se

arrêter *fermare* fér·*ma*·ré

— **(un voleur)** *arrestare* ar·ré·sta·ré

arrivée *arrivo* m ar·*ri*·vo

arriver *arrivare* a·ri·va·ré

art *arte* f ar·té

artiste *artista* m et f ar·ti·sta

arts martiaux *arti* f pl *marziali* àr·tl mar·tsya·li

ASA *ASA* a·za

ascenseur *ascensore* m a·chènn·so·ré

Asie *Asia* f a·zya

asperges *asparagi* m pl a·spa·ra·dji

aspirateur *aspiratore* m a·spi·ra·to·ré

aspirine *aspirina* f a·spi·ri·na

asseoir *sedere* sé·dè·ré

assez *abbastanza* ab·ba·stann·tsa

assiette *piatto* m pyat·to

— **creuse** *piatto fondo* pyat·to fonn·do

assurance *assicurazione* f as·si·kou·ra·tsyo·né

asthme *asma* f az·ma

atelier *laboratorio* m la·bo·ra·to·ryo

athlétisme *atletica* f a·tlé·ti·ka

attendre *aspettare* a·spét·ta·ré

attente (sur la liste d') *attesa* f *(in lista d')* at·tè·za (inn li·sta d')

aube *alba* f al·ba

auberge de jeunesse *ostello* m *della gioventù* o·stèl·lo dè·la djo·vènn·tou

aubergine *melanzana* f mé·lann·dza·na

aucun(e) des deux *nessuno/a dei due* m/f nés·sou·no/a deille dou·é

aujourd'hui *oggi* o·dji

aussi *anche* ann·ké

Australie *Australia* f a·ou·stra·lya

autel *altare* m al·ta·ré

autobus *autobus* m a·ou·to·bou·se

autocar *pullman* m poul·mann

automatique *automatico/a* m/f a·ou·to·ma·ti·ko/a

automne *autunno* m a·ou·toun·no

autorisation *permesso* m pér·mès·so

autoroute *autostrada* f a·ou·to·stra·da

auto-stop *autostop* a·ou·to·stop

autre *altro/a* m/f al·tro/a

autrefois *una volta* f ou·na vol·ta

avant *prima* pri·ma

avant-hier *altro ieri* m al·tro yè·ri

avare *avaro/a* m/f a·va·ro/a

avec *con* konn

aventure *avventura* f av·vènn·tou·ra

avenue *viale* m vya·lé

aveugle *cieco/a* m/f tchè·ko/a

avion *aereo* m a·é·ré·o

aviron *canottaggio* m ka·not·ta·djo

aviser *avvertire* av·vér·ti·ré

avocat (fruit) *avocado* m a·vo·ka·do

avocat(e) *avvocato/a* m/f av·vo·ka·to/a

avoine *avena* f a·vè·na

avoir *avere* a·vè·ré

— **besoin de** *avere bisogno di* a·vè·ré bi·zo·nyo di

— **faim** *avere fame* f a·vè·ré fa·mé

— **soif** *avere sete* f a·vè·ré sè·té

— **sommeil** *avere sonno* m a·vè·ré son·no

avortement *aborto* m a·bor·to

B

baby-sitter *baby-sitter* m et f bé·bi·sit·tér

bac *traghetto* m tra·guèt·to

bagage *bagaglio* m ba·ga·lyo

— **autorisé** *bagaglio* m *consentito* ba·ga·lyo konn·sènn·ti·to

— **à main** *bagaglio* m *a mano* ba·ga·lyo a ma·no

bain *bagno* m ba·nyo

baiser *bacio* m ba·tcho

bal *ballo* m bal·lo

balcon *balcone* m bal·ko·né

balle *palla* f pal·la

— **de golf** *palla* f *da golf* pal·la da golf

ballet *balletto* m bal·lèt·to

ballon *pallone* m pal·lo·né

bande *fascia* f fa·cha

banque *banca* f bann·ka

baptême *battesimo* m bat·tè·zi·mo

bar *locale* m lo·ka·lé

barque *barca* f bar·ka

bas *calze* f pl kal·tsé

bas(se) *basso/a* m/f bas·so/a

base-ball *baseball* m bè·zbol

basket-ball *pallacanestro* f pal·la·ka·nè·stro

bateau *nave* f na·vé

batterie *batteria* f bat·té·ri·a
beau/belle *bello/a* m/f bèl·lo/a
beaucoup *molto*
beaucoup de *molto/a* m/f mol·to/a
beau-père *suocero* m swo·tché·ro
bêche *vanga* f vann·ga
belle-mère *suocera* f swo·tché·ra
berceau *culla* f koul·la
berner *imbrogliare* imm·bro·lya·ré
besoin *bisogno* m bi·zo·nyo · **besoin de (avoir)** *avere bisogno di* a·vè·ré bi·zo·nyo di
betterave *barbabietola* f bar·ba·byè·to·la
beurre *burro* m bour·ro
bible *bibbia* f bib·bya
bibliothèque *biblioteca* f bi·bli·o·tè·ka
bicyclette *bicicletta* f bi·tchi·klèt·ta · **faire du vélo** *andare in bicicletta* ann·da·ré inn bi·tchi·klèt·ta
bidon *bidone* m bi·do·né
bientôt *presto* m/f prè·sto
bière *birra* f bir·ra
— **blonde** *birra f chiara* bi·ra kya·ra
bijou *gioiello* m djo·yèl·lo
billard *biliardo* m bi·lyar·do
billet *biglietto* m bi·lyèt·to
— **de banque** *banconota* f bann·ko·no·ta
billetterie *biglietteria* f bi·lyét·té·ri·a
biscuit *biscotto* m bi·skot·to
blanc/blanche *bianco/a* m/f byann·ko/a
blessé(e) *ferito/a* m/f fé·ri·to/a
blesser *ferire* f fé·ri·ré
blessure *ferita* f fé·ri·ta
bleu *livido* m li·vi·do
bleu(e) (clair) *azzurro/a* m/f a·dzour·ro/a
bleu(e) (foncé) *blu* blou
blond(e) *biondo/a* m/f byonn·do/a
bloqué(e) *bloccato/a* m/f blok·ka·to/a
bœuf *manzo* m mann·dzo
boire *bere* bè·ré
bois *legno* m lè·nyo
— **à brûler** *legna f da ardere* lè·nya da ar·dé·ré
boisson *bevanda* f bé·vann·da
boîte *scatola* f ska·to·la · **petite boîte** *scatoletta* f ska·to·lèt·ta

— **de conserve** *barattolo* m ba·rat·to·lo
— **aux lettres** *buca f delle lettere* bou·ka dé·lé lèt·té·ré
bon(ne) *buono/a* m/f bwo·no/a
bonbons *caramelle* f pl ka·ra·mèl·lé
— **à la menthe** *caramelle f pl alla menta* ka·ra·mèl·lé·a·la mènn·ta
bondé(e) *affollato/a* m/f af·fol·la·to/a
bord, à *a bordo* a bor·do
bord de mer *lungomare* m lounn·go·ma·ré
bottes *stivali* m pl sti·va·li
bouche *bocca* f bok·ka
boucherie *macelleria* f ma·tchél·lé·ri·a
bouchon *tappo* m tap·po · **bouchons d'oreille** *tappi* m pl *per le orecchie* tap·pi pér lé o·rèk·kyé
boucles d'oreille *orecchini* m pl o·rék·ki·ni
bouddhiste *buddista* m et f boud·di·sta
boue *fango* m fann·go
boulangerie *panetteria* f pa·nét·té·ri·a
boussole *bussola* f bous·so·la
bouteille *bottiglia* f bot·ti·lya
bouton *bottone* m bot·to·né
boxe *pugilato* m pou·dji·la·to
braille *braille* m braille
bras *braccio* m bra·tcho
brebis *pecora* f pè·ko·ra
brillant(e) *brillante* m/f bril·lann·té
briquet *accendino* m a·tchènn·di·no
bronchite *bronchite* f bronn·ki·té
brosse à dents *spazzolino m da denti* spa·tso·li·no da dènn·ti
brûler *bruciare* brou·tcha·ré
brûlure *scottatura* f skot·ta·tou·ra
brumeux(euse) *nebbioso/a* m/f néb·byo·zo/a
bruyant(e) *rumoroso/a* m/f rou·mo·ro·zo/a
budget *bilancio* m bi·lann·tcho
bureau *ufficio* m ouf·fi·tcho
— **de poste** *ufficio postale* ouf·fi·tcho po·sta·lé
— **des objets perdus** *ufficio oggetti smarriti* ouf·fi·tcho o·djèt·ti sma·ri·ti

C

cabine téléphonique *cabina* f *telefonica* ka-*bi*-na té-lé-fo-ni-ka

câbles de démarrage *cavi* m pl *con morsetti* ka-vi konn mor-*sèt*-ti

cacahouète *arachide* f a-*ra*-ki-dé

cacao *cacao* m ka-ka-o

cadeau *regalo* m ré-*ga*-lo

— **de mariage** *regalo* m *di nozze* ré-*ga*-lo di *no*-tsé

cadenas *lucchetto* m lou-*kèt*-to

café *caffè* m kaf-fè • **bar** m bar

cahier *quaderno* m kwa-*dèr*-no

caisse *cassa* f kas-sa

caissier(ère) *cassiere/a* m/f kas-syè-ré/a

calculatrice *calcolatrice* f kal-ko-la-*tri*-tché

calendrier *calendario* m ka-lènn-*da*-ryo

caméra vidéo *videocamera* f vi-dé-o-*ka*-mé-ra

camion *camion* m ka-myonn

campagne *campagna* f kamm-*pa*-nya

camper *campeggiare* kamm-pé-*dja*-ré

camping *campeggio* m kamm-*pè*-djo

Canada *Canada* m ka-na-da

canard *anatra* f *a*-na-tra

cancer *cancro* m kann-kro

caravane *roulotte* f rou-*lot*-té

carême *quaresima* f kwa-rè-zi-ma

carotte *carota* f ka-ro-ta

carte *carta* f pl kar-ta • **tessera** f tès-sé-ra

— **d'embarquement** *carta d'imbarco* kar-ta dimm-*bar*-ko

— **d'identité** *carta d'identità* kar-ta di-dènn-ti-*ta* • **documento** m *d'identità* do-kou-mènn-to di-dènn-ti-ta

— **de crédit** *carta di credito* kar-ta di *krè*-di-to

— **grise** *libretto* m *di circolazione* li-*brèt*-to di tchir-ko-la-*tsyo*-né

— **postale** *cartolina* f kar-to-*li*-na

— **téléphonique** *scheda* f *telefonica* skè-da té-lé-fo-ni-ka

carton *scatola* f *ska*-to-la

cartouche de camping-gaz *cartuccia* f *di ricambio del gas* kar-tou-tcha di

ri-*kamm*-byo dél gaz

cascade *cascata* f ka-*ska*-ta

casher *kasher* ka-chér

casier *armadietto* m ar-ma-dyèt-to

— **à bagages** *armadietto per i bagagli* ar-ma-dyèt-to pér i ba-*ga*-lyi

casino *casinò* m ka-zi-no

casque *casco* m ka-sko

cassé(e) *rotto/a* m/f rot-to/a

casser *rompere* romm-pé-ré

casserole *pentola* f pènn-to-la

cassette *cassetta* f kas-sèt-ta

— **vidéo** *videonastro* m vi-dé-o-*na*-stro

catholique *cattolico/a* m/f kat-to-li-ko/a

caution *caparra* f ka-*pa*-ra

cave *cantina* f kann-ti-na

— **viticole** *cantina* f kann-ti-na

caviar *caviale* m ka-*vya*-lé

CD *cidi* m tchi-*di*

ce(t)/cette *questo/a* m/f kwè-sto/a

ceinture de sécurité *cintura* f *di sicurezza* tchinn-*tou*-ra di si-kou-rè-tsa

célébration *celebrazione* f tché-lé-bra-*tsyo*-né

célèbre *famoso/a* m/f fa-mo-zo/a

célibataire (homme) *celibe* m tchè-li-bé

célibataire (femme) *nubile* f nou-bi-lé

cendrier *portacenere* m por-ta-*tchè*-né-ré

centime *centesimo* m tchènn-tè-zi-mo

centimètre *centimetro* m tchènn-*ti*-mé-tro

centre *centro* m tchènn-tro

— **commercial** *centro commerciale* tchènn-tro kom-mér-*tcha*-lé

— **historique** *centro storico* tchènn-tro sto-ri-ko

— **téléphonique** *centro telefonico* tchènn-tro té-lé-fo-ni-ko

céréales *cereali* m pl tché-ré-*a*-li

certificat *certificato* m tchér-ti-fi-*ka*-to

chacun(e) *ciascuno/a* m/f tcha-*skou*-no/a

chaîne *catena* f ka-tè-na

— **de bicyclette** *catena* f *di bicicletta* ka-tè-na di bi-tchi-*klèt*-ta

— **de montagne** *catena* f *di montagna* ka-tè-na di monn-*ta*-nyé

chaines (pour la neige) *catene* f pl *da neve* ka·tè·né da nè·vé

chaise *sedia* f sè·dya • *sedile* m sé·*di*·lé

chaleur *caldo* m kal·do

chambre *camera* f ka·mé·ra
— **à air** *camera* f *d'aria* ka·mé·ra da·rya
— **à coucher** *camera* f *da letto* ka·mé·ra da *lèt*·to
— **double** *camera* f *doppia* ka·mé·ra dop·pya
— **simple** *camera* f *singola* ka·mé·ra sinn·go·la

champignon *fungo* m founn·go

championnat *campionato* m kamm·pyo·*na*·to

chance *fortuna* f for·tou·na

chanceux(euse) *fortunato/a* m/f for·tou·*na*·to/a

chandail *maglione* m ma·lyo·né

chandelle *candela* f kann·dè·la

change *cambio* m *(valuta)* kamm·byo (va·*lou*·ta)

changement de vitesse *cambio* m kamm·byo

changer *cambiare* kamm·bya·ré

chanson *canzone* f kann·tso·né

chant *canto* m kann·to

chanter *cantare* kann·ta·ré

chanteur(euse) *cantante* m/f kann·tann·té

chapeau *cappello* m kap·pè·lo

charcuterie *salumeria* f sa·lou·mé·*ri*·a

chariot *carrello* m kar·rèl·lo

charpentier *carpentiere* m kar·pènn·tyè·ré

chasse *caccia* f ka·tcha

chat *gatto* m gat·to

château *castello* m ka·stèl·lo

chaton *gattino* m gat·*ti*·no

chaud(e) *caldo/a* m/f kal·do/a

chauffage *riscaldamento* m ri·skal·da·mènn·to
— **central** *riscaldamento* m *centrale* ri·skal·da·*mènn*·to tchènn·*tra*·lé

chaussettes *calzini* m pl cal·*tsi*·ni

chaussures *scarpe* f pl skar·pé
— **de foot** *scarpette* f pl skar·*pèt*·té
— **de marche** *scarponi* m pl skar·po·ni

— **de ski** *scarponi* m pl *(da sci)* skar·po·ni (da chi)

chef *capo* m ka·po

chemin *sentiero* m sènn·tyè·ro

chemise *camicia* f ka·*mi*·tcha

chèque *assegno* m as·sè·nyo

cher/chère *caro/a* m/f ka·ro/a

chercher *cercare* tchér·ka·ré

cheval *cavallo* m ka·va·lo • **faire du cheval** *andare a cavallo* ann·da·ré a ka·*val*·lo • *cavalcare* ka·val·ka·ré

cheville *caviglia* f ka·vi·lya

chèvre *capra* f ka·pra

chewing-gum *gomma* f *da masticare* gom·ma da ma·sti·ka·ré

chien *cane* m ka·né
— **d'aveugle** *cane* m *guida* ka·né gwi·da

chiot *cucciolo* m kou·tcho·lo

chocolat *cioccolato* m tchok·ko·*la*·to

chômeur(euse) *disoccupato/a* m/f di·zok·kou·*pa*·to/a

chou *cavolo* m ka·vo·lo

chou-fleur *cavolfiore* m ka·vol·fyo·ré

choux de Bruxelles *cavoletti* m pl *di Bruxelles* ka·vo·lè·ti di brouk·sèl

chrétien(ne) *cristiano/a* m/f kri·stya·no/a

cidre *sidro* m si·dro

ciel *cielo* m tchè·lo

cigare *sigaro* m si·ga·ro

cigarette *sigaretta* f si·ga·rèt·ta

cime *cima* f tchi·ma

cinéma *cinema* m tchi·né·ma

cirque *circo* m tchir·ko

ciseaux *forbici* f pl for·bi·tchi

citron *limone* m li·mo·né

clair(e) *chiaro/a* m/f kya·ro/a

classe *classe* f klas·sé • **première/seconde classe** *prima/seconda classe* f pri·ma/sé·konn·da klas·sé
— **affaires** *classe* f *business* kla·sé biz·*nèse*
— **économique** *classe* f *turistica* klas·sé tou·*ri*·sti·ka

classique *classico/a* m/f kla·si·ko/a

clavier *tastiera* f ta·styè·ra

clef *chiave* f kya·vé

client(e) *cliente* m et f kli·ènn·té

clignotant *freccia* f frè·tcha

clôture *recinto* m ré·tchinn·to

cochon *maiale* m ma·ya·lè

code postal *codice* m *postale* ko·di·tché po·sta·lé

cœur *cuore* m kwo·ré

coffre-fort *cassaforte* f kas·sa·for·té

coiffeur (pour hommes) *barbiere* m bar·byè·ré

coiffeur(euse) *parrucchiere/a* m/f par·rou·kyè·ré/a

col (montagne) *passo* m pas·so

colère *rabbia* f rab·bia • **en colère** *arrabiato/a* m/f a·rab·bya·to/a

colis *pacchetto* m pak·kè·to

collant *collant* f pl kol·lannt

collègue *collega* m et f kol·lè·ga

colline *collina* f kol·li·na

collyre *collirio* m kol·li·ryo

combien *quanto/a* m/f kwann·to/a

combinaison de plongée *muta di subacqueo* f mou·ta di sou·ba·kwé·o

comédie *commedia* f kom·mè·dya

commande *ordine* m or·di·né

commander *ordinare* or·di·na·ré

comme *come* ko·mé

commencer *cominciare* ko·minn·tcha·ré

comment *come* ko·mé

commerce *commercio* m kom·mèr·tcho

commission *commissione* f kom·mi·syo·né

communion *comunione* f ko·mou·nyo·né

communiste *comunista* m et f ko·mou·ni·sta

compagnon/compagne *compagno/a* m/f kom·pa·nyo/a

complet(ète) *completo/a* m/f komm·plè·to/a

comprendre *capire* ka·pi·ré

compris(e) *compreso/a* m/f komm·prè·zo/a

compte *conto* m konn·to
— **bancaire** *conto* m *in banca* conn·to inn bann·ka

compter *contare* konn·ta·ré

comptoir *bancone* m bann·ko·né

concert *concerto* m konn·tchèr·to

concombre *cetriolo* m tché·tri·o·lo

conduire *guidare* gwi·da·ré • *portare* por·ta·ré

confession (religieuse) *confessione* f konn·fés·syo·né

confirmer *confermare* konn·fér·ma·ré

confiture *marmellata* f mar·mél·la·ta

confortable *comodo/a* m/f ko·mo·do/a

congelé(e) *congelato/a* m/f konn·djé·la·to/a

congeler *congelare* konn·djé·la·ré

connaître *conoscere* ko·no·ché·ré

conservateur(trice) *conservatore/ conservatrice* m/f konn·sér·va·to·ré/ konn·sér·va·tri·tché

consigne *deposito* m *bagagli* dé·po·zi·to ba·ga·lyi

constipation *stitichezza* f sti·ti·kè·tsa

constructeur(trice) *costruttore/costruttrice* m/f ko·strout·to·ré/ko·strout·tri·tché

construction *costruzione* ko·strou·tsyo·né

construire *costruire* ko·strou·i·ré

consulat *consolato* m konn·so·la·to

consulter *consultare* konn·soul·ta·ré

contraceptif *contraccettivo* m konn·tra·tchét·ti·vo

contrat *contratto* m konn·trat·to

contrôler *controllare* konn·trol·la·ré

contrôleur *controllore* m konn·trol·lo·ré

corde *corda* f kor·da
— **à linge** *corda* f *del bucato* kor·da dél bou·ka·to

corps *corpo* m kor·po

correspondance *coincidenza* f ko·inn·tchi·dènn·tsa

corrompre *corrompere* kor·romm·pé·ré

corrompu(e) *corrotto/a* m/f kor·rot·to/a

côte *costa* f ko·sta

côté *lato* m la·to

côté de, à *accanto a* ak·kann·to a

coton *cotone* m ko·to·né • **en (coton)** *di (cotone)* di (ko·to·né)

cou *collo* m ko·lo

couche (de bébé) *pannolino* m pan·no·li·no

couche *strato* m *stra*·to
— **d'ozone** *strato* m *d'ozono*
stra·to do-dzo·no
coucher du soleil *tramonto* m tra·monn·to
coudre *cucire* kou·*tchi*·ré
couleur *colore* m ko·lo·ré
couloir *corridoio* m kor·ri·*do*·yo
coup de fil *chiamata* f kya·*ma*·ta
coupable *colpevole* kol·pè·vo·lé
coupe de cheveux *taglio* m *di capelli*
ta·lyo di kap·pè·li
Coupe du monde *Coppa* f *del mondo*
kop·pa dél monn·do
coupe-ongles *tagliaunghie* m
ta·lya·*ounn*·guyé
couper *tagliare* ta·*lya*·ré
cour (tribunal) *corte* f kor·té
courageux(euse) *coraggioso/a* m/f
ko·ra·*djo*·zo/a
courant (électrique) *corrente* f kor·*rènn*·té
courgettes *zucchini* m pl tsouk·*ki*·ni
courir *correre* kor·ré·ré
courrier *posta* f po·sta
— **prioritaire** *posta* f *prioritaria* po·sta
pri·o·ri·*ta*·rya
courroie de ventilation *cinghia* f *della*
ventola tchinn·guya dèl·la *vènn*·to·la
cours *corso* m kor·so
course *corsa* f kor·sa · *gara* m *ga*·ra
court(e) *corto/a* m/f kor·to/a
coussin *cuscino* m kou·*chi*·no
couteau *coltello* m kol·*tèl*·lo
coûter *costare* ko·*sta*·ré
coutume *abitudine* f a·bi·tou·*di*·né
couturier *sarto* m sar·to
couvent *convento* m konn·*vènn*·to
couvert (restaurant) *coperto* m ko·pèr·to
couverts *posate* f pl po·za·té
couverture *coperta* f ko·pèr·ta
couvertures et draps *coperte* f pl
e *lenzuola* f pl ko·pèr·té é lènn·zwo·la
crayon *matita* f ma·*ti*·ta
crèche *asilo* m *nido* a·zi·lo *ni*·do
crème (fraîche) *panna* f *pan*·na
— **à raser** *crema* f *da barba*
krè·ma da bar·ba
— **acide** *panna* f *acida* pan·na *a*·tchi·da

— **bronzante** *lozione* f *abbronzante*
lo·*tsyo*·né ab·bronn·*dzann*·té
— **hydratante** *idratante* m i·dra·*tann*·té
— **solaire** *crema* f *solare* krè·ma so·*la*·ré
crevaison *bucatura* f bou·ka·*tou*·ra
cricket *cricket* m *kri*·kète
criminalité *criminalità* f kri·mi·na·li·*ta*
Croatie *Croazia* m kro·*a*·tsya
croisement *incrocio* m inn·*kro*·tcho
croix *croce* f kro·tché
croyant(e) *religioso/a* m/f ré·li·*djo*·zo/a
cru(e) *crudo/a* m/f krou·do/a
cuillère *cucchiaio* m kouk·*kya*·yo · **petite**
cuillère *cucchiaino* m kouk·kya·*i*·no
cuir *cuoio* m *kwo*·yo
cuisine *cucina* f kou·*tchi*·na
cuisiner *cucinare* kou·tchi·na·ré
cuisinier(ère) *cuoco/a* m/f *kwo*·ko/a
cure-dent *stuzzicadenti* m
stou·tsi·ka·*dènn*·ti
curry *curry* m *kour*·ri
— **en poudre** *polvere* f *da curry* pol·vé·ré ·
da *kour*·ri
CV *curriculum vitae* m kour·ri·kou·loumm
vi·té
cyclisme *ciclismo* m tchi·*kliz*·mo
cycliste *ciclista* m et f tchi·*kli*·sta
cystite *cistite* f tchi·*sti*·té

dangereux(euse) *pericoloso/a* m/f
pé·ri·ko·lo·zo/a
dans *dentro* dènn·tro
— **(1 heure)** *entro (un'ora)* ènn·tro
(ounn·o·ra)
danse *ballo* m bal·lo
danser *ballare* bal·*la*·ré
date *data* f da·ta
— **de naissance** *data* f *di nascita*
da·ta di *na*·chi·ta
dealer *spacciatore/spacciatrice* m/f
spa·tcha·to·ré/spa·tcha·*tri*·tché
début *inizio* m i·*ni*·tsyo
décalage horaire *disturbi* m pl
da fuso orario di·stour·bi da *fou*·zo
o·ra·ryo

déchets *rifiuti* m pl ri·fiu·ti
— **nucléaires** *scorie* f pl *radioattive* sko·ryé ra·dyo·at·ti·ve
— **toxiques** *rifiuti* m pl *tossici* ri·fyou·ti tos·si·tchi

défectueux(euse) *difettoso/a* m/f di·fét·to·zo/a

dégustation de vins *degustazione* f *dei vini* dé·gou·sta·tsyo·né *deille vi·ni*

dehors *fuori* fwo·ri

déjà *già* dja

délit *delitto* m dé·lit·to

demain *domani* do·ma·ni

demander *richiedere* ri·kyè·dé·ré

démangeaison *prurito* m prou·ri·to

démocratie *democrazia* f dé·mo·kra·tsi·a

dent *dente* m dènn·té

dentelle *merletto* m mér·lèt·to

dentifrice *dentifricio* m dénn·ti·fri·tcho

dentiste *dentista* m et f dènn·ti·sta

déodorant *deodorante* m dé·o·do·rann·té

dépannage *riparazione* f ri·pa·ra·tsyo·né

départ *partenza* f par·tènn·tsa

dépôt *deposito* m dé·po·zi·to

depuis *da* da

dérailleur *cambio* m *di velocità* kamm·byo di vé·lo·tchi·ta

dernier(ère) *ultimo/a* m/f oul·ti·mo/a

derrière *dietro* dyè·tro

descendre *scendere* chènn·dé·ré
— **à l'hôtel** *fermarsi in albergo* fér·mar·si i·nal·bèr·go

désinfectant *disinfettante* m di·zinn·fét·tann·té

désirer *desiderare* dé·si·dé·ra·ré

dessert *dolce* m dol·tché

destination *destinazione* f dé·sti·na·tsyo·né

détendre *rilassare* ri·las·sa·ré
se détendre *rilassarsi* ri·las·sar·si

diabète *diabete* m dya·bè·té

diaphragme *diaframma* m dya·fram·ma

diapositive *diapositiva* m dya·po·zi·ti·va

diarrhée *diarrea* f dyar·rè·a

dictionnaire *vocabolario* m vo·ka·bo·la·ryo

diesel *diesel* m di·zél

dieu/déesse *dio/dea* m/f di·o/dè·a

différence de fuseau horaire *differenza* f *di fuso orario* dif·fé·rènn·tsa di fou·zo o·ra·ryo

différent(e) *diverso/a* di·vèr·so/a · *differente* dif·fé·rènn·té

difficile *difficile* dif·fi·tchi·lé

dimension *dimensione* f di·ménn·syo·ne

dinde *tacchino* m tak·ki·no

dîner *cena* f tchè·na

diplôme *titolo* m *di studio* ti·to·lo di stou·dyo

dire *dire* di·ré

direct(e) *diretto/a* m/f di·rèt·to/a

direction *direzione* f di·ré·tsyo·né

discrimination *discriminazione* f di·skri·mi·na·tsyo·né

dispute *bisticcio* m bi·sti·tcho · *lite* f li·té

disputer *sgridare* sgri·da·ré
se disputer *litigare* li·ti·ga·ré

disquette *dischetto* m di·skèt·to

distributeur (automatique) de billets *Bancomat* m bann·ko·mat

divertissement *divertimento* m di·vér·ti·mènn·to

divorcé(e) *divorziato/a* m/f di·vor·tsya·to/a

doigt *dito* m di·to, *dita* pl di·ta
— **de pied** *dito* m *del piede* di·to dél pyè·dé

dollar *dollaro* m dol·la·ro

dôme *duomo* m dwo·mo

dommage *danno* m dan·no

donner *dare* da·ré
— **un coup de pied** *dare un calcio* da·ré ounn *kal·*tcho

dormir *dormire* dor·mi·ré

dos *schiena* f skyè·na

dose excessive *dose* f *eccessiva* do·zé é·tchés·si·va

douane *dogana* f do·ga·na

double *doppio/a* m/f dop·pyo/a

douche *doccia* f do·tcha

douleur *dolore* m do·lo·ré

douleurs menstruelles *dolori* m pl *mestruali* do·lo·ri mé·strou·a·li
— **prémenstruelles** *tensione* f *premestruale* tènn·syo·né pré·mé·strou·a·lé

douloureux(euse) *doloroso/a* m/f do·lo·ro·zo/a

doux/douce *dolce* dol·tché · *morbido/a* m/f mor·bi·do/a

douzaine *dozzina* f do·dzi·na

drame *dramma* m dram·ma

drap *lenzuolo* m lènn·tswo·lo, *lenzuola* f pl lènn·tswo·la

drapeau *bandiera* f bann·dyè·ra

drogue *droga* f sg dro·ga

droit(e) *diritto/a* m/f dir·ri·to/a · **(à) droite** *(a) destra* (a) dè·stra · **(de) droite** *(di) destra* (di) dè·stra

droits de l'homme *diritti* m pl *umani* di·rit·ti ou·ma·ni

dur(e) *duro/a* m/f dou·ro/a

durant *durante* dou·rann·té

E

eau *acqua* f a·kwa
— **bouillie** *acqua bollita* a·kwa bol·li·ta
— **chaude** *acqua calda* a·kwa kal·da
— **du robinet** *acqua del rubinetto* a·kwa dél rou·bi·nèt·to
— **minérale** *(acqua) minerale* f (a·kwa) mi·né·ra·lé
— **plate** *acqua non gassata* a·kwa nonn gas·sa·ta

écharpe *sciarpa* f shar·pa

échecs *scacchi* m pl skak·ki

échographie *ecografia* f é·ko·gra·fi·a

école *scuola* f skwo·la
— **maternelle** *asilo* m a·zi·lo

économique *economico/a* m/f é·ko·no·mi·ko/a

Écosse *Scozia* f sko·tsya

écouter *ascoltare* a·skol·ta·ré

écrevisse *gambero* m gamm·bé·ro

écrire *scrivere* skri·vé·ré

écrivain(e) *scrittore/scrittrice* m/f skrit·to·ré/ skrit·tri·tché

eczéma *eczema* m ék·dzè·ma

édifice *edificio* m é·di·fi·tcho

éducation *istruzione* f i·strou·tsyo·né

effacer *cancellare* kann·tchél·la·ré

église *chiesa* f kyè·za

égoïste *egoista* m/f é·go·i·sta

élections *elezioni* f pl é·lé·tsyo·ni

électricien(ne) *elettricista* m et f é·lét·tri·tchi·sta

électricité *elettricità* f é·lét·tri·tchi·ta

elle *lei* leille

embarassé(e) *imbarazzato/a* m/f imm·ba·ra·tsa·to/a

embout *boccaglio* m bok·ka·lyo

embouteillage *ingorgo* m inn·gor·go

embrasser *baciare* ba·tcha·ré · *abbracciare* ab·bra·tcha·ré

embrayage *frizione* f fri·tsyo·né

émotif(ive) *emotivo/a* m/f é·mo·ti·vo/a

employé(e) *impiegato/a* m/f imm·pyé·ga·to/a

employeur(euse) *datore/datrice* m/f *di lavoro* da·to·ré/da·tri·tché di la·vo·ro

emprunter *prendere in prestito* prènn·dé·ré inn prè·sti·to

en *in* inn
— **bas** *giù* djou
— **bonne santé** *in buona salute* inn bwo·na sa·lou·té
— **colère** *arrabbiato/a* m/f ar·rab·bya·to/a
— **face de** *di fronte a* di fronn·té a
— **montée** *in salita* inn sa·li·ta
— **noir et blanc** *in bianco e nero* inn byann·ko é nè·ro
— **panne** *guasto/a* m/f gwa·sto/a
— **retard** *in ritardo* m/f inn ri·tar·do
— **vente** *in vendita* inn vènn·di·ta

encaisser un chèque *riscuotere un assegno* ri·skwo·té·ré ounn as·sé·nyo

en-cas *spuntino* m spounn·ti·no

enceinte *incinta* inn·tchinn·ta

encore *di nuovo* di nwo·vo
pas encore *non ancora* nonn ann·ko·ra

endroit *luogo* m lwo·go

énergie *energia* f é·nér·dji·a
— **nucléaire** *energia f nucleare* é·nér·dji·a nou·klé·a·ré

enfant *bambino/a* m/f bamm·bi·no/a · *bimbo/a* m/f bimm·bo/a

enflure *gonfiore* m gonn·*fyo*·ré

ennuyé(e) *annoiato/a* m/f an·no·*ya*·to/a

ennuyeux(euse) *noioso/a* m/f no·*yo*·zo/a

énorme *enorme* é·*nor*·mé

enregistrement (aéroport) *accetazione* f a·tché·ta·*tsyo*·né

enregistrement (hôtel) *registrazione* f ré·dji·stra·*tsyo*·né

enrhumé(e) *raffreddato/a* m/f raf·fré·*da*·to/a

enseignant(e) *insegnante* m et f inn·sé·*nyann*·té

ensemble *insieme* inn·*syè*·mé

ensoleillé(e) *soleggiato/a* m/f so·lé·*dja*·to/a

entendre *sentire* sènn·*ti*·ré

enterrement *funerale* m fou·né·*ra*·lé

entorse *storta* f *stor*·ta

entraînement *allenamento* m al·lé·na·*mènn*·to

entre *fra* fra

entrée *entrata* f ènn·*tra*·ta • *Ingresso* m inn·*grè*·so

entreprise *ditta* f *dit*·ta

entrer *entrare* ènn·*tra*·ré

entretien (de sélection) *colloquio* m *(selettivo)* kol·*lo*·kwi·o (sé·lé·*ti*·vo)

enveloppe (matelassée) *busta* f *(imbottita)* bou·sta imm·bot·*ti*·ta

environnement *ambiente* m amm·*byènn*·té

envoyer *mandare* mann·*da*·ré

épais(se) *spesso/a* m/f *spès*·so/a

épaule *spalla* f *spal*·la

épicerie *drogheria* f dro·gué·*ri*·a

épilepsie *epilessia* f é·pi·lés·*si*·a

épinards *spinaci* m pl spi·*na*·tchi

épouser *sposare* spo·*za*·ré

équipe *squadra* f *skwa*·dra

équipement *attrezzatura* f at·tré·tsa·*tou*·ra

érotique *erotico/a* m/f é·ro·*ti*·ko/a

erreur *sbaglio* m *sba*·lyo

érythème fessier *sfogo* m *da pannolino sfo*·go da pan·no·*li*·no

escalade *roccia* m *ro*·tcha • **faire de l'escalade** *(andare su) roccia* m (ann·*da*·ré sou) *ro*·tcha

escalader *scalare* ska·*la*·ré

escalator *scala* f *mobile* ska·la *mo*·bi·lé

escalier *scale* f pl ska·lé

escargot *lumaca* f lou·*ma*·ka

escrime *scherma* f *skèr*·ma

espace *spazio* m spa·tsyo

Espagne *Spagna* f *spa*·nya

espèce *specie* f spè·tché

— **en voie de disparition** *specie* f *in via di estinzione* spè·tché inn *vi*·a di é·stinn·*tsyo*·né

— **protégée** *specie* f *protetta* spè·tché pro·*tè*·ta

essais nucléaires *esperimenti* m pl *nucleari* é·spé·ri·*mènn*·ti nou·klé·*a*·ri

essayer *provare* pro·*va*·ré

essence *benzina* f bènn·*dzi*·na

essuyer *asciugare* a·chou·ga·ré

est *est* m é·ste

esthéticien(ne) *estetista* m et f é·sté·*ti*·sta

estomac *stomaco* m *sto*·ma·ko

et *e* é

étage *piano* m *pya*·no

étal *banco* m *bann*·ko

étape *tappa* f *tap*·pa

état *stato* m *sta*·to

— **civil** *stato* m *civile* sta·to tchi·*vi*·lé

États-Unis d'Amérique *Stati* m pl *Uniti d'America sta*·ti ou·*ni*·ti da·*mè*·ri·ka

été *estate* f é·*sta*·té

étiquette *etichetta* f é·ti·*kèt*·ta

étoffe *stoffa* f *stof*·fa

étoile *stella* f *stèl*·la

(quatre) étoiles *(a quattro) stelle* (a *kwat*·tro) *stèl*·lé

étourdi(e) *stordito/a* m/f stor·*di*·to/a

étrange *strano/a* m/f *stra*·no/a

étranger(ère) *straniero/a* m/f stra·*nyè*·ro/a • **(à) l'étranger** *(all') estero* (a)·*lè*·sté·ro

être *essere* ès·*sé*·ré

— **d'accord** *essere d'accordo* ès·sé·ré dak·*kor*·do(

— **en colère** *essere arrabbiato/a* m/f ès·sé·ré ar·rab·*bya*·to/a

— **enrhumé(e)** *essere raffreddato/a* m/f ès·sé·ré raf·fréd·*da*·to/a

— **pressé(e)** *avere fretta* a·*vè*·ré *frèt*·ta

être en retard *in ritardo* inn ri·*tar*·do
étroit(e) *stretto/a* m/f strèt·to/a
étudiant(e) *studente/studentessa* m/f stou·dènn·té/stou·dènn·*tès*·sa
euro *euro* m inv è·ou·ro
Europe *Europa* f é·ou·ro·pa
européen(ne) *europeo/a* m/f é·ou·ro·pè·o/a
euthanasie *eutanasia* f é·ou·ta·na·zi·a
examen *esame* m é·za·mé
excédent de bagages *bagaglio* m *in eccedenza* ba·*ga*·lyo inn é·tché·*dènn*·tsa
excellent(e) *ottimo/a* m/f ot·ti·mo/a
exclu(e) *escluso/a* m/f é·sklou·zo/a
excursion *gita* f *dji*·ta
exemple *esempio* m é·zèmm·pyo
expérience *esperienza* f é·spé·*ryènn*·tsa
exploitation *sfruttamento* m sfrout·ta·*mènn*·to
exposition *esposizione* f é·spo·zi·*tsyo*·né
express *espresso/a* m/f é·*sprès*·so/a

F

facile *facile* fa·tchi·lé
faible *debole* dè·bo·lé
faim *fame* f fa·mé • **avoir faim** *avere fame* f a·vè·ré fa·mé
fait(e) à la main *fatto/a* m/f a mano *fat*·to/a a *ma*·no
  — maison *casalingo/a* f ka·za·*linn*·go/a
faire *fare* fa·ré
  — de l'auto-stop *fare l'autostop* fa·ré *la*·ou·to·stop
  — du cheval *andare a cavallo* ann·*da*·ré a ka·*val*·lo • *cavalcare* ka·val·*ka*·ré
  — de l'escalade *(andare su) roccia* m (ann·*da*·ré sou) *ro*·tcha
  — du surf *praticare il surf* pra·ti·*ka*·ré il sourf
  — du vélo *andare in bicicletta* ann·*da*·ré inn bi·tchi·*klèt*·ta
  — (un sport) *praticare (uno sport)* pra·ti·*ka*·ré (ou·no sporté)
fait(e) *fatto/a* m/f *fat*·to/a
  — main *fatto/a* m/f a mano *fat*·to/a a *ma*·no
  — maison *casalingo/a* f ka·za·*linn*·go/a
famille *famiglia* f fa·*mi*·lya

farine *farina* f fa·*ri*·na
fascinant(e) *affascinante* af·fa·chi·*nann*·té
fatigué(e) *stanco/a* m/f *stann*·ko/a
fausse couche *aborto* m *spontaneo* a·*bor*·to sponn·ta·né·o
faute *colpa* f *kol*·pa
fauteuil roulant *sedia* f *a rotelle* sè·dya a ro·*tèl*·lé
faux/fausse *sbagliato/a* m/f sba·*lya*·to/a • *falso/a* m/f *fal*·so/a
fax *fax* m faks
femme *donna* f *don*·na • *moglie* f mo·lyé
fenêtre *finestra* f fi·*nè*·stra
  — (de voiture, d'avion) *finestrino* m fi·né·*stri*·no
fer à repasser *ferro* m *da stiro* *fèr*·ro da *sti*·ro
ferme *fattoria* f fat·to·ri·a
fermé(e) *chiuso/a (a chiave)* m/f *kyou*·zo/a (a *kya*·vé)
fermer *chiudere* kyou·dé·ré
fermeture *chiusura* kyou·zou·ra
festival *festival* m fè·sti·val
fête *festa* f fè·sta
feu *fuoco* m fwo·ko
feu (tricolore) *semaforo* m sé·*ma*·fo·ro
feuille *foglia* f fo·lya
fiançailles *fidanzamento* m fi·dann·tsa·*mènn*·to
fiancé(e) *fidanzato/a* m/f fi·dann·*tsa*·to/a
ficelle *spago* m *spa*·go
fièvre *febbre* f fèb·bré
fiévreux(euse) *febbrile* féb·*bri*·lé
figue *fico* m fi·ko
fil (à coudre) *filo* m fi·lo
fil dentaire *filo* m *dentario* fi·lo dènn·*ta*·ryo
fille *figlia* f fi·lya
film *film* m film
fils *figlio* m fi·lyo
fin *fine* f fi·né
finir *finire* fi·*ni*·ré
flash (d'appareil photo) *flash* m flèche
fleur *fiore* m fyo·ré
fleuriste *fioraio* m et f fyo·*ra*·yo
flocons de maïs *fiocchi* m pl *di mais* fyok·ki di *ma*·i·se

foie *fegato* m fè·ga·to

football *calcio* m kal·tcho

footing *footing* m fou·tinng

fond *fondo* fenn·do

au fond *in fondo* inn fonn·do

forces armées *forze* f pl *armate* for·tsé ar·ma·té

forêt *foresta* f fo·rè·sta

forme *forma* f for·ma

formulaire *modulo* m mo·dou·lo

fort(e) *forte* m/f for·té

fortune *fortuna* f for·tou·na

fou/folle *pazzo/a* m/f pa·tso/a

four *forno* m for·no

four à micro-ondes *forno* m a microonde for·no a mi·kro·onn·dé

fourchette *forchetta* f for·kèt·ta

fourgon *furgone* m four·go·né

fourmi *formica* f for·mi·ka

fragile *fragile* fra·dji·lé

frais/fraîche *fresco/a* m/f frè·sko/a

fraise *fragola* f fra·go·la

framboise *lampone* m lamm·po·né

France *Francia* f frann·tcha

frein *freno* m frè·no

frère *fratello* m fra·tèl·lo

frigidaire *frigorifero* m fri·go·ri·fé·ro

frire *friggere* fri·djé·ré

froid(e) *freddo/a* m/f frèd·do/a

fromage *formaggio* m fot·ma·djo

— frais *formaggio* m *fresco* for·ma·djo frè·sko

frontière *confine* m konn·fi·né

fruits *frutta* f frout·ta

fumer *fumare* fou·ma·ré

fumeur *fumatore* m fou·ma·to·ré

non-fumeur *non fumatore* nonn fou·ma·to·ré

futur *futuro* m fou·tou·ro

G

gagnant(e) *vincitore/vincitrice* m/f vinn·tchi·to·ré/vinn·tchi·tri·tché

gagner *vincere* vinn·tché·ré

galerie d'art *galleria* f *d'arte* gal·lé·ri·a dar·té

gants *guanti* m pl gwann·ti

garage *garage* m ga·ra·je

garçon *bambino* m bamm·bi·no · **petit garçon** *bambino* m bamm·bi·no

gare *stazione* f sta·tsyo·né

— ferroviaire *stazione* f *ferroviaria* sta·tsyo·né fé·ro·vya·rya

— routière *stazione* f *d'autobus* sta·tsyo·né da·ou·to·bou·se

gastroentérite *gastroenterite* f ga·stro·ènn·té·ri·té

gâteau *torta* f tor·ta

gauche *sinistra* f si·ni·stra

(de) gauche *(di) sinistra* (di) si·ni·stra

gaufre *cialda* chal·da

gay *gay* guelle

gaz *gas* m gaz

gel *gelo* m djè·lo

geler *gelare* djè·la·ré

gencive *gengiva* f djènn·dji·va

gendarmerie *carabinieri* m pl ka·ra·bi·nyè·ri

général(e) *generale* djé·né·ra·lé

genou *ginocchio* m dji·no·kyo, *ginocchia* pl dji·no·kya

gens *gente* djènn·té

gentil(le) *gentile* djènn·ti·lé

gilet de sauvetage *giubbotto* m *di salvataggio* djoub·bot·to di sal·va·ta·djo

gingembre *zenzero* m dzènn·dzé·ro

glace (eau) *ghiaccio* m guyá·tcho

glace (crème glacée) *gelato* m djé·la·to

glacier *gelateria* f djé·la·té·ri·a

gorge *gola* f go·la

gourde *borraccia* f bor·ra·tcha

gouvernement *governo* m go·vèr·no

gramme *grammo* m pl gram·mo

grand(e) *grande* grann·dé

grandir *crescere* krè·ché·ré

grand-mère *nonna* f non·na

grand-père *nonno* m non·no

gratuit(e) *gratuito/a* m/f gra·tou·i·to/a

grêle *grandine* f grann·di·né · **chute de grêle** *grandinata* f grann·di·na·ta

(en) grève *(in) sciopero* m inn cho·pé·ro

grille-pain *tostapane* m to·sta·pa·né

grippe *influenza* f inn·flou·ènn·tsa

gris(e) *grigio/a* m/f gri·djo/a

gros(se) *grasso/a* m/f *gras·so/a*
grosseur *nodulo* m *no·dou·lo*
grotte *grotta* f *grot·ta*
groupe *gruppo* m *group·po*
— **de rock** *gruppo* m *rock group·po rok*
— **sanguin** *gruppo* m *sanguigno group·po sann·gwi·nyo*
guerre *guerra* f *gwèr·ra*
guichet automatique (de billets) *distributore* m *automatico di biglietti di·stri·bou·to·ré a·ou·to·ma·ti·ko di bi·lyèt·ti*
guide *guida* f *gwi·da*
— **audio** *guida* f *audio gwi·da a·ou·dyo*
— **des spectacles** *guida* f *agli spettacoli gwi·da a·lyi spét·ta·ko·li*
— **touristique** *guida* f *turistica gwi·da tou·ri·sti·ka*
guidon *manubrio* m *ma·nou·bri·o*
guitare *chitarra* f *ki·tar·ra*
gymnastique *ginnastica* f *dji·na·sti·ka*
gynécologue *ginecologo/a* m/f *dji·né·ko·lo·go/a*

H

halal *halal* a·*lal*
hall *atrio* m *a·tryo*
hammac *amaca* f *a·ma·ka*
hand-ball *pallamuro* f *pal·la·mou·ro*
handicapé(e) *disabile* di·*za*·bi·lé
harcèlement *molestia* f *mo·lè·stya*
hareng *aringa* f *a·rinn·ga*
haricots *fagioli* m pl *fa·djo·li*
haschish *hashish* m *a·chiche*
haut(e) *alto/a* m/f *al·to/a*
hauteur *altezza* f *al·tè·tsa*
hépatite *epatite* f *é·pa·ti·té*
herbe *erba* f *èr·ba* • **fines herbes** *erbe* f pl *èr·bé*
herboriste *erborista* m et f *ér·bo·ri·sta*
heure *ora* f *o·ra*
heureux(euse) *felice* m/f *fé·li·tché*
hier *ieri* *yè·ri*
hindou(e) *indù* m et f *inn·dou*
hindouiste *induista* m et f *inn·doui·sta*

histoire *storia* f *sto·rya*
historique *storico/a* m/f *sto·ri·ko/a*
hiver *inverno* m *inn·vèr·no*
hockey *hockey* m *o·ki*
— **sur glace** *hockey* m *su ghiaccio o·ki sou guya·tcho*
homéopathie *omeopatia* f *o·mé·o·pa·ti·a*
homme *uomo* m *wo·mo*
homme/femme d'affaires *uomo/donna d'affari* m/f *wo·mo/don·na daf·fa·ri*
homosexuel(le) *omosessuale* m et f *o·mo·sés·sou·a·lé*
hôpital *ospedale* m *o·spé·da·lé*
horaire *orario* m *o·ra·ryo*
horaire d'ouverture *orario* m *di apertura o·ra·ryo di a·pér·tou·ra*
horloge *orologio* m *o·ro·lo·djo*
horrible *orrendo/a* m/f *or·rènn·do/a*
hors-bord *motoscafo* m *mo·to·ska·fo*
hospitalité *ospitalità* f *o·spi·ta·li·ta*
hôtel *albergo* m *al·bèr·go*
— **de police** *posto* m *di polizia po·sto di po·li·tsi·a*
housse (d'oreiller) *federa* f *fè·dé·ra*
huile *olio* m *o·lyo*
— **d'olive** *olio* m *d'oliva o·lyo do·li·va*
huître *ostrica* f *o·stri·ka*
hurler *urlare* our·*la*·ré

I

ici *qui* kwi
idiot(e) *idiota* m et f *i·dyo·ta*
il *lui* lou·ï
île *isola* f *i·zo·la*
illégal(e) *illegale* il·lé·*ga*·lé
ils *loro* lo·ro
immigration *immigrazione* f *im·mi·gra·tsyo·né*
imperméable *impermeabile* m *imm·pér·mé·a·bi·lé*
important(e) *importante* imm·por·*tann*·té
impossible *impossibile* imm·pos·si·bi·lé
impressionner *allucinare* al·lou·tchi·*na*·ré
imprimante *stampante* f *stamm·pann·té*
incident *incidente* m *inn·tchi·dènn·té*

inconfortable *scomodo/a* m/f sko·mo·do/a
inconnu(e) *sconosciuto/a* m/f
   sko·no·chou·to/a
indigestion *indigestione* f
   inn·di·djé·styo·né
indiquer *indicare* inn·di·ka·ré
industrie *industria* f inn·dou·stri·a
infection *infezione* f inn·fé·tsyo·né
infirmier(ère) *infermiere/a* m/f
   inn·fér·myè·ré/a
inflammation *infiammazione* f
   inn·fyam·ma·tsyo·né
inflation *inflazione* f inn·fla·tsyo·né
influence *influenza* f inn·flou·ènn·tsa
informations *informazioni* f pl
   inn·for·ma·tsyo·ni
informatique *informatica* f inn·for·ma·ti·ka
informel(le) *informale* inn·for·ma·lé
infraction *infrazione* f inn·fra·tsyo·né
ingénieur(e) *ingegnere* m et f
   inn·djé·nyè·ré
ingrédient *ingrediente* m
   inn·gré·dyènn·té
inhalateur *inalatore* m i·na·la·to·ré
injection *iniezione* f i·nyé·tsyo·né
innocent(e) *innocente* in·no·tchènn·té
inondation *inondazione* f
   i·nonn·da·tzyo·né
inquiet(ète) *preoccupato/a* m/f
   pré·ok·kou·pa·to/a
insecte *insetto* m inn·sèt·to
insolite *insolito/a* m/f inn·so·li·to/a
instituteur(trice) *maestro/a* m/f
   ma·è·stro/a
instructeur(trice) *istruttore/istruttrice* m/f
   i·strout·to·ré/i·strout·tri·tché
intéressant(e) *interessante*
   inn·té·rè·sann·té
international(e) *internazionale*
   inn·tér·na·tsyo·na·lé
Internet *Internet* m inn·tér·nète
interprète *interprete* m/f inn·tér·prè·té
interurbain(e) *interurbano/a* m/f
   inn·té·rour·ba·no/a
intervalle *intervallo* m inn·tér·val·lo
intervention (chirurgicale) *intervento* m
   inn·tér·vènn·to

intoxication alimentaire *intossicazione*
   f *alimentare* inn·tos·si·ka·tsyo·né
   a·li·mènn·ta·ré
inviter *invitare* inn·vi·ta·ré
Irlande *Irlanda* f ir·lann·da
Italie *Italia* f i·ta·lya
italien(ne) *italiano/a* m/f i·ta·lya·no/a
itinéraire *itinerario* m i·ti·né·ra·ryo
ivre *ubriaco/a* m/f ou·bri·a·ko/a

J

jaloux(ouse) *geloso/a* m/f djé·lo·zo/a
jamais *mai* maille
jambe *gamba* f gamm·ba
jambon (cuit) *prosciutto* m *(cotto)*
   pro·chout·to (kot·to)
Japon *Giappone* m djap·po·né
jardin *giardino* m djar·di·no
jardinage *giardinaggio* m djar·di·na·djo
jardiner *giardinare* djar·di·na·ré
jaune *giallo/a* m/f djal·lo/a
je *io* i·o
jeans *jeans* m pl djinn·se
jetable *usa e getta* ou·za e djèt·ta
jeton *gettone* m djèt·to·né
jeu *gioco* m djo·ko
   — vidéo *gioco* m *elettronico* djo·ko
   é·lét·tro·ni·ko
jeune *giovane* djo·va·né
jockey *fantino* m fann·ti·no
jogging *footing* m fou·tinng
jouer *giocare* djo·ka·ré
   — au foot *giocare a calcio* djo·ka·ré a
   kal·tcho
   — de la guitare *suonare la chitarra*
   swo·na·ré la ki·tar·ra
jour *giorno* m djor·no
Jour de l'an *Capodanno* m
   ka·po·dan·no
journal *giornale* m djor·na·lé
journaliste *giornalista* m et f djor·na·li·sta
judo *giudò* m djou·do
juge *giudice* m djou·di·tché
juif/juive *ebreo/a* m/f é·brè·o/a
jumeaux/jumelles *gemelli/e* m/f pl
   djé·mèl·li/é

jumelles *binocolo* m bi·no·ko·lo
jupe *gonna* f gon·na
jus *succo* m souk·ko
 — **de fruit** *succo* m *di frutta* souk·ko di frout·ta
 — **de fruit frais** *spremuta* f spré·mou·ta
 — **d'orange (en bouteille)** *succo* m *d'arancia* souk·ko da·rann·tcha
 — **d'orange (frais)** *spremuta* f spré·mou·ta da·rann·tcha
jusqu'à *fino a* fi·no a
juste *giusto/a* m/f djou·sto/a

K

kilo *chilo* m ki·lo
kilomètre *chilòmetre* m ki·lo·mé·tro
kiosque (à journaux) *edicola* f é·di·ko·la
kit *valigetta* f va·li·djèt·ta
 — **d'urgence** *valigetta* f *del pronto soccorso* va·li·djèt·ta dél pronn·to sok·kor·so
kiwi *kiwi* m ki·wi
kyste ovarien *cisti* f *ovarica* tchi·sti o·va·ri·ka

L

là *là* la
là-bas *laggiù* la·djou
lac *lago* m la·go
laid(e) *brutto/a* m/f brout·to/a
laine *lana* f la·na
laisser *lasciare* la·cha·ré
lait *latte* m lat·té
 — **de soja** *latte* m *di soia* la·té di so·ya
 — **écrémé** *latte* m *scremato* la·té skré·ma·to
 — **hydratant** *fluido* m *idratante* flou·i·do i·dra·tann·té
laitue *lattuga* f lat·tou·ga
lames de rasoir *lamette* f pl *(da barba)* la·mèt·té (da bar·ba)
lampada *lampe* f lam·pa·da
langue *lingua* f linn·gwa
lapin *coniglio* m ko·ni·lyo
lard *pancetta* f pann·tchèt·ta • *lardo* m lar·do

large *largo/a* m/f lar·go/a
laver *lavare* la·va·ré
 se laver *lavarsi* la·var·si
laverie automatique *lavanderia* f *a gettone* la·vann·dé·ri·a a djèt·to·né
laxatif *lassativo* m las·sa·ti·vo
légal(e) *legale* lé·ga·lé
léger/légère *leggero/a* m/f lé·djè·ro/a
légume *legume* m lé·gou·mé
légumes verts *verdura* f vér·dou·ra
légumes marinés *sott'aceti* m pl sot·ta·tchè·ti
lent(e) *lento/a* m/f lènn·to/a
lentement *lentamente* lénn·ta·mènn·té
lentille *lenticchia* f lènn·tik·kya
lentilles de contact *lenti* f pl *a contatto* lènn·ti a konn·tat·to
lequel *il quale* il kwa·lé
lesbienne *lesbica* f lè·sbi·ka
lessive *detersivo* m dé·tér·si·vo
lettre *lettera* f lèt·té·ra
lever *alzare* al·dza·ré
 se lever *alzarsi* al·dzar·si
lèvres *labbra* f pl lab·bra
lézard *lucertola* f lou·tchèr·to·la
librairie *libreria* f li·bré·ri·a
libre *libero/a* m/f li·bé·ro/a
lieu de naissance *luogo* m *di nascita* lwo·go di na·chi·ta
ligne *linea* f li·né·a
 — **aérienne** *linea* f *aerea* li·né·a a·è·ré·a
 — **téléphonique directe** *telefono* m *diretto* té·lè·fo·no di·rèt·to
lime à ongles *limetta* f li·mèt·ta
limite de vitesse *limite* m *di velocità* li·mi·té di vé·lo·tchi·ta
limonade *limonata* f li·mo·na·ta
lingerie *biancheria* f *intima* byann·ké·ri·a inn·ti·ma
lire *leggere* lè·djé·ré
liste *elenco* m é·lènn·ko
lit *letto* m lèt·to
 — **à deux places** *letto* m *matrimoniale* lè·to ma·tri·mo·nya·lé
lits jumeaux *due letti* dou·é lèt·ti
litre *litro* m li·tro

livre *libro* m *li*·bro

livre sterling *sterlina* f stér·*li*·na

local(e) *locale* lo·*ka*·lé

location de voitures *autonoleggio* m
a·ou·to·no·*lè*·djo

logement *alloggio* m al·*lo*·djo

loi *legge* f *lè*·djé

loin *lontano* lonn·*ta*·no

lointain(e) *lontano/a* m/f lonn·*ta*·no/a
• *remoto/a* m/f re·*mo*·to/a

long/longue *lungo/a* m/f *lounn*·go/a

louer *noleggiare* no·lé·*dja*·ré • *prendere in
affitto* *prènn*·dé·ré inn af·*fit*·to

lourd(e) *pesante* pé·*zann*·té

loyer *affitto* m af·*fit*·to

luge *slitta* f *slit*·ta • **faire de la luge** *andare
in slitta* ann·*da*·ré inn *slit*·ta

lune *luna* f *lou*·na

  — **de miel** *luna* f *di miele* lou·na di *myè*·lé

  pleine lune *luna* f *piena* lou·na *pyè*·na

lubrifiant *lubrificante* m lou·bri·fi·*kann*·té

lumière *luce* f *lou*·tché

lunettes *occhiali* m pl ok·*kya*·li

  — **de ski** *occhiali* m pl *da sci* ok·*kya*·li da
chi

  — **de soleil** *occhiali* m pl *da sole* ok·*kya*·li
da so·lé

luxe *lusso* lous·so

  de luxe *di lusso* di *lous*·so

lycée *scuola* f *superiore* skwo·la
sou·pé·*ryo*·ré

M

mâcher *masticare* ma·sti·*ca*·ré

machine *macchina* f *mak*·ki·na

  — **à coudre** *macchina* f *per cucire*
mak·ki·na pér kou·*tchi*·ré

  — **à laver** *lavatrice* f la·va·*tri*·tché

mâchoire *mascella* f ma·*chèl*·la

macrobiotique *macrobiotica* f
ma·kro·*byo*·ti·ka

madame *signora* f si·*gno*·ra

magasin *negozio* m né·*go*·tsyo • **grand
magasin** *grande magazzino* m *grann*·dé
ma·ga·*dzi*·no

  — **d'alimentation** *alimentari* m pl
a·li·*mènn*·ta·ri

  — **d'articles de camping**
negozio m *da campeggio* né·*go*·tsyo da
kamm·*pè*·djo

  — **d'articles de sport** *negozio* m *di
articoli sportivi* né·*go*·tsyo di ar·*ti*·ko·li
spor·*ti*·vi

  — **de chaussures** *negozio* m *di scarpe*
né·*go*·tsyo di *skar*·pé

  — **de jouets** *negozio* m *di giocattoli*
né·*go*·tsyo di djo·*kat*·to·li

  — **de souvenirs** *negozio* m *di souvenir*
né·*go*·tsyo di *sou*·ve·nir

  — **de vêtements** *negozio* m
di abbigliamento né·*go*·tsyo di
ab·bi·lya·*mènn*·to

  — **de vins** *bottiglieria* f bot·ti·lyé·*ri*·a

magazine *rivista* f ri·*vi*·sta

magnétoscope *videoregistratore* m
vi·dé·o·ré·dji·stra·*to*·ré

maigre *magro/a* m/f *ma*·gro/a

mail *email* m *i*·meille

maillet *mazzuolo* m ma·*tswo*·lo

maillot *maglia* f *ma*·lya

  — **de bain** *costume* m *da bagno*
ko·*stou*·mé da *ba*·nyo

  — **de corps** *canottiera* f ka·not·*tyè*·ra

main *mano* f *ma*·no

maintenant *adesso* a·*dès*·so

maire *sindaco* m *sinn*·da·ko

mais *ma* ma

maison *casa* f *ka*·za • **fait maison** *casalingo/
a* f ka·za·*linn*·go/a

maîtresse *amante* f a·*mann*·té

mal *mal* m mal

  — **à la tête** *mal* m *di testa* mal di *tè*·sta

  — **de dents** *mal* m *di denti* mal di *dènn*·ti

  — **de mer** *mal* m *di mare* mal di *ma*·ré

  — **de ventre** *mal* m *di pancia* mal di
pann·tcha

  — **des transports (en avion)** *mal* m *di
aereo* mal di a·è·ré·o

  — **des transports (en voiture)** *mal* m *di
macchina* mal di *mak*·ki·na

malade *malato/a* m/f ma·*la*·to/a

maladie *malattia* f ma·lat·*ti*·a

  — **vénérienne** *malattia* f *venerea*
ma·lat·*ti*·a vé·*nè*·ré·a

maman *mamma* f *mam·ma*
mammographie *mammografia* f
  mam·mo·gra·fi·a
manager *manager* m *ma·na·djeur*
mandarine *mandarino* m *mann·da·ri·no*
manger *mangiare* *mann·dja·ré*
mangue *mango* m *mann·go*
manifestation *manifestazione* f
  ma·ni·fé·sta·tsyo·né
manœuvre *manovale* m et f *ma·no·va·lé*
manquer *mancare* *mann·ka·ré*
manteau *cappotto* m *ka·pot·to*
manuel(le) *manuale* *ma·nou·a·lé*
maquillage *trucco* m *trouk·ko*
marbre *marmo* m *mar·mo*
marchand(e) de fruits et légumes
  fruttivendolo/a m/f *frout·ti·vènn·do·lo/a*
marché *mercato* m *mér·ka·to*
marcher *camminare* *kam·mi·na·ré*
marée *marea* f *ma·rè·a*
margarine *margarina* f *mar·ga·ri·na*
mari *marito* m *ma·ri·to*
mariage *matrimonio* m *ma·tri·mo·nyo*
marié(e) *sposato/a* m/f *spo·za·to/a*
marquer *segnare* *sé·nya·ré*
marron *marrone* m/f *mar·ro·né*
marteau *martello* m *mar·tèl·lo*
massage *massaggio* m *mas·sa·djo*
match *partita* f *par·ti·ta*
matelas *materasso* m *ma·té·ras·so*
matin *mattina* f *mat·ti·na*
mayonnaise *maionese* f *ma·yo·nè·zé*
mécanicien(ne) *meccanico* m et f
  mék·ka·ni·ko
méchant(e) *cattivo/a* m/f *kat·ti·vo/a*
médecin *medico* m *mè·di·ko*
médecine *medicina* f *mé·di·tchi·na*
médicament *medicina* f
  mé·di·tchi·na
méditation *meditazione* f
  mé·di·ta·tsyo·né
meilleur(e) *migliore* *mi·lyo·ré*
mélanger *mescolare* *mé·sko·la·ré*
mélodie *melodia* f *mé·lo·di·a*
melon *melone* m *mé·lo·né*
membre *socio/a* m/f *so·tcho/a*
même *stesso/a* m/f *stè·so/a*

mendiant(e) *mendicante* m et f
  mènn·di·kann·té
menteur(euse) *bugiardo/a* m/f
  bou·djar·do/a
menu *menu* m *mé·nou*
mer *mare* m *ma·ré* · **(à la) mer** *(al) mare*
  (al) ma·ré
mère *madre* f *ma·dré*
merveilleux(euse) *meraviglioso/a* m/f
  mé·ra·vi·lyo·zo/a
message *messaggio* m *més·sa·djo*
messe *messa* f *mès·sa*
métal *metallo* m *mé·tal·lo*
métallique *metallico/a* m/f *mé·tal·li·ko/a*
métier *mestiere* m *mé·styè·ré*
mètre *metro* m *mè·tro*
métro(politain) *metropolitana* f
  mé·tro·po·li·ta·na
mettre *mettere* *mèt·té·ré*
meuble *mobile* m pl *mo·bi·le*
midi *mezzogiorno* m *mè·dzo djor·no*
miel *miele* m *myè·lé*
mignon(ne) *carino/a* m/f *ka·ri·no/a*
migraine *emicrania* f *é·mi·kra·nya*
millimètre *millimetro* m *mil·li·mé·tro*
mini-bar *frigobar* m *fri·go·bar*
mini-dictionnaire *vocabolarietto* m
  vo·ca·bo·la·rièt·to
minuit *mezzanotte* f *mè·dza no·té*
minuscule *minuscolo/a* m/f
  mi·nou·sko·lo/a
minute *minuto* m *mi·nou·to*
miroir *specchio* m *spèk·kyo*
mode *moda* f *mo·da*
modem *modem* m *mo·dème*
moderne *moderno/a* m/f *mo·dèr·no/a*
moins *(di) meno* *(di) mè·no*
mois *mese* m *mè·zé*
moitié *mezzo* m *mè·dzo*
monastère *monastero* m *mo·na·stè·ro*
monde *mondo* m *monn·do*
moniteur(trice) *maestro/a* m/f *ma·è·stro/a*
monnaie (pièces) *spiccioli* m pl *spi·tcho·li*
monnaie *resto* m *rè·sto*
mononucléose *mononucleosi* m
  mo·no·nou·klé·o·zi
montagne *montagna* f *monn·ta·nya*
monter dans *salire su* *sa·li·ré su*

montre *orologio* m o·ro·lo·djo
montrer *mostrare* mo·stra·ré
monument *monumento* m
mo·nou·mènn·to
morsure *morso* m mor·so
mort(e) *morto/a* m/f mor·to/a,
mosquée *moschea* f mo·skè·a
moteur *motore* m mo·to·ré
moto *moto* f mo·to
mouche *mosca* f mo·ska
mouchoir *fazzoletto* m fa·tso·lèt·to
mouchoirs en papier *fazzolettini* m pl *di
carta* fa·tso·lét·ti·ni di kar·ta
mouillé(e) *bagnato/a* m/f ba·nya·to/a
moules *cozze* f pl ko·tsé
mourir *morire* mo·ri·ré
moustique *zanzara* f dzann·dza·ra
moutarde *senape* f sè·na·pé
moyens de communication *mezzi*
m pl *di comunicazione* mè·tsi di
kom·mou·ni·ka·tsyo·né
muesli *muesli* m mou·sli
muet(te) *muto/a* m/f mou·to/a
muguet *mughetto* m mou·guèt·to
mur *muro* m mou·ro
muscle *muscolo* m mou·sko·lo
musée *museo* m mou·zè·o
musicien(ne) *musicista* m et f
mou·zi·tchi·sta
 — de rue *musicista* m et f *di strada*
mou·zi·tchi·sta di stra·da
musique *musica* f mou·zi·ka
musulman(e) *musulmano/a* m/f
mou·soul·ma·no/a

N

nager *nuotare* nwo·ta·ré
nappe *tovaglia* f to·va·lya
narine *narice* f na·ri·tché
nasal(e) *nasale* na·za·lé
natation *nuoto* m nwo·to
national(e) *nazionale* na·tsyo·na·lé
nationalité *nazionalità* f na·tsyo·na·li·ta
nature *natura* f na·tou·ra
nausée *nausea* f na·ou·zè·a
 — matinale *nausea* f *mattutina*
na·ou·zé·a mat·tou·ti·na

nécessaire *necessario/a* m/f
né·tchés·sa·ryo/a
neige *neve* f nè·vé
nettoyage *pulizia* f pou·li·tsi·a
 — à sec *lavaggio* m *a secco* la·va·djo a
sè·ko
nez *naso* m na·zo
niveau *livello* m li·vèl·lo
Noël *Natale* m na·ta·lé
noir(e) *nero/a* m/f nè·ro/a
noix *noce* f no·tché
nom *nome* m no·mé
 — de famille *cognome* m ko·nyo·mé
nombre *numero* m nou·mé·ro
non *no* no
nord *nord* m norde
normal(e) *normale* nor·ma·lé
nourriture *cibo* m tchi·bo
 — pour bébé *cibo* m *da bebè* tchi·bo da
bé·bè
nous *noi* noï
nouveau/nouvelle *nuovo/a* m/f nwo·vo/a
nouvelles *notizie* f pl no·ti·tsyé
nuage *nuvola* f nou·vo·la
nuageux(euse) *nuvoloso/a* m/f
nou·vo·lo·zo/a
nuit *notte* f not·té
numérique *digitale* di·dji·ta·lé
numéro de plaque d'immatriculation
numero m *di targa* nou·mé·ro di tar·ga

O

objectif *obiettivo* m o·byèt·ti·vo
objet ancien *pezzo* m *di antiquariato*
pè·tso di ann·ti·kwa·rya·to
objets de valeur *oggetti* m pl *di valore*
o·djèt·ti di va·lo·ré
occasion *seconda mano* m/f sé·konn·da
ma·no · **d'occasion** *di seconda mano* m/f
di sé·konn·da ma·no
océan *oceano* m o·tché·a·no
odeur *odore* m o·do·ré
œil *occhio* m ok·kyo
œuf *uovo* m wo·vo · *uova* pl wo·va
œuvre (d'art) *opera* f (*d'arte*) o·pé·ra (dar·té)
office du tourisme *ufficio* m *del turismo*
ouf·fi·tcho dél tou·riz·mo

oignon *cipolla* f tchi-*pol*-la
oiseau *uccello* m ou-*tchèl*-lo
olive *oliva* f o-*li*-va
ombre *ombra* f omm-bra
opéra (genre) *opera* f *lirica* o-pé-ra *li*-ri-ka
opéra (bâtiment) *teatro* m *dell'opera*
té-*a*-tro dél-o-pé-ra
opérateur(trice) *operatore/operatrice* m/f
o-pé-ra-*to*-ré/o-pé-ra-*tri*-tché
opinion *opinione* f o-pi-*nyo*-né
or *oro* m *o*-ro
orage *temporale* m témm-po-*ra*-lé
orange (couleur) *arancione* a-rann-*tcho*-né
orange (fruit) *arancia* f a-*rann*-tcha
orchestre *orchestra* f or-*kè*-stra
ordinaire *ordinario/a* m/f or-di-*na*-ryo/a
ordinateur *computer* m komm-*pyou*-teur
ordonnance *ricetta* f ri-*tchèt*-ta
ordures *spazzatura* f pl spa-tsa-*tou*-ra
oreille *orecchio* m o-*rèk*-kyo
original(e) *originale* m/f o-ri-dji-*na*-lé
os *osso* m *os*-so
ou *o* o
où *dove* do-*vé*
oublier *dimenticare* di-mènn-ti-*ka*-ré
ouest *ovest* m o-*vés*-te
oui *sì* si
ouvert(e) *aperto/a* m/f a-*pèr*-to/a
ouvre-boîte(s) *apriscatole* m a-pri-*ska*-to-lé
ouvre-bouteille(s) *apribottiglie* m
a-pri-bot-*ti*-lyé
ouvrier(ère) *operaio/a* m/f o-pé-*ra*-yo/a
ouvrir *aprire* a-pri-ré
oxygène *ossigeno* m os-*si*-djé-no

P

pacemaker *pacemaker* m
peille-se-meille-keur
page *pagina* f *pa*-dji-na
paiement *pagamento* m pa-ga-*mènn*-to
pain *pane* m *pa*-né
— **de seigle** *pane* m *di segala* *pa*-né di
sè-ga-la
— **complet** *pane* m *integrale* *pa*-né
inn-té-*gra*-lé
— **grillé** *pane* m *tostato* *pa*-né to-*sta*-to
paire *paio* m *pa*-yo

paix *pace* f *pa*-tché
palais *palazzo* m pa-*la*-tso
pamplemousse *pompelmo* m
pomm-*pèl*-mo
panier *cestino* m tché-*sti*-no
panorama *veduta* f vé-*dou*-ta
pantalon *pantaloni* m pl pann-ta-*lo*-ni
papa *papà* m pa-*pa*
papetier *cartolaio* m kar-to-*la*-yo
papier *carta* f *kar*-ta
— **toilette** *carta* f *igienica* *kar*-ta
i-*djè*-ni-ka
papiers *documenti* m pl do-kou-*mènn*-ti
papillon *farfalla* f far-*fal*-la
Pâques *Pasqua* f *pa*-skwa
paquet *pacchetto* m pa-*kèt*-to
par *per* *pè*-re
— **avion** *via* f *aerea* *vi*-a a-è-ré-a
— **jour** *al giorno* al *djor*-no
parapluie *ombrello* m omm-*brèl*-lo
parasol *ombrellone* m omm-bré-*lo*-né
parc *parco* m *par*-ko
— **national** *parco* m *nazionale* *par*-ko
na-tsyo-*na*-lé
parce que *perché* pér-*ké*
pardonner *perdonare* pér-do-*na*-ré
pare-brise *parabrezza* m pa-ra-*brè*-dza
parents *genitori* m pl djé-ni-*to*-ri
paresseux(euse) *pigro/a* m/f *pi*-gro/a
parfois *a volte* a *vol*-té
parfum *profumo* m pro-*fou*-mo
pari *scommessa* f skom-*mè*-sa
parking *parcheggio* m par-*kè*-djo
parlement *parlamento* m par-la-*mènn*-to
parler *parlare* par-*la*-ré
paroi *parete* f pa-*rè*-té
parole *parola* f pa-*ro*-la
partager *condividere* konn-di-*vi*-dé-ré
parti *partito* m par-*ti*-to
partie *parte* f *par*-té
partir *partire* par-*ti*-ré
pas du tout *niente* *nyènn*-té
passager(ère) *passeggero/a* m/f
pas-sé-*djè*-ro/a
passe (sport) *passaggio* m pas-*sa*-djo
passé *passato* m pas-*sa*-to
passeport *passaporto* m pas-sa-*por*-to

passe-temps *passatempo* m
pas·sa·tèmm·po

pastèque *anguria* f ann·*gou*·rya

pâté *paté* m pa·*té*

pâtes *pasta* f pa·sta

pâtisserie *pasticceria* f
pa·sti·tchè·*ri*·a

pauvre *povero/a* m/f po·vé·ro/a

pauvreté *povertà* f po·ver·*ta*

payer *pagare* pa·*ga*·ré

pays *paese* m pa·è·zé

Pays-Bas *Paesi Bassi* m pl pa·è·zi *bas*·si

pays de Galles *Galles* m *ga*·lè·se

peau *pelle* f pèl·lé

pêche (activité) *pesca* f pé·ska

pêche (fruit) *pesca* f pè·ska

pédale *pedale* m pé·*da*·lé

peigne *pettine* m pèt·ti·né

peindre *dipingere* di·*pinn*·djé·ré

peintre *pittore/pittrice* m/f pit·*to*·ré/
pit·*tri*·tché

peinture *pittura* f pi·*tou*·ra

pellicule photo *rullino* m roul·*li*·no

penderie *guardaroba* m gwar·da·*ro*·ba

pénicilline *penicillina* f pé·ni·tchill·*li*·na

pénis *pene* m pè·né

penser *pensare* pénn·*sa*·ré

pension *pensione* f pènn·*syo*·né

perdre *perdere* pèr·dé·ré

perdu(e) *perso/a* m/f pèr·so/a

père *padre* m pa·dré

permanent(e) *permanente* m/f
pér·ma·*nènn*·té

permis de conduire *patente* f *(di guida)*
pa·*tènn*·té (di gwi·da)

permission *permesso* m pér·*mès*·so

persil *prezzemolo* m pré·*tsè*·mol·lo

personne *persona* f pér·*so*·na

personnel(le) *personale* m/f pér·so·*na*·lé

d'ici peu (de temps) *fra poco* fra po·ko

petit(e) *piccolo/a* m/f pik·ko·lo/a

petit(e) ami(e) *ragazzo* m ra·*ga*·tso ·
ragazza f ra·*ga*·tsa

petit-déjeuner *(prima) colazione* f *(pri*·ma)
ko·la·*tsyo*·né

petit-fils/petite-fille *nipote* m et f ni·*po*·té

pétition *petizione* f pé·ti·*tsyo*·né

---

petits pois *piselli* m pl pi·*zèl*·li

peu *po'* po

    — d'ici peu *fra poco* fra po·ko

    — de peu/e m/f po·ki/é

    — un peu *un po'* ounn po

peut-être *forse* for·sé

phare *faro* m fa·ro

pharmacie *farmacia* f far·ma·*tchi*·a

pharmacien(ne) *farmacista* m et f
far·ma·*tchi*·sta

photo *foto* f fo·to

photographe *fotografo* m fo·*to*·gra·fo

photographie *fotografia* f fo·to·gra·*fi*·a

pièce *pezzo* m pè·tso

    — de fabrication artisanale *pezzo* m
d'artigianato pè·tso dar·ti·dja·*na*·to

    — de théâtre *commedia* f kom·*mè*·dya

pièces (de monnaie) *monete* f pl mo·nè·té

pied *piede* m pyè·dé

pierre *pietra* f pyè·tra

piéton(ne) *pedone* m/f pé·*do*·né

pile *pila* f *pi*·la

pilule *pillola* f *pil*·lo·la

    — (anticontraceptive)
pillola f *(anticoncezionale)* pil·lo·la
(ann·ti·konn·tché·tsyo·*na*·lé)

    — du lendemain
pillola f *del mattino dopo* pi·lo·la dél
mat·ti·no *do*·po

piment *peperoncino* m pé·pé·ronn·*tchi*·no

pince à épiler *pinzette* f pl pinn·*tsè*·té

pioche *piccone* m pik·ko·né

piolet *piccozza* f pik·ko·tsa

pique-nique *picnic* m pik·nik

piquets (de tente) *picchetti* m pl *(per la
tenda)* pi·*kèt*·ti (pér la *tènn*·da)

piqûre *puntura* f pounn·*tou*·ra

piscine *piscina* f pi·*chi*·na

pistache *pistacchio* m pi·*stak*·kyo

piste *pista* f *pi*·sta

    — cyclable *ciclopista* f tchi·klo·*pi*·sta

place *piazza* f *pya*·tsa

place (assise) *posto* m po·sto

plage *spiaggia* f *spya*·dja

plaindre *compatire* komm·pa·*ti*·ré

    se plaindre *lamentarsi* la·mènn·*tar*·si

plaire *piacere* pya·*tchè*·ré

plaisanterie *scherzo* m *skèr*·tso
plan *pianta* f *pyann*·ta
planche de surf *tavola da surf* ta·vo·la da soorf
planète *pianeta* m pya·*nè*·ta
plante *pianta* f *pyann*·ta
plaque d'immatriculation *targa* f *tar*·ga
plastique *plastica* f *pla*·sti·ka
plat(e) *piatto/a* m/f *pyat*·to/a
plateau (vaisselle) *vassoio* m vas·*so*·yo
 • *altopiano* m al·to·*pya*·no
plein(e) *pieno/a* m/f pyè·no/a • **(à) plein temps** *(a) tempo pieno* (a) *tèmm*·po pyè·no
plomb *piombo* m *pyomm*·bo • **sans plomb** *senza piombo* sènn·tsa *pyomm*·bo
plongée *immersioni* f pl im·mér·*syo*·ni
 — **(avec masque et tuba)** *snorkelling* m snor·*kél*·linng
plonger *tuffarsi* touf·*far*·si
pluie *pioggia* m *pyo*·dja
plus (di) *più* (di) *pyou*
pneu *gomma* f *gom*·ma
poche *tasca* f *ta*·ska
poêle *padella* f pa·*dèl*·la
poêle (de chauffage) *stufa* f *stou*·fa
 — **à gaz** *stufa (a gas)* *stou*·fa a gaz
poésie *poesia* f po·é·*zi*·a
poids *peso* m *pè*·zo
poignet *polso* m *pol*·so
point *punto* m *pounn*·to
poire *pera* f *pè*·ra
poireau *porro* m *por*·ro
pois chiches *ceci* m pl *tchè*·tchi
poisson *pesce* m *pè*·ché
poissonnerie *pescheria* f pé·ské·*ri*·a
poitrine *petto* m *pèt*·to
poivre *pepe* m *pè*·pé
poivron *peperone* m pé·pé·*ro*·né
police (nationale) *polizia* f po·li·*tsi*·a
politicien *politico* m po·*li*·ti·ko
politique *politica* f po·*li*·ti·ka
pollen *polline* m pol·*li*·né
pollution *inquinamento* m inn·kwi·na·*mènn*·to
pomme *mela* f *mè*·la
 — **de terre** *patata* f pa·*ta*·ta

pompe *pompa* f pomm·*pa*
poney *cavallino* m ka·val·*li*·no
pont *ponte* m *ponn*·té
populaire *popolare* po·po·*la*·ré
population *cittadinanza* f tchit·ta·di·*nann*·tsa
porc *maiale* m ma·*ya*·lé
port *porto* m *por*·to
portable *portatile* por·*ta*·ti·lé
 (ordinateur) portable (computer) *portatile* m (komm·*pyou*·teur) por·*ta*·ti·lé
 (téléphone) portable (telefono) *cellulare* m (té·*lè*·fo·no) tchél·lou·*la*·ré
portail *cancello* m kann·*tchèl*·lo
porte *porta* f *por*·ta
portefeuille *portafoglio* m por·ta·*fo*·lyo
porter (avec soi) *portare* por·ta·*ré*
porter (sur soi) *indossare* inn·dos·*sa*·ré
posemètre *esposimetro* m é·spo·*zi*·mé·tro
possible *possibile* pos·*si*·bi·lé
poste ordinaire *posta ordinaria* po·sta or·di·*na*·rya
 — **restante** *fermo* m *posta* fèr·mo *po*·sta
pot d'échappement *tubo m di scappamento* tou·bo di skap·pa·*mènn*·to
potable *potabile* po·*ta*·bi·lé
poterie *pignatta* f pi·*nyat*·ta
poteries *oggetti* m pl *in ceramica* o·*djèt*·ti inn tché·*ra*·mi·ka
potiron *zucca* f *tsouk*·ka
poulet *pollo* m *pol*·lo
poumons *polmoni* m pl pol·*mo*·ni
poupée *bambola* f *bamm*·bo·la
pour *per* pér
 — **toujours** *per sempre* pér *sèmm*·pré
pourboire *mancia* f *mann*·tcha
pourcentage *percentuale* f pér·tchènn·tou·a·lé
pourquoi *perché* pér·*ké*
pousser *spingere* *spinn*·djé·ré
pousses de soja *germogli* m pl *(di soia)* djér·*mo*·lyi (di *so*·ya)
pouvoir *potere* m po·tè·*ré*
pouvoir *potere* po·tè·*ré*
poux *pidocchi* m pl pi·*dok*·ki
précédent(e) *precedente* pré·tché·*dènn*·té

précieux(euse) *prezioso/a* m/f
pré·*tsyo*·zo·a

préféré(e) *preferito/a* m/f pré·fé·*ri*·to/a

préférer *preferire* pré·fé·*ri*·ré

premier *primo* m
— **ministre** *primo ministro* m/f *pri*·mo
mi·*ni*·stro

première *prima* f *pri*·ma

prendre *prendere* prènn·dé·ré

préparer *preparare* pré·pa·*ra*·ré

près (de) *vicino (a)* vi·*tchi*·no (a)

préservatif *preservativo* m pré·zér·va·*ti*·vo

président *presidente* m/f pré·zi·*dènn*·té

pressé(e) *fretta* frèt·ta

pressing *lavanderia* f la·vann·dé·*ri*·a

pression *pressione* f prés·*syo*·né

prêt(e) *pronto/a* m/f *pronn*·to/a

prêtre *prete* *prè*·té

prier *pregare* pré·*ga*·ré

prière *preghiera* f pré·*guyè*·ra

principal(e) *principale* prinn·tchi·*pa*·lé

printemps *primavera* f pri·ma·vè·ra

prise (électrique) *spina* f *spi*·na
— **multiple** *spina f multipla* *spi*·na
moul·ti·pla

prison *prigione* f pri·*djo*·né

prisonnier(ère) *prigioniero/a* m/f
pri·djo·*nyè*·ro/a

privé(e) *privato/a* m/f pri·*va*·to/a

prix *prezzo* m *prè*·tso
— **du billet** *prezzo m d'ingresso*
prè·tso dinn·*grès*·so

problème *problema* m pro·*blè*·ma
— **cardiaque** *problema* m
cardiaco pro·*blè*·ma kar·*di*·a·ko

prochain(e) *prossimo/a* m/f *pros*·si·mo/a

proche *vicino/a* m/f vi·*tchi*·no/a

produire *produrre* pro·*dour*·ré

produits artisanaux *oggetti* m pl
d'artigianato o·*djèt*·ti dar·ti·dja·*na*·to

professeur(e) *professore/professoressa* m/f
pro·fés·so·ré/pro·fés·so·rés·sa

profession *mestiere* m mé·*styè*·ré

profit *profitto* m pro·*fit*·to

profond(e) *profondo/a* m/f
pro·*fonn*·do/a

programme *programma* m pro·*gram*·ma

projecteur *proiettore* m pro·yét·*to*·ré

---

promenade *gita* f *dji*·ta • *passeggiata* f
pas·sé·*dja*·ta

promesse *promessa* f pro·*mès*·sa

propre *pulito/a* m/f pou·*li*·to/a

propriétaire *padrone/padrona* m/f *di casa*
pa·*dro*·né/pa·*dro*·na di *ka*·za

propriétaire *proprietario/a* m/f
pro·pri·é·*ta*·ryo/a

prorogation *proroga* f pro·ro·ga

protégé(e) *protetto/a* m/f pro·*tèt*·to/a

protéger *proteggere* pro·*tè*·djé·ré

protester *protestare* pro·té·*sta*·ré

provisions *provviste* f pl prov·*vi*·sté
— **alimentaires** *provviste* m pl
alimentari prov·*vi*·sté a·li·mènn·*ta*·ri

prugne *prugna* f *prou*·nya

prune *prugna* f *prou*·nya

pub *pub* m poub

puce *pulce* f *poul*·tché

pull *maglione* m ma·*lyo*·né

pur(e) *puro/a* m/f pou·ro/a

Q

quai *binario* m bi·*na*·ryo

qualité *qualità* f kwa·li·*ta*

quand *quando* kwann·do

quantité *quantità* f kwann·ti·*ta*

quarantaine *quarantena* f kwa·rann·tè·na

quart *quarto* m *kwar*·to

quartier *quartiere* m kwar·*tyè*·ré

quasiment *quasi* kwa·zi

quatre *quattro* kwat·tro

quatrième *quarto* kwar·to

quelque chose *qualcosa* kwal·ko·za

quelques *alcuni/e* m/f pl
al·kou·ni/é

question *domanda* f do·*mann*·da • **poser
une question** *fare una domanda* fa·ré
ou·na do·mann·*da*

queue *coda* f ko·da

qui *chi* ki

quincaillerie *ferramenta* f fér·ra·*mènn*·ta

quinze jours *quindici giorni* m pl
kwinn·di·tchi djor·ni

quoi *che (cosa)* ké (*ko*·za)

R

racisme *razzismo* m ra·*tsiz*·mo
raconter *raccontare* rak·konn·*ta*·ré
radiateur *radiatore* m ra·dya·*to*·ré
radis *ravanello* m ra·va·*nèl*·lo
raide *ripido/a* m/f ri·*pi*·do/a
raifort *rafano* m ra·fa·no
raisin(s) *uva* f pl *ou*·va
raisins secs *uva* f *passa ou*·va *pas*·sa
raison *ragione* f ra·*djo*·né
ramasser *raccogliere* rak·ko·lyé·ré
randonnée *escursione* f è·skour·*syo*·né
  — pédestre *escursionismo* m *a piedi*
  è·skour·syo·*niz*·mo a *pyè*·dé
rapide *rapido/a* m/f *ra*·pi·do/a • *veloce*
  vé·*lo*·tché
rapport *rapporto* m rap·*por*·to
rapports protégés *rapporti* m pl *protetti*
  rap·*por*·ti pro·*tèt*·ti
raquette *racchetta* f rak·*kèt*·ta
rare *raro/a* m/f *ra*·ro/a
rasage *rasatura* f ra·za·*tou*·ra
raser *fare la barba* fa·ré la *bar*·ba
rasoir *rasoio* m (*elettrico*) ra·*zo*·yo
  (é·*lèt*·tri·ko)
rat *topo* m *to*·po
rayon(s) *raggio/raggi* m ra·djo/*ra*·dji
réalisateur(trice) *regista* m et f ré·*dji*·sta
réaliste *realistico/a* m/f
  ré·a·*li*·sti·ko/a
récemment *di recente* di ré·*tchènn*·té
recevoir *ricevere* ri·*tchè*·vé·ré
récifs *scogliera* f sko·lyè·ra
récit *racconto* m rak·*konn*·to
recommandé (*posta*) *raccomandata* f
  (*po*·sta) rak·ko·mann·*da*·ta
recommander *raccomandare*
  rak·ko·mann·*da*·ré
reçu *ricevuta* f ri·tché·*vou*·ta
recyclable *riciclabile* ri·tchi·*kla*·bi·lé
recycler *riciclare* ri·tchi·*kla*·ré
réfrigérateur *frigo* m *fri*·go
réfugié *rifugiato/a* m/f ri·fou·*dja*·to/a
refuser *rifiutare* ri·fyou·*ta*·ré
regarder *guardare* gwar·*da*·ré
régime *dieta* f *dyè*·ta

région *regione* f ré·*djo*·né
régional(e) *regionale* ré·djo·*na*·lé
règle *regola* f *rè*·go·la
règles *mestruazioni* f pl mé·strou·a·*tsyo*·ni
reine *regina* f ré·*dji*·na
religion *religione* f ré·li·*djo*·né
relique *reliquia* f ré·*li*·kwi·a
remboursement *rimborso* m rimm·*bor*·so
remercier *ringraziare* rinn·gra·*tsya*·ré
remonte-pente *sciovia* f cho·*vi*·a
rencontrer *incontrare* inn·konn·*tra*·ré
rendez-vous *appuntamento* m
  ap·pounn·ta·*mènn*·to
rendre visite *andare a trovare* ann·*da*·ré
  a tro·*va*·ré
réparer *riparare* ri·pa·*ra*·ré
repas *pranzo* m *prann*·dzo
  — froid *pasto* m *freddo* pa·sto frè·do
réponse *risposta* f ri·*spo*·sta
reposer *riposare* ri·po·za·ré
réseau *rete* f *rè*·té
réservation *prenotazione* f
  pré·no·ta·*tsyo*·né
réserver *prenotare*
  pré·no·*ta*·ré
réserves *provviste* m pl prov·*vi*·sté
résidence universitaire *collegio* m
  universitario kol·lè·djo ou·ni·vér·si·*ta*·ryo
respirer *respirare* ré·spi·*ra*·ré
restaurant *ristorante* m ri·sto·*rann*·té
  • *locale* m lo·*ka*·lé
retard *ritardo* m ri·*tar*·do • **en retard** *in*
  ritardo inn ri·*tar*·do
retourner *ritornare* ri·tor·*na*·ré
retrait des bagages *ritiro* m *bagagli* ri·*ti*·ro
  ba·*ga*·lyi
retraite *pensione* f pènn·*syo*·né • **(à) la**
  retraite (*in*) *pensione*
  (inn) pènn·*syo*·né
retraité(e) *pensionato/a* m/f
  pènn·syo·*na*·to/a
rétribution *compenso* m komm·*pènn*·so
rêve *sogno* m *so*·nyo
réveil *sveglia* f *svè*·lya
réveiller *svegliare* své·*lya*·ré
  se réveiller *svegliarsi* své·*lyar*·si
rêver *sognare* so·*nya*·ré

revue *rivista* f ri·*vi*·sta

rhume *raffredore* m raf·frè·do·ré
- **rhume des foins** *febbre* f *da fieno* *fèb*·bre da *fyè*·no • **enrhumé(e)** *raffreddato/a* m/f raf·fréd·*da*·to/a

riche *ricco/a* m/f *rik*·ko/a

rien *niente* *nyènn*·té

rire *ridere* ri·dé·ré

risque *rischio* m *ri*·skyo

ristourne *sconto* m *skonn*·to

rivière *fiume* m *fyou*·mé

riz *riso* m *ri*·zo
- **complet** *riso* m *integrale* ri·zo inn·té·*gra*·lé

robe *abito* m *a*·bi·to

robinet *rubinetto* m rou·bi·*nèt*·to

roche *roccia* f *ro*·tcha

(musique) rock *(musica)* f *rock* *(mou*·zi·ka) rok

roi *re* m ré

roman *romanzo* m ro·*mann*·dzo
- **architecture romane** *architettura romanica* f ar·kit·tét·*tou*·ra ro·*ma*·ni·ka

romantique *romantico/a* m/f ro·*mann*·ti·ko/a

rond(e) *rotondo/a* m/f ro·tonn·do/a

rond-point *rotonda* m ro·*tonn*·da

rose *rosa* m/f ro·za

roue *ruota* f *rwo*·ta

rouge *rosso/a* m/f *ros*·so/a

rouge à lèvres *rossetto* m ros·sèt·to

rougeole *morbillo* m mor·*bil*·lo

rougeurs *sfogo* m *sfo*·go

route *strada* f *stra*·da

rue *strada* f *stra*·da

ruelle *vicolo* m *vi*·ko·lo

ruines *rovine* f pl ro·vi·né

ruisseau *ruscello* m rou·*chèl*·lo

rythme *ritmo* m *ri*·tmo

S

sable *sabbia* f *sa*·bya

sac *borsa* f *bor*·sa
- **à dos** *zaino* m *dza*·i·no
- **à main** *borsetta* f bor·*sèt*·ta
- **de couchage** *sacco* m *a pelo* *sak*·ko a *pè*·lo

sachet *sacchetto* m sak·*kèt*·to

saint *santo/a* m/f *sann*·to/a

Saint-Sylvestre *san Silvestro* m sann sil·*vè*·stro

saison *stagione* f sta·*djo*·né

salade *insalata* f inn·sa·*la*·ta

salaire *stipendio* m sti·*pènn*·dyo

sale *sporco/a* m/f *spor*·ko/a

salle *sala* f *sa*·la
- **d'attente** *sala* f *d'attesa* *sa*·la dat·*tè*·sa
- **de bain(s)** *bagno* m *ba*·nyo
- **de gym** *palestra* f pa·*lè*·stra
- **de transit** *sala* f *di transito sa*·la di *trann*·zi·to

salon de coiffure *parrucchiere* m par·rou·*kyè*·ré

samedi *sabato* m *sa*·ba·to

sanctuaire *santuario* m sann·tou·*a*·ryo

sandales *sandali* m pl *sann*·da·li

sandwich *panino* m pa·*ni*·no • *tramezzino* m tra·mé·*dzi*·no

sang *sangue* m *sann*·gwé

sans *senza* *sènn*·tsa
- **plomb** *senza piombo* *sènn*·tsa *pyomm*·bo

sans-abri *senzatetto* m&f sènn·tsa·*tèt*·to

santé *salute* f sa·*lou*·té

sardine *sardina* f sar·*di*·na

sauce *sugo* m *sou*·go
- **au piment rouge** *salsa* f *di peperoncino rosso sal*·sa di pé·pé·ronn·*tchi*·no *ros*·so
- **de soja** *salsa* f *di soia sal*·sa di *so*·ya
- **tomate** *salsa* f *di pomodoro sal*·sa di po·mo·*do*·ro

saucisse *salsiccia* f sal·*si*·tcha

saucisson *salame* m sa·*la*·mé

saumon *salmone* m sal·*mo*·né

sauna *sauna* f *sa*·ou·na

sauter *saltare* sal·*ta*·ré

savoir *sapere* sa·*pè*·ré

savon *sapone* m sa·*po*·né

savoureux(euse) *gustoso/a* m/f gou·*sto*·zo/a

scanner *scanner* m *skan*·nér

scène (théâtre) *palcoscenico* m pal-ko-chè-ni-ko

science *scienza* f chènn-tsa

score *punteggio* m pounn-tè-djo

sculpture *scultura* f skoul-tou-ra

seau *secchio* m sèk-kyo

sec/sèche *secco/a* m/f sèk-ko/a

second(e) *secondo/a* m/f sé-konn-do/a

seconde *secondo* m sé-konn-do

secrétaire *segretario/a* m/f sé-gré-ta-ryo/a

sein *seno* m sè-no

sel *sale* m sa-lé

self-service *self-service* self-sèr-vi-se

selle *sella* f sèl-la

semaine *settimana* f sét-ti-ma-na

— **de Pâques** *settimana* f santa sét-ti-ma-na sann-ta

semblable *simile* m/f si-mi-lé

sensuel(le) *sensuale* m/f sénn-sou-a-lé

sentier *sentiero* m sènn-tyè-ro

— **de montagne** *sentiero* m di monta-gna sènn-tyè-ro di monn-ta-nya

— **de randonnée** *itinerario* m escursionistico i-ti-né-ra-ryo é-skour-syo-ni-sti-ko

sentiments *sentimenti* m pl sènn-ti-mènn-ti

sentir *sentire* sènn-ti-ré

séparé(e) *separato/a* m/f sé-pa-ra-to/a

série (télévisée) *serie (televisiva)* sè-ryé (té-lé-vi-si-va) • *telenovela* f té-lé-no-vè-la

sérieux(euse) *serio/a* m/f sè-ryo/a

seringue *siringa* f si-rinn-ga

séropositif(ive) *sieropositivo/a* m/f syé-ro-po-zi-ti-vo/a

serpent *serpente* m sér-pènn-té

serrure *serratura* f sér-ra-tou-ra

serveur(euse) *cameriere/a* m/f ka-mé-ryè-ré/a

service *servizio* m sér-vi-tsyo

— **militaire** *servizio* m militare sér-vi-tsyo mi-li-ta-ré

serviette *asciugamano* m a-chou-ga-ma-no

— **de table** *tovagliolo* m to-va-lyo-lo

— **hygiénique** *salva slip* m sal-va slipe • *pannolino* m pan-no-li-no

serviettes hygiéniques *assorbenti* m pl igienici as-sor-bènn-ti i-djè-ni-tchi

seul(e) *da solo/a* m/f da so-lo/a

seulement *solo* so-lo

sexe *sesso* m sès-so

sexisme *sessismo* m sés-siz-mo

shampooing *shampoo* m shamm-pou

short *pantaloncini* m pl pann-ta-lonn-tchi-ni

si *se* sé

— **seulement** *magari* m ma-ga-ri

sida *AIDS* m aille-dze

siège *posto* m po-sto

— **enfant** *seggiolino* m sé-djo-li-no

signature *firma* f fir-ma

signe *segno* m sè-nyo

simple *semplice* m/f sèmm-pli-tché

sirop pour la toux *sciroppo* m per la tosse chi-rop-po pér la tos-sé

skier *sciare* cha-ré

ski *sci* m chi

— **nautique** *sci* m acquatico chi a-kwa-ti-ko

Slovénie *Slovenia* f slo-vè-nya

socialiste *socialista* m et f so-tcha-li-sta

soda *bibita* f bi-bi-ta

sœur *sorella* f so-rèl-la

sœur (religieuse) *suora* f swo-ra

soie *seta* f sè-ta

soif *sete* f sè-té • *avoir soif* avere sete f a-vè-ré sè-té

soigner *curare* kou-ra-ré

soir *sera* f sè-ra

ce soir *stasera* sta-sè-ra

sol *pavimento* m pa-vi-mènn-to

soldat *soldato* m sol-da-to

solde *saldo* m sal-do

soldes *saldi* m sal-di

soleil *sole* m so-lé

sombre *scuro/a* m/f skou-ro/a

sommeil *sonno* m son-no • *avoir sommeil* avere sonno m a-vè-ré son-no

somnifère *sonnifero* m son-ni-fé-ro

sortie *uscita* f ou-chi-ta

sortir (avec) *uscire (con)* ou-chi-ré (konn)

souhaiter *desiderare* dé-zi-dé-ra-ré • *augurare* a-o-gou-ra-ré • **souhaiter la bienvenue à** *dare il benvenuto a* da-ré il bènn-vé-nou-to a

soupe *minestra* f mi-nè-stra

sourd(e) *sordo/a* m/f sor-do/a

sourire *sorridere* sor·ri·dé·ré
souris (d'ordinateur) *mouse* m ma·ousse
souris (rongeur) *topò* m to·po
sous *sotto* sot·to
sous-titres *sottotitoli* m pl sot·to·ti·to·li
soutien-gorge *reggiseno* m ré·dji·sè·no
souvenir *ricordo* m ri·kor·do · **se souvenir**
  ricordarsi m ri·kor·dar·si
souvent *spesso* spès·so
sparadrap *cerotti* m pl tché·rot·ti
spécial(e) *speciale* spé·tcha·lé
spécialement *specialmente*
  spé·tchal·mènn·té
spécialist(e) *specialista* m et f
  spé·tcha·li·sta
spectacle *spettacolo* m spét·ta·ko·lo
spermicide *spermicida* f
  spér·mi·tchi·da
spirale *spirale* f spi·ra·lé
sport *sport* m sport
sportif(ive) *sportivo/a* m/f
  spor·ti·vo/a
sports aquatiques *sport* m *acquatici* sport
  a·kwa·ti·tchi
  — automobiles *automobilismo* m
  a·ou·tô·mo·bi·liz·mo
stade *stadio* m sta·dyo
station *stazione* f sta·tsyo·né
  — de métro *stazione* f *della metropolitana* sta·tsyo·né dèl·la mé·tro·po·li·ta·na
  — de taxis *posteggio* m *di tassì*
  po·stè·djo di ta·si
station-service *stazione* f *di servizio*
  sta·tsyo·né di sér·vi·tsyo · *distributore* m
  di·stri·bou·to·ré
statue *statua* f sta·tou·a
steak *bistecca* f bi·stèk·ka
stick pour les lèvres *burro* m *per le labbra*
  bour·ro pér lé la·bra
stupide *stupido/a* m/f stou·pi·do/a
style *stile* m sti·lé
stylo (à bille) *penna* f *(a sfera)*
  pèn·na (a sfè·ra)
sucette *ciucciotto* m tchou·tchot·to
sucre *zucchero* m tsouk·ké·ro
sucreries *dolciumi* m pl dol·tchou·mi
sud *sud* m soude

Suisse *Svizzera* f svi·tsè·ra
suivre *seguire* sé·gwi·ré
supermarché *supermercato* m
  sou·pér·mér·ka·to
superstition *superstizione* f
  sou·pér·sti·tsyo·né
supporter *fare il tifo* fa·ré il ti·fo
supporteurs *tifosi* m pl ti·fo·zi
supporteur(trice) *tifoso/a* m/f ti·fo·zo/a
sur *sopra* so·pra · *su* sou
sur(e) *sicuro/a* m/f si·kou·ro/a
surf des neiges *surf* m *da neve*
  sourf da nè·vé
surgelés *surgelati* m pl sour·djé·la·ti
surnom *soprannome* m so·pran·no·mé
surprise *sorpresa* f sor·prè·sa
synagogue *sinagoga* f si·nà·go·ga
synthétique *sintetico/a* m/f sinn·tè·ti·ko/a

T

tabac *tabacco* m ta·bak·ko
tabac (magasin) *tabaccheria* f
  ta·bak·ké·ri·a
table *tavola* f ta·vo·la
tableau *quadro* m kwa·dro
tachymètre *tachimetro* m
  ta·ki·mé·tro
taille (vêtements) *taglia* f ta·lya
taille-crayon *temperino* m tèmm·pé·ri·no
talc *borotalco* m bo·ro·tal·ko
tampons *tamponi* m pl tamm·po·ni
tante *zia* f tsi·a
tard *tardi* tar·di
tarif *tariffa* f ta·rif·fa
tasse *tazza* f ta·tsa
taux de change *tasso* m *di cambio* tas·so
  di kamm·byo
taxe *tassa* f ta·sa
  — d'aéroport *tassa* f *aeroportuale* tas·sa
  a·é·ro·por·tou·a·lé
taxi *tassì* m tas·si
tee-shirt *maglietta* f ma·lyèt·ta
télécommande *telecomando* m
  té·lé·ko·mann·do
télégramme *telegramma* m té·lé·gram·ma
téléobjectif *teleobiettivo* m té·lé·o·byét·ti·vo

téléphérique *funivia* f fou·ni·*vi*·a
téléphone *telefono* m té·lè·fo·no
— **public** *telefono* m *pubblico* té·lè·fo·no *pou*·bli·ko
téléphoner *telefonare* té·lé·fo·*na*·ré
télésiège *seggiovia* f sé·djo·*vi*·a
télévision *televisione* f té·lé·vi·zyo·né
température *temperatura* f témm·pé·ra·*tou*·ra
temple *tempio* m tèmm·pyo
temps *tempo* m tèmm·po
· **à temps partiel** *ad orario ridotto* ad o·*ra*·ryo ri·*dot*·to
tennis *tennis* m tèn·ni·se
— **de table** *ping-pong* m pinng·*ponng*
tension artérielle *pressione* f *del sangue* prés·syo·né dél *sann*·gwé
tente *tenda* f tènn·da
terrain *campo* m kamm·po
— **de golf** *campo* m *da golf* kamm·po da golf
— **de jeux** *parco* m *giochi* par·ko *djo*·ki
— **de tennis** *campo* m *da tennis* kamm·po da tèn·ni·se
terre *terra* f tèr·ra · **Terre** *Terra* f tèr·ra
terrible *terribile* m/f tér·ri·bi·lé
test de grossesse *test* m *di gravidanza* tést di gra·vi·*dann*·tsa · *pap test* m pap tèste
tête *testa* f tè·sta
tétine *ciuccotto* m tchou·*tchot*·to
thé *tè* m tè
théâtre *teatro* m té·*a*·tro
thon *tonno* m ton·no
tiède *tiepido/a* m/f tyè·pi·do/a
timbre *francobollo* m frann·ko·*bol*·lo
timide *timido/a* m/f ti·mi·do/a
tirer *tirare* ti·*ra*·ré
tofu *tofu* m to·fou
toilettes *gabinetto* m ga·bi·*nèt*·to
— **publiques** *gabinetto* m *pubblico* ga·bi·*nèt*·to poub·bli·ko
tomate *pomodoro* m po·mo·*do*·ro
tombe *tomba* f tomm·ba
tonalité *segnale* m *(acustico)* sé·*nya*·lé (a·*kou*·sti·ko)
torche électrique *torcia* f *elettrica* tor·tcha é·*lèt*·tri·ka

toucher *toccare* tok·*ka*·ré
toujours *sempre* sèmm·pré
tour *torre* f tor·ré
touriste *turista* m et f tou·*ri*·sta
tourner *girare* dji·*ra*·ré
tourte *torta* f tor·ta
tout(e) *tutto/a* m/f tout·to/a
tous/toutes *tutti/e* m/f tout·ti/é
tousser *tossire* tos·*si*·ré
toux *tosse* tos·sé
toxicomane *tossicomane* m tos·si·ko·ma·né
toxicomanie *tossicodipendenza* f tos·si·ko·di·pènn·*dènn*·tsa
trace *pista* f *pi*·sta
traduire *tradurre* tra·*dour*·ré
trafic *traffico* m *traf*·fi·ko
train *treno* m trè·no
traitement *salario* m sa·*la*·ryo · **traitement médical** *trattamento* m trat·ta·*ménn* to, *cura* f cou·ra
tram *tram* m tram
tranche *fetta* f fèt·ta
tranquille *tranquillo/a* m/f trann·*kwil*·lo/a
transport *trasporto* m tra·*spor*·to
travail *lavoro* m la·vo·ro
travailler *lavorare* la·vo·ra·ré
— **à son compte** *lavorare in proprio* la·vo·*ra*·ré inn pro·pri·o
travailleur(euse) *lavoratore/lavoratrice* m/f la·vo·ra·to·ré/la·vo·ra·*tri*·tché
traveller's chèque *assegno* m *di viaggio* as·*sè*·nyo di *vya*·djo
travesti *travestito* m tra·vé·*sti*·to
tremblement de terre *terremoto* m tér·ré·mo·to
triste *triste* tri·sté
troisième *terzo/a* m/f tèr·tso/a
trop *troppo/a* m/f sg trop·po/a
trop (cher/chère) *troppo (caro/a)* trop·po (*ka*·ro/a)
trop de *troppi/e* m/f pl trop·pi/e
trottoir *marciapiede* m mar·tcha·*pyè*·dé
trouble *disturbo* dis·*tour*·bo
troubles liés au décalage horaire *disturbi* m pl *da fuso orario* di·*stour*·bi da fou·zo o·*ra*·ryo

trousse de premiers secours *corredo* m *antinfortunistico* kor-rè-do ann-tinn-for-tou-ni-sti-ko

trouver *trovare* tro-va-ré

tu *tu* tou

tuer *ammazzare* am-ma-*tsa*-ré

TV f *TV* f ti-*vou*

TVA f *IVA* f i-va

type *tipo* m *ti*-po

typique *tipico/a* m/f *ti*-pi-ko/a

U

ulcère *ulcera* f oul-*tchè*-ra

ultérieur(e) *ulteriore* oul-té-*rio*-ré

ultime *ultimo* ôul-ti-mo

ultrasensible *ultrasensibile* oul-tra-sènn-si-bi-lé

unanime *unanime* ou-*na*-ni-mé

unifier *unificare* ou-ni-fi-*ka*-ré

uniforme *divisa* f di-*vi*-za

union *unione* f ou-*nyo*-né

unique *unico/a* m/f ou-ni-ko/a

univers *universo* m ou-ni-*vér*-so

universel(le) *universale* ou-ni-vér-*sa*-lé

université *università* f ou-ni-vér-si-*ta*

urgence *emergenza* f é-mér-*djènn*-tsa

urgent(e) *urgente* m/f our-*djènn*-té

usager *utente* m/f ou-*tènn*-té

user *usare* ou-za-ré

usine *fabbrica* f *fab*-bri-ka

ustensile *utensile* ou-tènn-*si*-lé

utile *utile* ou-ti-lé

V

vacance *vacanza* f va-*kann*-tsa

vacant(e) *libero/a* m/f *li*-bè-ro/a

vaccination *vaccinazione* f va-tchi-na-*tsyo*-né

vache *mucca* f *mouk*-ka

vagin *vagina* f va-*dji*-na

vague *onda* f *onn*-da

valeur *valore* m va-*lo*-ré

valider *convalidare* konn-va-li-*da*-ré

valise *valigia* f va-*li*-dja

vallée *valle* f *val*-lé

veau *vitello* m vi-*tèl*-lo

végétarien(ne) *vegetariano/a* m/f vé-djé-ta-*rya*-no/a

vélo *bici* f *bi*-tchi

— **de course** *bici* f *da corsa* *bi*-tchi da *kor*-sa

— **tout-terrain** *mountain bike* m mounn-tènn baille-ke

velours *velluto* m vél-*lou*-to

vendre *vendere* vènn-dé-ré

vénéneux(euse) *velenoso/a* m/f vé-lé-*no*-zo/a

venir *venire* vé-ni-ré

vent *vento* m vènn-to

vente *vendita* f vènn-di-ta

ventilateur *ventilatore* m vènn-ti-la-*to*-ré

verre (matière) *vetro* m *vè*-tro

verre (pour boire) *bicchiere* m bik-*kyè*-ré

vert(e) *verde* vèr-dé

veste *giacca* f *djak*-ka

vestiaire *spogliatoio* m spo-lya-to-yo

vêtement(e) *abbigliamento* m ab-bi-lya-*mènn*-to

veuf/veuve *vedovo/vedova* m/f vé-do-vo/ vé-*do*-va

via *via* f *vi*-a

viande *carne* f *kar*-né

— **blanche** *carne* f *bianca* kar-né *byann*-ca

— **hachée** *carne* f *tritata* kar-né tri-*ta*-ta

— **rouge** *carne* f *rossa* kar-né *ros*-sa

vide *vuoto/a* m/f *vwo*-to/a

vie *vita* f *vi*-ta

vieux/vieille *vecchio/a* m/f *vèk*-kyo/a

vignette *bollo* m *di circolazione* *bol*-lo di tchir-ko-la-*tsyo*-né

vignoble *vigneto* m vi-*nyè*-to

village *villaggio* m vil-*la*-djo

ville *città* f tchit-*ta*

vin *vino* m *vi*-no

— **blanc** *vino* m *bianco* *vi*-no byann-ko

— **mousseux** *vino* m *spumante* *vi*-no spou-*mann*-té

— **rouge** *vino* m *rosso* *vi*-no *ros*-so

vinaigre *aceto* m a-*tchè*-to

viol *stupro* m *stou*-pro

violet *viola* *vyo*-la

virus *virus* m vi·rou·se

visa *visto* m vi·sto

visage *faccia* f fa·tcha

visite *visita* f vi·zi·ta **· rendre visite**
andare a trovare ann·da·ré a
tro·va·ré

— **guidée** *visita* f *guidata* vi·zi·ta
gwi·da·ta

visiter *visitare* vi·si·ta·ré **·** *fare una visita* fa·ré
ou·na vi·si·ta

vitamines *vitamine* f pl vi·ta·mi·né

vitesse *velocità* f vé·lo·tchi·ta

vivre *vivere* vi·vé·ré

voir *vedere* vé·dè·ré

voisin(e) *vicino/a* m/f vi·tchi·no/a

voiture *macchina* f mak·ki·na

voix *voce* f vo·tché

vol *volo* m vo·lo

volé(e) *rubato/a* m/f rou·ba·to/a

voler *volare* vo·la·ré

voler (quelqu'un/quelque chose)
(de)rubare (dé)·rou·ba·ré

voleur(euse) *ladro/a* m/f la·dro/a

volley-ball *pallavolo* f pal·la·vo·lo

vomir *vomitare* vo·mi·ta·ré

voter *votare* vo·ta·ré

vouloir *volere* vo·lè·ré

vous (de politesse) *Lei* leille

voyage d'affaires *viaggio* m *d'affari*
vya·djo da·fa·ri

voyager *viaggiare* vya·dja·ré

vrai(e) *vero/a* m/f vè·ro/a

vue *vista* f vi·sta

W

W.-C. *servizi* m pl *igienici* sér·vi·tsi

wagon-lit *vagone* m *letto*
va·go·né lèt·to

wagon-restaurant *carrozza* f *ristorante*
kar·ro·tsa ri·sto·rann·té

week-end *fine settimana* m fi·né
sét·ti·ma·na

Y

yaourt *yogurt* m yo·gourte

Z

zoo *giardino* m *zoologico* djar·di·no
dzo·o·lo·dji·ko

zoom *zoom* m dzoumm

Le genre des noms et des adjectifs est indiqué par un **m** (masculin) et/ou un **f** (féminin). Si le mot est au pluriel, il sera suivi de pl. Les adjectifs qui se terminent par -e, qui ont la même forme au masculin et au féminin, ne sont suivis d'aucune indication. Les mots et les expressions de ce dictionnaire sont classés par ordre alphabétique. Pour rechercher une expression, rendez-vous au premier mot (par exemple : **in buona salute** *en bonne santé* est classée à "in").

A

a a *à*

a bordo a *bor*·do *à bord*

abbastanza ab·ba·*stann*·tsa *assez*

abbigliamento m ab·bi·lya·*mènn*·to *vêtement(s)*

abbracciare ab·bra·*tcha*·ré *embrasser*

abitare a·bi·*ta*·ré *habiter (quelque part)*

abito m *a*·bi·to *robe*

aborto m a·*bor*·to *avortement*

— **spontaneo** sponn·*ta*·né·o *fausse couche*

accanto ak·*kann*·to *à côté*

accanto a ak·*kann*·to a *à côté de*

accendino m a·tchènn·*di*·no *briquet*

accetazione f a·tché·ta·*tsyo*·né *enregistrement (aéroport)*

aceto m a·*tchè*·to *vinaigre*

acqua f *a*·kwa *eau*

— **bollita** bol·*li*·ta *eau bouillie*

— **calda** *kal*·da *eau chaude*

— **del rubinetto** dél rou·bi·*nèt*·to *eau du robinet*

— **minerale** mi·né·*ra*·lé *eau minérale*

— **non gassata** nonn gas·*sa*·ta *eau naturelle*

adesso a·*dès*·so *maintenant*

adulto/a m/f a·*doul*·to/a *adulte*

aereo m a·*è*·ré·o *avion*

aerobica f a·é·*ro*·bi·ka *aérobic*

aeroporto m a·é·ro·*por*·to *aéroport*

affari m pl af·*fa*·ri *affaires*

affascinante af·fa·chi·*nann*·té *fascinant(e) • attirant(e)*

affitto m af·*fi*·to *loyer*

affollato/a m/f af·fo·*la*·to/a *bondé(e)*

agenda f a·*djènn*·da *agenda*

agenzia f di viaggio a·djènn·*tsi*·a di *vya*·djo *agence de voyages*

agganciare ag·gann·*tcha*·ré *accrocher*

aggiustare a·djou·*sta*·ré *réparer*

aggressivo/a m/f ag·gré·*si*·vo/a *agressif(ive)*

aglio m *a*·lyo *ail*

agnello m a·*nyèl*·lo *agneau*

ago m *a*·go *aiguille*

agopuntura f a·go·pounn·*tou*·ra *acupuncture*

agricoltore/agricoltrice m/f a·gri·kol·*to*·ré/a·gri·kol·*tri*·tché *agriculteur(trice)*

agricoltura f a·gri·kol·*tou*·ra *agriculture*

AIDS m aille·di·è·*sé* (ou aille·*dze*) *sida*

aiutare a·you·*ta*·ré *aider*

ala f *a*·la *aile*

alba f *al*·ba *aube*

albergo m al·*bèr*·go *hôtel*

albero m al·*bé*·ro *arbre*

albicocca f al·bi·*ko*·ka *abricot*

alcuni/e m/f pl al·*kou*·ni/é *certain(e)s • quelques*

alimentari m a·li·mènn·*ta*·ri *épicerie • supérette*

alimento m a·li·*mènn*·to *aliment*

al giorno al *djor*·no *par jour*

al mare al *ma*·ré *à la mer*

all'estero al·*lè*·sté·ro *à l'étranger*

allenamento m al·lé·na·*mènn*·to *entraînement*

allergia f al·lér·*dji*·a *allergie*

alloggio m al-lo-djo *logement*

allucinare al-lou-tchi-na-ré *impressionner*

alpinismo m al-pi-niz-mo *alpinisme*

altare m al-ta-ré *autel*

altezza f al-tè-tsa *hauteur*

alto/a m/f al-to/a *haut(e) • grand(e)*

altopiano m al-to-pya-no *plateau*

altro/a m/f al-tro/a *autre*

— **ieri** m yè-ri *avant-hier*

amaca f a-ma-ka *hammac*

amante m/f a-mann-té *amant • maîtresse*

amare a-ma-ré *aimer*

ambasciata f amm-ba-cha-ta *ambassade*

ambasciatore/ambasciatrice m/f amm-ba-cha-to-ré/amm-ba-cha-tri-tché *ambassadeur(drice)*

ambiente m amm-byènn-té *environnement*

ambulanza f amm-bou-lann-tsa *ambulance*

amico/a m/f a-mi-ko/a *ami(e)*

ammazzare am-ma-tsa-ré *tuer*

amministrazione f am-mi-ni-stra-tsyo-né *administration*

analgesico m a-nal-djé-zi-ko *analgésique*

analisi f **del sangue** a-na-li-si dél sann-gwé *analyse de sang*

ananas m a-na-nas *ananas*

anatra f a-na-tra *canard*

anche ann-ké *aussi*

ancora ann-ko-ra *encore*

andare ann-da-ré *aller*

— **a cavallo** a ka-val-lo *faire du cheval*

— **a vedere** a vé-dè-ré *aller voir*

— **in bicicletta** inn bi-tchi-klè-ta *faire du vélo*

— **in slitta** inn slit-ta *faire de la luge*

— **su roccia** sou ro-tcha *faire de l'escalade*

andata f ann-da-ta *aller • solo andata* so-lo ann-da-ta *aller simple • andata e ritorno* ann-da-ta é ri-tor-no *aller-retour*

anello m a-nèl-lo *bague*

angolo m ann-go-lo *angle*

anguria f ann-gou-rya *pastèque*

animale m a-ni-ma-lé *animal*

anno m an-no *année*

annoiato/a m/f an-no-ya-to/a *blasé(e)*

annuale an-nou-a-lé *annuel(le)*

annuncio m an-nounn-tcho *annonce*

antibiotici m pl ann-ti-byo-ti-tchi *antibiotiques*

antico/a m/f ann-ti-ko/a *ancien(ne)*

antinucleare ann-ti-nou-klé-a-ré *antinucléaire*

antisettico m ann-ti-sèt-ti-ko *antiseptique*

antistaminici m pl ann-ti-sta-mi-ni-tchi-antihistaminiques*

ape f a-pé *abeille*

aperto/a m/f a-pèr-to/a *ouvert(e)*

apparecchio m **acustico** ap-pa-rè-kyo a-kou-sti-ko *appareil auditif*

appartamento m ap-par-ta-mènn-to *appartement*

appendice f ap-pènn-di-tché *appendice*

appuntamento m ap-pounn-ta-mènn-to *rendez-vous*

apribottiglie m a-pri-bot-ti-lyé *ouvre-bouteille(s)*

aprire a-pri-ré *ouvrir*

apriscatole m a-pri-ska-to-lé *ouvre-boîte(s)*

arachidi f pl a-ra-ki-di *cacahouètes • arachides*

arancia f a-rann-tcha *orange (fruit)*

arancione a-rann-tcho-né *orange (couleur)*

arbitro m ar-bi-tro *arbitre*

archeologico/a m/f ar-ké-o-lo-dji-ko/a *archéologique*

architetto m ar-ki-tèt-to *architecte*

architettura f ar-ki-tét-tou-ra *architecture*

argento m ar-djènn-to *argent*

aria f a-rya *air*

— **condizionata** konn-di-tsyo-na-ta *air conditionné*

aringa f a-rinn-ga *hareng*

armadietto m ar-ma-dyé-to *armoire*

— **per i bagagli** pér i ba-ga-lyi *casier à bagages*

armadio m ar-ma-dyo *armoire*

arrabbiato/a m/f ar-ra-bya-to/a *en colère*

arrestare ar-ré-sta-ré *arrêter*

arrivare ar-ri-va-ré *arriver*

arrivo m pl ar-ri-vi *arrivée (train ou avion)*

arte f ar-té *art*

arti f pl **marziali** ar-ti mar-tsya-li *arts martiaux*

artista m et f ar-ti-sta *artiste*

ascensore m a-chènn-so-ré *ascenseur*

asciugamano m a-chou-ga-ma-no *serviette*

asciugare a-chou-ga-ré *essuyer*

ascoltare a-skol-ta-ré *écouter*

asilo m a·zi·lo *école maternelle*
— **nido** ni·do *crèche*
asma f az·ma *asthme*
asparagi m pl a·spa·ra·dji *asperges*
aspettare a·spét·ta·ré *attendre*
aspirina f a·spi·ri·na *aspirine*
assegno m as·sè·nyo *chèque*
— **di viaggio** di vya·djo *traveller's chèque · chèque de voyage*
assicurazione f as·si·kou·ra·tsyo·né *assurance*
assistenza f **sociale**
as·si·stènn·tsa so·tcha·lé *aides sociales*
assorbenti m pl **igienici** as·sor·bènn·ti i·djè·ni·tchi *serviettes hygiéniques*
atletica f a·tlè·ti·ka *athlétisme*
atrio m a·tri·o *hall*
attesa f at·tè·sa *attente* · **in lista d'attesa** inn li·sta da·tè·za *sur la liste d'attente*
attrezzatura f at·trè·tsa·tou·ra *équipement*
attualità f at·tou·a·li·ta *actualité*
autobus m a·ou·to·bou·se *(auto)bus*
autostop m a·ou·to·stop *auto-stop*
automatico/a m/f a·ou·to·ma·ti·ko/a *automatique*
automobilismo m a·ou·to·mo·bi·liz·mo *sports automobiles*
autonoleggio m a·ou·to·no·lè·djo *location de voitures*
autostrada f a·ou·to·stra·da *autoroute*
autunno m a·ou·tou·no *automne*
a volte a vol·té *parfois*
avaro/a m/f a·va·ro/a *avare*
avena f a·vè·na *avoine*
avere a·vè·ré *avoir*
— **bisogno di** bi·zo·nyo di *avoir besoin de*
— **fame** fa·mé *avoir faim*
— **fretta** frèt·ta *être pressé(e)*
— **mal di mare** mal di ma·ré *avoir le mal de mer*
— **sete** f sè·té *avoir soif*
— **sonno** m son·no *avoir sommeil*
avocado m a·vo·ka·do *avocat (fruit)*
avventura f av·vènn·tou·ra *aventure*
avvertire av·vèr·ti·ré *avertir*
avvocato/a m/f av·vo·ka·to/a *avocat(e)*
azzurro/a m/f a·dzou·ro/a *bleu(e) (clair)*

B

baby-sitter m et f bé·bi·sit·tér *baby-sitter*
baciare ba·tcha·ré *embrasser*
bacio m ba·tcho *baiser*
bagaglio m ba·ga·lyo *bagage*
— **a mano** a ma·no *bagage à main*
— **consentito** konn·sènn·ti·to *bagage autorisé*
— **in eccedenza** inn é·tché·dènn·tsa *excédent de bagages*
bagnato/a m/f ba·nya·to/a *mouillé(e) · trempé(e)*
bagno m ba·nyo *bain · salle de bain(s) · toilettes*
balcone m bal·ko·né *balcon*
ballare bal·la·ré *danser*
balletto m bal·lèt·to *ballet*
ballo m bal·lo *dance · bal*
balsamo m **per i capelli**
bal·sa·mo pér i ka·pè·li *après-shampooing*
bambino/a m/f bamm·bi·no/a *enfant*
bambola f bamm·bo·la *poupée*
banca f bann·ka *banque*
Bancomat m bann·ko·mat *distributeur (automatique) de billets · carte bancaire*
bancone m bann·ko·né *comptoir*
banconota f bann·ko·no·ta *billet de banque*
bandiera f bann·dyè·ra *drapeau*
bar m bar *café*
barattolo m ba·rat·to·lo *boîte · pot*
barbabietola f bar·ba·byè·to·la *betterave*
barbiere m bar·byè·ré *coiffeur (pour hommes)*
barca f bar·ka *barque*
baseball m bè·zbol *base-ball*
basso/a m/f bas·so/a *bas(se) · petit(e)*
batteria f bat·té·ri·a *batterie*
battesimo m bat·tè·zi·mo *baptême*
bebé m et f bé·bé *bébé*
bello/a m/f bèl·lo/a *beau/belle*
benessere m bé·nès·sé·ré *bien-être*
benvenuto m/f bènn·vé·nou·to *bienvenue · dare il benvenuto a* da·ré il bènn·vé·nou·to a *souhaiter la bienvenue à*
benzina f bènn·dzi·na *essence*
bere bè·ré *boire*

bevanda f bé-*vann*-da *boisson*
biancheria f intima byann-ké-*ri*-a *inn*-ti-ma *lingerie • sous-vêtements*
bianco/a m/f byann-ko/a *blanc/blanche*
bibbia f *bib*-bya *bible*
bibita f bi-*bi*-ta *soda*
biblioteca f bi-bli-o-*tè*-ka *bibliothèque*
bicchiere m bik-*kyè*-ré *verre*
bici f (da corsa) *bi*-tchi (da *kor*-sa) *vélo (de course)*
bicicletta f bi-tchi-*klèt*-ta *bicyclette*
bidone m bi-do-né *bidon • arnaque*
biglietteria f bi-lyét-té-*ri*-a *billetterie*
biglietto m bi-*lyèt*-to *billet*
  — di andata e ritorno
  di ann-*da*-ta é ri-*tor*-no *billet aller-retour*
  — di solo andata di so-lo ann-*da*-ta *billet aller simple*
bilancio m bi-*lann*-tcho *budget*
biliardo m bi-*lyar*-do *billard*
bimbo/a m/f *bimm*-bo/a *enfant*
binario m bi-*na*-ryo *rail*
binocolo m bi-*no*-ko-lo *jumelles*
biondo/a m/f byonn-do/a *blond(e)*
birra f *bir*-ra *bière*
  — chiara *kya*-ra *bière blonde*
biscotto m bi-*skot*-to *biscuit*
bisogno m bi-*zo*-nyo *besoin • avere biso-gno di* a-vè-ré bi-*zo*-nyo di *avoir besoin de*
bistecca f bi-*stèk*-ka *steak • bifteck*
bisticcio m bi-*sti*-tcho *dispute*
bloccato/a m/f blok-*ka*-to/a *bloqué(e)*
blu blou *bleu(e) (foncé)*
bocca f bok-ka *bouche*
boccaglio m bok-*ka*-lyo *embout*
bollo m bol-lo *timbre*
  — di circolazione di tchir-ko-la-*tsyo*-né *vignette (auto)*
bordo m *bor*-do *bord*
borraccia f bor-*ra*-tcha *gourde*
borsa f *bor*-sa *sac*
borsetta f bor-*sèt*-ta *sac (à main)*
bottiglia f bot-*ti*-lya *bouteille*
bottiglieria f bot-ti-lyé-*ri*-a *magasin de vins*
bottone m bot-*to*-né *bouton*
braccio m *bra*-tcho *bras • le braccia* pl *bra*-tchia
braille m braille *braille*

brillante m/f bril-*lann*-té *brillant(e)*
bronchite f bronn-*ki*-té *bronchite*
bruciare brou-*tcha*-ré *brûler*
brutto/a m/f brout-to/a *laid(e)*
buca f *bou*-ka *trou*
  — delle lettere dèl-lé *lèt*-té-ré *boîte aux lettres*
bucatura f bou-ka-*tou*-ra *crevaison*
buddista m et f boud-*di*-sta *bouddhiste*
bugiardo/a m/f bou-*djar*-do/a *menteur(euse)*
buono/a m/f *bwo*-no/a *bon(ne)*
burro m *bour*-ro *beurre*
  — per le labbra pér lé *lab*-bra *stick pour les lèvres*
bussola f *bous*-so-la *boussole*
busta f *bou*-sta *enveloppe*
  — imbottita bou-sta imm-bot-*ti*-ta *enveloppe rembourrée*

C

cabina f ka-*bi*-na *cabine*
  — telefonica té-lé-fo-*ni*-ka *cabine téléphonique*
cacao m ka-*ka*-o *cacao*
caccia f *ka*-tcha *chasse*
caffè m ka-*fè* *café*
calcio m *kal*-tcho *coup de pied • football*
calcolatrice f kal-ko-la-*tri*-tché *calculatrice*
caldo m *kal*-do *chaleur*
caldo/a m/f *kal*-do/a *chaud(e)*
calendario m ka-lènn-*da*-ryo *calendrier*
calze f pl *kal*-tsé *chaussettes • bas*
calzini m pl kal-*tsi*-ni *chaussettes*
cambiare kamm-*bya*-ré *changer*
cambio m *kamm*-byo *échange*
  — valuta f va-*lou*-ta *change*
camera f *ka*-mé-ra *chambre*
  — d'aria *da*-rya *chambre à air*
  — da letto da *lèt*-to *chambre à coucher*
  — doppia *dop*-pya *chambre double*
  — singola *sinn*-go-la *chambre simple*
cameriere/a m/f ka-mé-*ryè*-ré/a *serveur(euse)*
camicia f ka-*mi*-tcha *chemise*
camion m *ka*-myonn *camion*
camminare kam-mi-*na*-ré *marcher*
camminata f kam-mi-*na*-ta *marche*

campagna f kamm·pa·nya campagne
campeggiare kamm·pé·dja·ré camper
campeggio m kàmm·pè·djo camping
campionato m kamm·pyo·na·to championnat
campo m kamm·po champ · domaine
— **da golf** da golf terrain de golf
— **da tennis** da tèn·ni·se terrain de tennis
cancellare kann·tchél·la·ré effacer
cancello m kann·tchél·lo portail
cancro m kann·kro cancer
candela f kann·dè·la chandelle · bougie
cane m ka·né chien
— **guida** gwi·da chien d'aveugle
canottaggio m ka·not·ta·djo aviron
canottiera f ka·not·tyè·ra maillot de corps
cantante m/f kann·tann·té chanteur(euse)
cantare kann·ta·ré chanter
cantina f kann·ti·na cave · cave viticole
canzone f kann·tso·né chanson
caparra f ka·par·ra caution
capire ka·pi·ré comprendre
capo m ka·po chef
Capodanno m ka·po·da·no Jour de l'an
cappello m kap·pèl·lo chapeau
cappotto m kap·pot·to manteau
capra f ka·pra chèvre
carabiniere m ka·ra·bi·nyè·ré carabinier (l'équivalent des gendarmes)
caramella f ka·ra·mèl·la bonbon
— **alla menta** al·la mènn·ta à la menthe
carcere m kar·tché·ré prison
carino/a m/f ka·ri·no/a joli(e) · gentil(le)
carne f kar·né viande
— **tritata** tri·ta·ta viande hachée
caro/a m/f ka·ro/a cher/chère
carota f ka·ro·ta carotte
carpentiere m kar·pènn·tyè·ré charpentier
carrello m ka·rèl·lo chariot
carrozza f kar·ro·tsa carrosse · wagon
— **ristorante** ri·sto·rann·té wagon-restaurant
carta f kar·ta papier · carte
— **d'identità** di·dènn·ti·ta carte d'identité
— **d'imbarco** dimm·bar·ko carte d'embarquement
— **di credito** di krè·di·to carte de crédit
— **igienica** i·djè·ni·ka papier toilette

— **telefonica** té·lé·fo·ni·ka carte téléphonique
carte f pl kar·té cartes
cartolaio m kar·to·la·yo papetier
cartolina f kar·to·li·na carte postale
cartuccia f kar·tou·tcha cartouche
— **di ricambio del gas** di ri·kamm·byo dél gaz cartouche camping-gaz
casa f ka·za maison
casalingo/a m/f ka·za·linn·go/a fait(e) maison
cascata f ka·ska·ta cascade
casco m ka·sko casque
casinò m ka·zi·no casino
cassa f kas·sa caisse
cassaforte f kas·sa·for·té coffre-fort
cassetta f kas·sèt·ta cassette
cassiere/a m/f kas·syè·ré/a caissier(ère)
castello m ka·stèl·lo chateau
catena f ka·tè·na chaîne
— **di montagne** di mon·ta·nyé chaîne de montagnes
catene f pl da neve ka·tè·né da nè·vé chaînes pour la neige
cattivo/a m/f kat·ti·vo/a méchant(e)
cattolico/a m/f kat·to·li·ko/a catholique
cavalcare ka·val·ka·ré faire du cheval
cavallino m ka·val·li·no poney
cavallo m ka·val·lo cheval · **andare a cavallo** ann·da·ré a ka·val·lo faire du cheval
cavi m pl **con morsetti** ka·vi konn mor·sèt·ti câbles de démarrage
caviale m ka·vya·lé caviar
caviglia f ka·vi·lya cheville
cavo m ka·vo câble
cavoletti m pl **di Bruxelles** ka·vo·lét·ti di brouk·sèl choux de Bruxelles
cavolfiore m ka·vol·fyo·ré chou-fleur
cavolo m ka·vo·lo chou
ceci m pl tchè·tchi pois chiches
celebrazione f tché·lé·bra·tsyo·né célébration
celibe m tchè·li·bé célibataire (homme)
cellulare m tchél·lou·la·ré téléphone portable
cena f tchè·na dîner
centesimo m tchènn·tè·zi·mo centime
centimetro m tchènn·ti·mé·tro centimètre

centro m *tchènn-tro* centre
— **commerciale** kom-mér-*tcha*-lé centre
commercial
— **storico** *sto*-ri-ko centre
historique
— **telefonico** té-lé-*fo*-ni-ko centre
téléphonique
cercare tchér-*ka*-ré chercher
cereali m pl tché-ré-*a*-li céréales
cerotto m tché-*rot*-to sparadrap
certificato m tchér-ti-fi-*ka*-to certificat
cestino m tché-*sti*-no panier
cetriolo m tché-tri-*o*-lo concombre
che (cosa) ké (*ko*-za) quoi
chi ki qui
chiamata f kya-*ma*-ta appel téléphonique
· coup de fil
— **a carico del destinatario** a *ka*-ri-ko
dél dé-sti-na-*ta*-ryo appel à la charge du
destinataire
chiaro/a m/f *kya*-ro/a clair(e)
chiave f *kya*-vé clef
chiesa f *kyè*-za église
chilo m *ki*-lo kilo
chilometro m ki-*lo*-mé-tro kilomètre
chitarra f ki-*tar*-ra guitare
chiudere *kyou*-dé-ré fermer
chiuso/a m/f *kyou*-zo/a fermé(e) · clos(e)
ciascuno/a m/f tcha-*skou*-no/a chaque ·
chacun(e)
cibo m *tchi*-bo nourriture
— **da bebè** da bé-*bè* nourriture pour bébé
ciclismo m tchi-*kliz*-mo cyclisme
ciclista m et f tchi-*kli*-sta cycliste
ciclopista f tchi-klo-*pi*-sta piste cyclable
cidì m tchi-*di* CD
cieco/a m/f *tchè*-ko/a aveugle
cielo m *tchè*-lo ciel
cima f *tchi*-ma cime
cinema m *tchi*-né-ma cinéma
cinghia f **della ventola**
tchinn-guya dèl-la *vènn*-to-la courroie de
ventilation
cintura f **di sicurezza**
tchinn-*tou*-ra di si-kou-*rè*-tsa ceinture de
sécurité
cioccolato m tchok-ko-*la*-to chocolat
cipolla f tchi-*pol*-la oignon
circo m *tchir*-ko cirque
cisti f **ovarica** *tchi*-sti o-va-ri-ka kyste ovarien

cistite f tchi-*sti*-té cystite
città f tchit-*ta* ville
cittadinanza f tchit-ta-di-*nann*-tsa
nationalité
ciucciotto m tchou-*tchot*-to sucette
· tétine
classe f *klas*-sé classe
— **business** *biz*-nèse classe affaires
— **turistica** tou-*ri*-sti-ka classe
économique
classico/a m/f *klas*-si-ko/a classique
cliente m et f kli-*ènn*-té client
coda f *ko*-da queue
codice m **postale** *ko*-di-tché po-*sta*-lé
code postal
cognome m ko-*nyo*-mé nom de famille
coincidenza f ko-inn-tchi-*dènn*-tsa
coïncidence · correspondance (transport)
collant f pl kol-*lannt* collant
colazione f ko-la-*tsyo*-né petit-déjeuner
collega m et f kol-*lè*-ga collègue
collegio m **universitario**
kol-*lè*-djo ou-ni-vér-si-*ta*-ryo résidence
universitaire
collina f kol-*li*-na colline
collirio m kol-*li*-ryo collyre
collo m *kol*-lo cou
colloquio m **(selettivo)** kol-*lo*-kwi-o
(sé-lét-*ti*-vo) entretien (de sélection)
colore m ko-*lo*-ré couleur
colpa f *kol*-pa faute
colpevole kol-*pè*-vo-lé coupable
coltello m kol-*tèl*-lo couteau
come *ko*-mé comment
cominciare ko-minn-*tcha*-ré commencer
· débuter
commedia f kom-*mè*-dya pièce de théâtre
— **comica** *ko*-mi-ka comédie
commercio m kom-*mèr*-tcho commerce
commissione f kom-mi-*syo*-né commission
comodo/a m/f *ko*-mo-do/a confortable
compagno/a m/f kom-*pa*-nyo/a
compagnon/compagne
compenso m komm-*pènn*-so rémunération
· récompense
compleanno m komm-plé-*a*-no
anniversaire
complesso m **rock** komm-*plè*-so rok groupe
de rock

completo/a m/f komm·plè·to/a complet(ète)

comprare komm·pra·ré acheter

compreso/a m/f komm·prè·zo/a compris(e)
• inclus(e)

computer m komm·pyou·teur ordinateur
— **portatile** m por·ta·ti·lé (ordinateur)
portable

comunione f ko·mou·nyo·né communion

comunista m et f ko·mou·ni·sta communiste

con konn avec

concerto m konn·tchèr·to concert

condividere konn·di·vi·dé·ré partager

confermare konn·fér·ma·ré confirmer

confessione f konn·fès·syo·né confession
• aveux

confine m konn·fi·né frontière

congelare konn·djé·la·ré congeler

congelato/a m/f konn·djé·la·to/a congelé(e)

coniglio m ko·ni·lyo lapin

conoscere ko·no·ché·ré connaître

conservatore/conservatrice m/f
konn·sér·va·to·ré/konn·sér·va·tri·tché
conservateur(trice)

consigliare konn·si·lya·ré conseiller
• recommander

consolato m konn·so·la·to consulat

contanti m pl konn·tann·ti espèces (argent)
• liquide

contare konn·ta·ré compter

conto konn·to addition
— **in banca** inn bann·ka compte bancaire

contraccettivi m pl konn·tra·tchét·ti·vi
contraceptifs

contratto m konn·trat·to contrat

controllare konn·trol·la·ré contrôler

controllore m konn·trol·lo·ré
contrôleur(euse)

convalidare konn·va·li·da·ré valider

convento m konn·vènn·to couvent

coperta f ko·pèr·ta couverture

coperte f pl **e lenzuola** f pl ko·pèr·té é
lènn·tswo·la draps et couvertures

coperto m ko·pèr·to couvert (restaurant)

Coppa f **del mondo** kop·pa dél monn·do
Coupe du monde

coraggioso/a m/f ko·ra·djo·zo/a
courageux(euse)

corda f kor·da corde
— **del bucato** dél bou·ka·to corde à linge

corpo m kor·po corps

corrente f kor·rènn·té courant (électrique)
• courant (d'une rivière)

correre kor·rè·ré courir

corridoio m kor·ri·do·yo couloir

corrompere kor·romm·pé·ré corrompre

corrotto/a m/f kor·ro·to/a corrompu(e)

corsa f kor·sa course

corte f kor·té cour (tribunal)

corto/a m/f kor·to/a court(e)

cosa f ko·za chose

costa f ko·sta côte

costare ko·sta·ré coûter

costruire ko·strou·i·ré construire

costruttore/costruttrice m/f
ko·strout·to·ré/ko·strout·tri·tché
constructeur(trice)

costume m **da bagno**
ko·stou·mé da ba·nyo maillot de bain

cotone m ko·to·né coton

cozza f ko·tsa moule (mollusque)

crema f krè·ma crème
— **da barba** da bar·ba crème à raser
— **solare** so·la·ré crème solaire

crescere krè·ché·ré grandir • croître

criminalità f kri·mi·na·li·ta criminalité

cristiano/a m/f kri·stya·no/a chrétien(ne)

croce f kro·tché croix

crudo/a m/f krou·do/a cru(e)

cucchiaino m kouk·kya·i·no petite cuillère

cucchiaio m kouk·kya·yo cuillère

cucciolo m kou·tcho·lo chiot • chaton

cucina f kou·tchi·na cuisine

cucinare kou·tchi·na·ré cuisiner

cucire kou·tchi·ré coudre

culla f koul·la berceau

cuoco/a m/f kwo·ko/a cuisinier(ère)

cuoio m kwo·yo cuir

cuore m kwo·ré cœur

curare kou·ra·ré soigner • s'occuper de

curriculum vitae m kour·ri·kou·loumm
vi·té CV

curry m kour·ri curry

cuscino m kou·chi·no coussin • oreiller

D

da da de • chez • par • depuis

da solo/a m/f da so·lo/a seul(e)

danno m *dan*-no *dommage*

dare *da*-ré *donner*

— **il benvenuto a** il bènn-vé-*nou*-to a *souhaiter la bienvenue à*

— **un calcio** ounn *kal*-tcho *donner un coup de pied*

data f *da*-ta *date*

— **di arrivo** di ar-*ri*-vo *date d'arrivée*

— **di nascita** di *na*-chi-ta *date de naissance*

— **di partenza** di par-*tènn*-tsa *date de départ*

datore/datrice m/f **di lavoro** da-*to*-ré/da-*tri*-tché di la-*vo*-ro *employeur(euse)*

dea f *dè*-a *déesse*

debole *dè*-bo-lé *faible*

degustazione f **(dei vini)** dé-gou-sta-*tsyo*-né (deille *vi*-ni) *dégustation (de vins)*

delitto m dé-*lit*-to *délit • crime*

democrazia f dé-mo-kra-*tsi*-a *démocratie*

denaro m dé-*na*-ro *argent*

dente m *dènn*-té *dent • denti* pl *dènn*-ti

dentifricio m dènn-ti-*fri*-tcho *(pâte) dentifrice*

dentista m et f dènn-*ti*-sta *dentiste*

dentro *dènn*-tro *dans • à l'intérieur • au fond de soi*

deodorante m dé-o-do-*rann*-té *déodorant*

deposito m dé-*po*-zi-to *dépôt*

— **bagagli** ba-*ga*-lyi *consigne*

derubare dé-rou-*ba*-ré *voler*

desiderare dé-si-dé-*ra*-ré *désirer • souhaiter*

destinazione f dé-sti-na-*tsyo*-né *destination*

destra *dè*-stra *droite*

detersivo m dé-tér-*si*-vo *lessive • liquide vaisselle*

di di *de • en • que*

— **andata e ritorno** ann-*da*-ta é ri-*tor*-no *aller-retour*

— **destra** *dè*-stra *de droite*

— **fronte a** *fronn*-té a *en face de*

— **meno** *mè*-no *moins*

— **nuovo** *nwo*-vo *encore*

— **più** *pyou* *plus*

— **recente** ré-*tchènn*-té *récemment*

— **seconda mano** sé-*konn*-da *ma*-no *d'occasion*

— **sinistra** si-*ni*-stra *de gauche*

diabete m dya-*bè*-té *diabète*

diaframma m dya-*fram*-ma *diaphragme*

diapositiva f dya-po-zi-*ti*-va *diapositive*

diarrea f dyar-*rè*-a *diarrhée*

diesel m di-*zèl* *diesel*

dieta f *dyè*-ta *régime • diète*

dietro *dyè*-tro *derrière*

difettoso/a m/f di-fét-*to*-zo/a *défectueux(euse)*

differente (da) dif-fé-*rènn*-té (da) *différent(e) (de)*

differenza f dif-fé-*rènn*-tsa *différence*

— **di fuso orario** di fou-zo o-*ra*-ryo *différence de fuseau horaire*

difficile di-*fi*-tchi-lé *difficile*

digitale di-dji-*ta*-lé *numérique*

dimensione f di-*mènn*-syo-né *dimension • grandeur*

dimenticare di-mènn-ti-*ka*-ré *oublier*

dio/dea m/f *di*-o/*dè*-a *dieu/déesse*

dipendente m/f di-pènn-*dènn*-té *salarié(e) • adonné(e)*

dipingere di-*pinn*-djé-ré *peindre*

dire di-*ré* *dire*

diretto/a m/f di-*rèt*-to/a *direct(e)*

direzione f di-ré-*tsyo*-né *direction*

diritti m pl **umani** dir-*ri*-ti ou-*ma*-ni *droits de l'homme*

diritto m dir-*ri*-to/a *droit(e)*

disabile m/f di-za-bi-lé *handicapé(e)*

dischetto m di-*skèt*-to *disquette*

discriminazione f di-skri-mi-na-*tsyo*-né *discrimination*

disinfettante m di-zinn-fét-*tann*-té *désinfectant*

disoccupato/a m/f di-zo-kou-*pa*-to/a *chômeur(euse)*

distributore m di-stri-bou-*to*-ré *pompe à essence*

— **automatico di biglietti** a-ou-to-*ma*-ti-ko di bi-*lyèt*-ti *distributeur automatique (de billets)*

disturbo m di-*stour*-bo *trouble*

dito m *di*-to *doigt*

— **del piede** dél *pyè*-dé *doigt de pied*

ditta f *dit*-ta *entreprise*

diversi/e m/f pl di·vèr·si/é *plusieurs*
diverso/a di·vèr·so/a *différent(e)*
divertente di·vér·tènn·té *amusant(e)*
divertimento m di·vér·ti·mènn·to
  divertissement
divertirsi di·vér·tir·si *s'amuser*
divorziato/a m/f di·vor·tsya·to/a
  divorcé(e)
divisa f di·vi·za *uniforme*
doccia f do·tcha *douche*
documenti m pl do·kou·mènn·ti *papiers*
documento m **d'identità** do·kou·mènn·to
  di·dènn·ti·ta *carte d'identité*
dogana f do·ga·na *douane*
dolce m dol·tché *gâteau • dessert*
dolce dol·tché *doux/douce • sucré(e)*
dolciumi m pl dol·tchou·mi *sucreries*
dollaro m dol·la·ro *dollar*
dolore m do·lo·ré *douleur*
dolori m pl **mestruali** do·lo·ri mé·strou·a·li
  douleurs menstruelles
doloroso/a m/f do·lo·ro·zo/a
  douloureux(euse)
domanda f do·mann·da *question*
domandare do·mann·da·ré *poser une
  question*
domani do·ma·ni *demain*
  — mattina mat·ti·na *demain matin*
  — pomeriggio po·mé·ri·djo *demain
  après-midi*
  — sera sè·ra *demain soir*
donna f don·na *femme*
  — d'affari daf·fa·ri *femme d'affaires*
dopo do·po *après*
dopobarba m do·po·bar·ba *après-rasage*
dopodomani do·po·do·ma·ni *après-demain*
doppio/a m/f dop·pyo/a *double*
dormire dor·mi·ré *dormir*
dose f do·zé *dose*
  — eccessiva é·tchés·si·va *dose excessive*
dove do·vé *où*
dozzina f do·dzi·na *douzaine*
dramma m dram·ma *drame*
droga f dro·ga *drogue*
drogheria f dro·gué·ri·a *épicerie*
duomo m dwo·mo *cathédrale • dôme*
durante dou·rann·té *durant*
duro/a m/f dou·ro/a *dur(e)*

E

è é *et*
ebreo/a m/f é·brè·o/a *juif/juive*
ecografia f é·ko·gra·fi·a *échographie*
economico/a m/f é·ko·no·mi·ko/a
  économique
eczema m èk·dzè·ma *eczéma*
edicola f é·di·ko·la *kiosque (à journaux)*
edificio m é·di·fi·tcho *édifice*
egoista m/f é·go·i·sta *égoïste*
elenco m **telefonico**
  è·lènn·ko té·lé·fo·ni·ko *annuaire
  (téléphonique)*
elettricista m et f é·lét·tri·tchi·sta
  électricien(ne)
elettricità f é·lé·tri·tchi·ta *électricité*
elezioni f pl é·lé·tsyo·ni *élections*
email m i·meille *mail*
emergenza f é·mér·djènn·tsa *urgence*
emicrania f é·mi·kra·nya *migraine*
emotivo/a m/f é·mo·ti·vo/a
  émotif(ive)
energia f **(nucleare)** é·nér·dji·a
  (nou·klé·a·ré) *énergie (nucléaire)*
enorme é·nor·mé *énorme*
entrare ènn·tra·ré *entrer*
entrata f ènn·tra·ta *entrée*
entro (un'ora) ènn·tro (ounn·o·ra) *d'ici
  (une heure)*
epatite f é·pa·ti·té *hépatite*
epilessia f é·pi·lés·si·a *épilepsie*
erba f èr·ba *herbe*
erbe f pl èr·bé *fines herbes*
erborista m et f èr·bo·ri·sta *herboriste*
erotico/a m/f é·ro·ti·ko/a *érotique*
errore m ér·ro·ré *erreur*
esame m é·za·mé *examen*
escluso/a m/f é·sklou·zo/a *exclu(e) • non
  compris(e)*
escursione f é·skour·syo·né *excursion*
  — a piedi a pyè·dé *randonnée pédestre*
escursionismo f é·skour·syo·niz·mo
  randonnée
  — a piedi a pyè·dé *randonnée pédestre*
esecuzione f é·sé·kou·tsyo·né
  performance (artistique)
esempio m é·zèmm·pyo *exemple*

esperienza f é·spé·ryènn·tsa *expérience*
esperimenti m pl **nucleari**
é·spé·ri·mènn·ti nou·klé·*a*·ri *essais
nucléaires*
esposimetro m é·spo·zi·mé·tro *posemètre*
esposizione f é·spo·zi·tsyo·né *exposition*
espresso/a m/f é·sprès·so/a *express*
essere ès·sé·ré *être*
  — **d'accordo** da·*kor*·do *être d'accord*
  — **raffreddato/a** m/f raf·frèd·*da*·to/a *être
  enrhumé(e)*
est m é·ste *est*
estate f é·*sta*·té *été*
estetista m et f é·sté·*ti*·sta *esthéticien(ne)*
estero/a m/f è·sté·ro/a *étranger(ère)* •
  all'estero al·lè·sté·ro *à l'étranger*
età f é·*ta* *âge*
etichetta f é·ti·*kèt*·ta *étiquette*
etto m ét·to *100 grammes*
euro m é·ou·ro *euro*
europeo/a m/f é·ou·ro·pè·o/a
  européen(ne)
eutanasia f é·ou·ta·na·*zi*·a *euthanasie*

F

fabbrica f fab·bri·ka *usine*
faccia f fa·tcha *visage*
facile f fa·tchi·lé *facile*
fagioli m pl fa·djo·li *haricots*
fame f fa·mé *faim* • **avere fame** a·vè·ré
  fa·mé *avoir faim*
famiglia f fa·mi·lya *famille*
famoso/a m/f fa·mo·zo/a *célèbre*
fango m fann·go *boue*
fantastico/a m/f fann·*ta*·sti·ko/a *fantastique*
fantino m fann·*ti*·no *jockey*
fare fa·ré *faire*
  — **il tifo** il *ti*·fo *supporter*
  — **l'autostop** la·ou·to·stop *faire de
  l'auto-stop*
  — **la barba** la *bar*·ba *raser*
  — **male** ma·lé *faire mal*
  — **una camminata** ou·na kam·mi·*na*·ta
  faire une promenade
  — **una foto** ou·na fo·to *prendre une
  photo*
farfalla f far·*fal*·la *papillon*
faro m fa·ro *phare*

farina f fa·ri·na *farine*
farmacia f far·ma·*tchi*·a *pharmacie*
farmacista m et f far·ma·*tchi*·sta
  pharmacien(ne)
fascia f fa·cha *bande* • *bandeau* • *tranche*
fatto/a m/f fat·to/a *fait(e)*
  — **a mano** a ma·no *fait(e) à la main*
fattoria f fat·to·*ri*·a *ferme*
fax m faks *fax*
fazzolettini m pl **di carta**
  fa·tso·lét·*ti*·ni di *kar*·ta *mouchoirs en papier*
fazzoletto m fa·tso·*lèt*·to *mouchoir*
febbre f *fèb*·bré *fièvre*
  — **da fieno** da *fyè*·no *rhume des foins*
febbrile féb·*bri*·lé *fiévreux(euse)*
federa f *fè*·dé·ra *housse (d'oreiller)*
fegato m *fè*·ga·to *foie*
felice m/f fé·*li*·tché *heureux(euse)*
ferire fé·ri·ré *blesser*
ferita f fé·*ri*·ta *blessure*
ferito/a m/f fé·ri·to/a *blessé(e)*
fermare fér·*ma*·ré *arrêter*
fermarsi fér·*mar*·si *s'arrêter* • *descendre
  (dans un hôtel)*
fermata f fér·*ma*·ta *arrêt*
fermo in posta fér·mo po·sta *poste restante*
ferramenta f fér·ra·*mènn*·ta *quincaillerie*
ferro m *fèr*·ro *fer*
  — **da stiro** da *sti*·ro *fer à repasser*
festa f *fè*·sta *fête* • *congé*
fetta f *fè*·ta *tranche*
fiammifero m fyam·*mi*·fé·ro *allumette*
fico m *fi*·ko *figue*
fidanzamento m
  fi·dann·tsa·*mènn*·to *fiançailles*
fidanzato/a m/f fi·dann·*tsa*·to/a
  fiancé(e) • *petit(e) ami(e)*
figlia f *fi*·lya *fille*
figlio m *fi*·lyo *fils*
film m film *film*
filo m *fi*·lo *fil*
  — **dentario** dènn·*ta*·ryo *fil dentaire*
fine f fi·né *fin*
fine settimana m fi·né sét·ti·*ma*·na
  week-end
finestra f fi·*nè*·stra *fenêtre*
finestrino m fi·né·*stri*·no
  fenêtre (de voiture, d'avion)
finire fi·*ni*·ré *finir* • *terminer*

finito/a m/f fi·ni·to fini(e)

fino a (giugno) fi·no a (djou·nyo) jusqu'au mois de (juin)

fiocchi m pl **di mais** fyok·ki di ma·i·se flocons de maïs

fioraio m et f fyo·ra·yo fleuriste

fiore m fyo·ré fleur

firma f fir·ma signature

fiume m fyou·mé fleuve

flash m flèche flash (d'appareil photo)

fluido m **idratante** flou·i·do i·dra·tann·té crème hydratante

foglia f fo·lya feuille

fondo m fonn·do fond

fondo/a m/f fonn·do/a creux/creuse

footing m fou·tinng jogging · footing

forbici f pl for·bi·tchi ciseaux

forchetta f for·kè·ta fourchette

foresta f fo·rè·sta forêt

forma f for·ma forme

formaggio m for·ma·djo fromage
— **fresco** frè·sko fromage frais

formica f for·mi·ka fourmi

forno m for·no four
— **a microonde** a mi·kro·onn·dé four à micro-ondes

forse for·sé peut-être

forte m/f for·té fort(e) · relevé(e)

fortuna f for·tou·na chance · fortune

fortunato/a m/f for·tou·na·to/a chanceux(euse)

forza f for·tsa force

forze f pl **armate** for·tsé ar·ma·té forces armées

foto f fo·to photo

fotografia f fo·to·gra·fi·a photographie

fotografo m fo·to·gra·fo photographe

fra fra entre
— **poco** po·ko d'ici peu (de temps)

fragile fra·dji·lé fragile

fragola f fra·go·la fraise

francobollo m frann·ko·bo·lo timbre

fratello m fra·tè·lo frère

freccia f frè·tcha clignotant · flèche

freddo/a m/f frèd·do/a froid(e)

freno m frè·no frein

fresco/a m/f frè·sko/a frais/fraîche

fretta f frèt·ta hâte · **avere fretta** a·vè·ré frèt·ta être pressé(e)

friggere fri·djé·ré frire

frigo m fri·go frigo

frigobar m fri·go·bar minibar

frigorifero m fri·go·ri·fé·ro réfrigérateur

frizione f fri·tsyo·né embrayage

fronte m fronn·té front · **di fronte a** di fronn·té a en face de

frutta f frout·ta fruit · dessert
— **secca** sè·ka fruit sec

fruttivendolo/a m/f frout·ti·vènn·do·lo/a marchand(e) de fruits et légumes

fumare fou·ma·ré fumer

fumato/a m/f fou·ma·to/a fumé(e) · défoncé(e)

funerale m fou·né·ra·lé enterrement

fungo m founn·go champignon

funivia f fou·ni·vi·a téléphérique

fuoco m fwo·ko feu

fuori fwo·ri dehors

furgone m four·go·né fourgon

fuso orario m fou·zo o·ra·ryo décalage horaire · **disturbi** m pl **da fuso orario** di·stour·bi da fou·zo o·ra·ryo troubles liés au décalage horaire

futuro m fou·tou·ro futur

G

gabinetto m **(pubblico)** ga·bi·nèt·to (poub·bli·ko) toilettes publiques

galleria f **d'arte** gal·lé·ri·a dar·té galerie d'art

Galles m gal·lé·se pays de Galles

gamba f gamm·ba jambe

gambero m gamm·bé·ro écrevisse · homard

gara m ga·ra compétition

garage m ga·ra·je garage

gas m gaz gaz

gasolio m ga·zo·lyo gazole

gastroenterite f ga·stro·ènn·té·ri·té gastroentérite

gattino m gat·ti·no chaton

gatto m gat·to chat

gay gueille gay

gelateria f djé·la·té·ri·a glacier

gelato m djé·la·to glace

geloso/a m/f djé·lo·zo/a jaloux(ouse)

gemelli/e m/f pl djé·mèl·li/é jumeaux/jumelles

generale djé·né·*ra*·lé *général(e)*
gengiva f djènn·*dji*·va *gencive*
genitori m pl djé·ni·*to*·ri *parents*
gente f djènn·té *gens*
gentile djènn·*ti*·lé *gentil(le)*
germogli m pl **(di soia)** djér·*mo*·lyi (di *so*·ya) *pousses de soja*
gettone m djét·*to*·né *jeton*
ghiaccio m *guya*·tcho *glace*
già dja *déjà*
giacca f *dja*·ka *veste*
giallo/a m/f *djal*·lo/a *jaune*
Giappone m djap·po·né *Japon*
giardinaggio m djar·di·*na*·djo *jardinage*
giardino m djar·*di*·no *jardin*
— **zoologico** dzo·o·*lo*·dji·ko *zoo*
ginecologo/a m/f dji·né·*ko*·lo·go/a *gynécologue*
ginnastica f dji·*nas*·ti·ka *gymnastique*
ginocchio m dji·*nok*·kyo *genou* • **le ginocchia** f pl dji·*nok*·kya *genoux*
giocare djo·ka·ré *jouer*
— **a calcio** a *kal*·tcho *jouer au foot*
gioco m djo·ko *jeu*
— **elettronico** é·lét·*tro*·ni·ko *jeu vidéo*
gioiello m djo·*yèl*·lo *bijou*
giornale m djor·*na*·lé *journal*
giornalista m et f djor·na·*li*·sta *journaliste*
giorno m *djor*·no *jour* • **al giorno** al *djor*·no *par jour*
giovane djo·va·né *jeune*
girare dji·ra·ré *tourner*
gita f *dji*·ta *excursion*
giù djou *en bas*
giubbotto m di salvataggio djoub·*bot*·to di sal·va·*ta*·djo *gilet de sauvetage*
giudice m djou·di·tché *juge*
giudò m djou·do *judo*
giusto/a m/f *djou*·sto/a *juste*
gola f *go*·la *gorge*
gomma f *gom*·ma *caoutchouc*
— **da masticare** da ma·sti·*ka*·ré *chewing-gum*
gonfiore m gonn·*fyo*·ré *enflure*
gonna f *gon*·na *jupe*
governo m go·*vèr*·no *gouvernement*
grammo m pl *gram*·mo *gramme*

grande *grann*·dé *grand(e)*
grande magazzino m *grann*·dé ma·ga·*dzi*·no *grand magasin*
grandinata f grann·di·*na*·ta *chute de grêle*
grandine f *grann*·di·né *grêle*
grasso/a m/f *gras*·so/a *gros(se)* • *gras(se)*
gratuito/a m/f gra·*tou*·i·to/a *gratuit(e)*
grigio/a m/f *gri*·djo/a *gris(e)*
grotta f *grot*·ta *grotte*
gruppo m *group*·po *groupe*
— **sanguigno** sann·*gwi*·nyo *groupe sanguin*
guanti m *gwann*·ti *gants*
guardare gwar·*da*·ré *regarder*
— **le vetrine** lé vé·*tri*·né *faire du lèche-vitrines*
guardaroba m gwar·da·*ro*·ba *penderie*
guastarsi gwa·*star*·si *s'abîmer*
guastato/a m/f gwa·*sta*·to/a *abîmé(e)*
guasto/a m/f *gwa*·sto/a *panne*
guerra f *gwèr*·ra *guerre*
guida f *gwi*·da *guide*
— **agli spettacoli** a·lyi spét·*ta*·ko·li *guide des spectacles*
— **audio** *a*·ou·dyo *guide (audio)*
— **turistica** tou·*ri*·sti·ka *guide touristique*
guidare gwi·*da*·ré *conduire*
gustoso/a m/f gou·*sto*·zo/a *savoureux(euse)*

H

halal a·*lal* *halal*
hashish m *a*·chiche *haschich*
hockey m *o*·ki *hockey*
— **su ghiaccio** sou *guya*·tcho *hockey sur glace*

I

idiota m et f i·*dyo*·ta *idiot(e)*
idratante m i·dra·*tann*·té *lait hydratant* • *crème hydratante*
ieri yè·ri *hier*
illegale il·lé·*ga*·lé *illégal(e)*
imbarazzato/a m/f imm·ba·ra·*tsa*·to/a *embarrassé(e)*
imbrogliare imm·bro·*lya*·ré *berner*
immersione f im·mér·*syo*·né *plongée* • *immersion*

— in apnea inn ap·nè·a *plongée en apnée*
— subacquea sou·ba·kwèa *plongée sous-marine*
immigrazione f im·mi·gra·tsyo·né *immigration*
imparare imm·pa·ra·ré *apprendre*
impermeabile m imm·pér·méa·bi·lé *imperméable*
impiegato/a m/f imm·pyé·ga·to/a *employé(e)*
importante imm·por·tann·té *important(e)*
impossibile imm·po·si·bi·lé *impossible*
in Inn *dans • en*
— bianco e nero byann·ko é nè·ro *en noir et blanc*
— buona salute bwo·na sa·lou·té *en bonne santé*
— fondo fonn·do *au fond • après tout*
— fretta frèt·ta *en vitesse*
— lista d'attesa li·sta dat·tè·za *sur la liste d'attente*
— omaggio o·ma·djo *en hommage*
— ritardo ri·tar·do *en retard*
— salita sa·li·ta *en montée • de côte*
— sciopero m sho·pé·ro *en grève*
— vendita vènn·di·ta *en vente*
inalatore m i·na·la·to·ré *inhalateur*
incidente m inn·tchi·dènn·té *incident • accident*
incinta inn·tchinn·ta *enceinte*
incontrare inn·konn·tra·ré *rencontrer*
incrocio m inn·kro·tcho *croisement*
indicare inn·di·ka·ré *indiquer*
indigestione f inn·di·djé·styo·né *indigestion*
indirizzo m inn·di·ri·tso *adresse*
indossare inn·dos·sa·ré *porter*
induista m et f inn·dou·i·sta *hindouiste*
industria f inn·dou·stri·a *industrie*
infermiere/a m/f inn·fér·myè·ré/a *infirmier(ère)*
infezione f inn·fé·tsyo·né *infection*
infiammazione f inn·fyam·ma·tsyo·né *inflammation*
influenza f inn·flou·ènn·tsa *grippe • influence*
informatica f inn·for·ma·ti·ka *informatique*
informazioni f pl inn·for·ma·tsyo·ni *informations • renseignements*

infortunato/a m/f inn·for·tou·na·to/a *blessé(e) • accidenté(e)*
ingegnere m et f inn·djé·nyè·ré *ingénieur(e)*
Inghilterra f inn·guil·tè·ra *Angleterre*
inglese inn·glè·zé *anglais(e)*
ingorgo m inn·gor·go *embouteillage*
ingrediente m inn·gré·dyènn·té *ingrédient*
ingresso m inn·grès·so *entrée*
iniezione f i·nyè·tsyo·né *injection*
inizio m i·ni·tsyo *début*
innocente i·no·tchènn·té *innocent(e)*
inquinamento m inn·kwi·na·mènn·to *pollution*
insalata f inn·sa·la·ta *salade*
insegnante m et f inn·sé·nyann·té *enseignant(e)*
insetto m inn·sèt·to *insecte*
insieme inn·syè·mé *ensemble*
insolito/a m/f inn·so·li·to/a *insolite*
interessante Inn·té·rés·sann·té *intéressant(e)*
internazionale inn·tér·na·tsyo·na·lé *international(e)*
Internet (cafe) m inn·tér·nète (faf·fé) *café internet*
interprete m/f inn·tèr·pré·té *interprète*
interurbano/a m/f inn·tér·our·ba·no/a *interurbain(e)*
intervallo m inn·tér·val·lo *intervalle • entracte*
intervento m inn·tér·vènn·to *intervention • participation*
intossicazione f **alimentare** inn·tos·si·ka·tsyo·né a·li·mènn·ta·ré *intoxication alimentaire*
inverno m inn·vèr·no *hiver*
invitare inn·vi·ta·ré *inviter*
io i·o *moi • je*
isola f i·zo·la *île*
istruttore/istrutrice m/f i·strout·to·ré/ i·strout·tri·tché *instructeur(trice)*
istruzione f i·strou·tsyo·né *éducation*
itinerario m i·ti·né·ra·ryo *itinéraire*
— escursionistico é·skour·syo·ni·sti·ko *itinéraire de randonnée*
IVA f i·va *TVA*

J

jeans m pl *djinn*·se *jeans*

K

kiwi m *ki*·wi *kiwi*
kosher *ka*·chér *casher*

L

là la *là*
labbra f pl *lab*·bra *lèvres*
laboratorio m la·bo·ra·*to*·ryo *atelier*
ladro/a m/f la·dro/a *voleur(euse)*
laggiù la·*djou là-bas*
lago m *la*·go *lac*
lamentarsi la·mènn·*tar*·si *se plaindre*
lamette f pl **(da barba)** la·*mèt*·té (da *bar*·ba)
    lames de rasoir
lampada f *lamm*·pa·da *lampe*
lampadina f lamm·pa·*di*·na *ampoule*
lampone m lamm·*po*·né *framboise*
lana f *la*·na *laine*
lardo m *lar*·do *lard*
largo/a m/f *lar*·go/a *large*
lasciare la·*cha*·ré *laisser*
lassativi m pl las·sa·*ti*·vi *laxatifs*
lato m *la*·to *côté*
latte m *lat*·té *lait*
    — di soia di *so*·ya *lait de soja*
    — scremato skré·*ma*·to *lait écrémé*
lattuga f lat·*tou*·ga *laitue*
lavaggio m **a secco** la·*va*·djo a sè·ko
    nettoyage à sec
lavanderia la·vann·dé·*ri*·a *pressing*
    — a gettone djét·*to*·né *laverie
    automatique*
lavare la·*va*·ré *laver*
lavarsi la·*var*·si *se laver*
lavatrice f la·va·*tri*·tché *machine à laver*
lavorare la·vo·*ra*·ré *travailler*
    — in proprio inn *pro*·pri·o *travailler à son
    compte*
lavoratore/lavoratrice m/f
    la·vo·ra·to·ré/la·vo·ra·*tri*·tché
    travailleur(euse)

lavoro m la·*vo*·ro *travail*
legale lé·*ga*·lé *legal(e)*
legge f *lè*·djé·ré *loi*
leggere lè·*djé*·ré *lire*
leggero/a m/f lé·djé·ro/a *léger/légère*
legna f **(da ardere)** lè·nya (da ar·dé·ré)
    bois (à brûler)
legno m *lè*·nyo *bois*
legume m lé·*gou*·mé *légume (sec)*
lei leille *elle*
Lei pol leille *vous (de politesse)*
lentamente lènn·ta·*mènn*·té *lentement*
lenti f pl **a contatto** *lènn*·ti a konn·*tat*·to
    lentilles de contact
lenticchia f lènn·*tik*·kya *lentille (légume)*
lento/a m/f *lènn*·to/a *lent(e)*
lenzuolo m lènn·*tswo*·lo *drap*
lesbica f *lè*·sbi·ka *lesbienne*
lettera f *lèt*·té·ra *lettre*
letto m *lèt*·to *lit* · **due letti** pl dou·é *lèt*·ti *lits
    jumeaux*
    — matrimoniale ma·tri·mo·*nya*·lé *lit à
    deux places*
libero/a m/f li·*bé*·ro/a *libre* · *public/publique
    · vacant(e)*
libreria f li·bré·*ri*·a *librairie*
libretto m li·*brèt*·to *livret*
    — di circolazione di tchir·ko·la·*tsyo*·né
    carte grise
libro m *li*·bro *livre*
licenza f li·*tchènn*·tsa *licence* · *permis*
limetta f li·*mèt*·ta *lime à ongles*
limite m **di velocità** *li*·mi·té di vé·lo·tchi·*ta*
    limite de vitesse
limonata f li·mo·*na*·ta *limonade* · *jus de
    citron*
limone m li·*mo*·né *citron*
linea f *li*·né·a *ligne*
    — aerea a·è·ré·a *ligne aérienne*
lingua f *linn*·gwa *langue*
lista f *li*·sta *liste*
    — d'attesa dat·*tè*·za *liste d'attente*
lite f *li*·té *dispute*
litigare li·ti·*ga*·ré *se disputer*
litro m *li*·tro *litre*
livello m li·*vèl*·lo *niveau*
livido m *li*·vi·do *bleu (ecchymose)*
locale m lo·*ka*·lé *bar* · *restaurant*

locale lo-*ka*-lé *local(e)*
lontano/a m/f lonn-*ta*-no/à *lointain(e)*
loro *lo*-ro *ils/elles • eux*
Loro *lo*-ro *vous* pl pol
lozione f lo-*tsyo*-né *lotion*
— **abbronzante** a-bronn-*dzann*-té *crème solaire*
lubrificante m lou-bri-fi-*kann*-té *lubrifiant*
lucchetto m lou-*kèt*-to *cadenas*
luce f lou-tché *lumière*
lucertola f lou-*tchèr*-to-la *lézard*
lui *louï* *il • lui*
lumaca f lou-*ma*-ka *escargot*
luminoso/a m/f lou-mi-*no*-zo/a *lumineux(euse)*
luna f *lou*-na *lune*
— **di miele** di *myè*-lé *lune de miel*
— **piena** *pyè*-na *pleine lune*
lungo/a m/f lounn-go/a *long/longue*
lungomare f lounn-go-*ma*-ré *bord de mer*
luogo m *lwo*-go *endroit • lieu*
— **di nascita** di *na*-chi-ta *lieu de naissance*
lusso m *lou*-so *luxe*

M

ma ma *mais*
macchina f *mak*-ki-na *voiture • machine*
— **fotografica** fo-to-*gra*-fi-ka *appareil photo*
macelleria f ma-tchél-lè-*ri*-a *boucherie*
madre f *ma*-dré *mère*
maestro/a m/f ma-è-stro/a *instituteur(trice) • moniteur(trice) (de ski)*
maglietta f ma-*lyèt*-ta *tee-shirt*
magari ma-*ga*-ri *peut-être • éventuellement*
maglione m ma-*lyo*-né *pull*
magro/a m/f ma-gro/a *maigre • sans viande*
mai *maille* *jamais*
maiale m ma-*ya*-lé *cochon • porc*
maionese f ma-yo-*nè*-zé *mayonnaise*
mal m mal *mal*
— **di aereo** di a-è-ré-o *mal des transports (en avion)*
— **di denti** di *dènn*-ti *mal aux dents*
— **di macchina** di *mak*-ki-na *mal des transports (en voiture)*
— **di mare** di *ma*-ré *mal de mer*
— **di pancia** di *pann*-tcha *mal de ventre*
— **di testa** di *tè*-sta *mal à la tête*
malato/a m/f ma-*la*-to/a *malade*
malattia f ma-lat-*ti*-a *maladie*
— **venerea** vé-nè-*ré*-a *maladie vénérienne*
male m *ma*-lé *mal*
mamma f *mam*-ma *maman*
mammografia f mam-mo-gra-*fi*-a *mammographie*
manager m *ma*-na-djeur *manager*
mancare mann-*ka*-ré *manquer • rater*
mancia f *mann*-tcha *pourboire*
mandare mann-*da*-ré *envoyer*
mandarino m mann-da-*ri*-no *mandarine*
mandorla f *mann*-dor-la *amande*
mangiare mann-*dja*-ré *manger*
mango m *mann*-go *mangue*
manifestazione f ma-ni-fé-sta-*tsyo*-né *manifestation*
mano f *ma*-no *main*
manovale m et f ma-no-*va*-lé *manœuvre*
manuale ma-*nou*-a-lé *manuel(le)*
manubrio m ma-*nou*-bri-o *guidon*
manzo m *mann*-dzo *bœuf*
marciapiede m mar-tcha-*pyè*-dé *trottoir*
mare m *ma*-ré *mer* • **al mare** al *ma*-ré *à la mer*
marea f ma-*rè*-a *marée*
margarina f mar-ga-*ri*-na *margarine*
marijuana f ma-ri-*wa*-na *marijuana*
marito m ma-*ri*-to *mari*
marmellata f mar-mél-*la*-ta *confiture*
— **d'arance** da-*rann*-tché *confiture d'orange*
marmo m *mar*-mo *marbre*
marrone m/f mar-ro-né *marron*
martello m mar-*tèl*-lo *marteau*
massaggio m mas-*sa*-djo *massage*
materasso m ma-té-*ra*-so *matelas*
matita f ma-*ti*-ta *crayon*
matrimonio m ma-tri-*mo*-nyo *mariage*
mattina f mat-*ti*-na *matin*
mazzuolo m ma-*tswo*-lo *maillet*
meccanico m et f mék-*ka*-ni-ko *mécanicien(ne)*
medicina f mé-di-*tchi*-na *médecine*

medicinale m mé·di·tchi·na·lé *médicament*

medico m mè·di·ko *médecin*

meditazione f mé·di·ta·tsyo·né *méditation*

mela f mè·la *pomme*

melanzana f mé·lann·dza·na *aubergine*

melodia f mé·lo·di·a *mélodie*

melone m mé·lo·né *melon*

membro m mèmm·bro *membre*

mendicante m et f mènn·di·kann·té *mendiant(e)*

meno mè·no *moins*

menù m mé·nou *menu*

meraviglioso/a m/f mé·ra·vi·lyo·zo/a *merveilleux(euse)*

mercato m mér·ka·to *marché*

merletto m mér·lèt·to *dentelle*

mescolare mé·sko·la·ré *mélanger*

mese m mè·zé *mois*

messa f mès·sa *messe*

messaggio m més·sa·djo *message*

mestiere m mé·styè·ré *métier · profession*

mestruazione f mé·strou·a·tsyo·né *menstruation*

metallo m mé·tal·lo *métal*

metro m mè·tro *mètre*

metropolitana f mé·tro·po·li·ta·na *métro(politain)*

mettere mèt·té·ré *mettre*

mezzanotte f mè·dza not·té *minuit*

mezzi m pl **di comunicazione** mè·dzi di ko·mou·ni·ka·tsyo·né *moyens de communication*

mezzo m mè·dzo *moitié*

mezzogiorno m mé·dzo·djor·no *midi*

microonda f mi·kro·on·da *micro-ondes*

miele m myè·lé *miel*

migliore mi·lyo·ré *meilleur(e)*

millimetro m mil·li·mé·tro *millimètre*

minerale m mi·né·ra·lé *eau minérale*

minestra f mi·nè·stra *soupe · potage*

minibar m mi·ni·bar *mini-bar*

minuto m mi·nou·to *minute*

minuto/a m/f mi·nou·to/a *menu(e)*

mobile m mo·bi·lé *meuble*

moda f mo·da *mode*

modem m mo·dème *modem*

moderno/a m/f mo·dèr·no/a *moderne*

modulo m mo·dou·lo *formulaire*

moglie f mo·lyé *femme*

molestia f mo·lè·stya *harcèlement*

molto mol·to *très*

molto/a m/f mol·to/a *beaucoup de*

monastero m mo·na·stè·ro *monastère*

mondo m monn·do *monde*

monete f pl mo·nè·té *pièces*

mononucleosi m mo·no·nou·klé·o·zi *mononucléose*

montagna f monn·ta·nya *montagne*

monumento m mo·nou·mènn·to *monument*

morbillo m mor·bil·lo *rougeole*

morire mo·ri·ré *mourir*

morso m mor·so *morsure*

morto/a m/f mor·to/a *mort(e)*

mosca f mo·ska *mouche*

moschea f mo·skè·a *mosquée*

mostrare mo·stra·ré *montrer*

moto f mo·to *moto*

motore m mo·to·ré *moteur*

motoscafo m mo·to·ska·fo *hors-bord*

mouse m ma·ousse *souris (d'ordinateur)*

mucca f mou·ka *vache*

muesli m mou·sli *muesli*

mughetto m mou·guèt·to *muguet*

multa f moul·ta *amende*

muro m mou·ro *mur*

muscolo m mou·sko·lo *muscle*

museo m mou·zè·o *musée*

musica f mou·zi·ka *musique*

musicista m et f mou·zi·tchi·sta *musicien(ne)*
— **di strada** di stra·da *de rue*

musulmano/a m/f mou·soul·ma·no/a *musulman(e)*

muta f **di subacqueo** mou·ta di sou·ba·kwé·o *combinaison de plongée*

muto/a m/f mou·to/a *muet(te)*

N

narrativa f nar·ra·ti·va *roman (genre)*

nascita f na·chi·ta *naissance*

naso m na·zo *nez*

Natale m na·ta·lé *Noël*

natura f na·tou·ra *nature*

nausea f *na*-ou-zé-a nausée
— **mattutina** mat-tou-ti-na nausée
matinale
nave f *na*-vé bateau
nazionale na-tsyo-*na*-lé national(e)
nazionalità f na-tsyo-na-li-*ta* nationalité
nebbioso/a m/f néb-*byo*-zo/a
brumeux(euse)
necessario/a m/f né-tchés-*sa*-ryo/a
nécessaire
negozio m né-*go*-tsyo magasin
— **da campeggio** da kamm-*pè*-djo
magasin d'articles de camping
— **di abbigliamento** di
ab-*bi*-lya-mènn-to magasin de vêtements
— **di articoli sportivi** di ar-*ti*-ko-ll
spor-*ti*-vi magasin d'articles de sport
— **di giocattoli** di djo-*kat*-to-li magasin
de jouets
— **di scarpe** di *skar*-pé de chaussures
— **di souvenir** di *sou*-ve-nir de souvenirs
nero/a m/f *né*-ro/a noir(e)
nessuno/a dei due m/f nés-*sou*-no/a deille
dou-é aucun(e) des deux
neve f *nè*-vé neige
nido m *ni*-do nid • crèche
niente *nyènn*-té rien
nipote m et f ni-*po*-té petit-fils/petite-fille •
neveu/nièce
no no non
noce f *no*-tché noix • noyer
nodulo m *no*-dou-lo grosseur
noi noï nous
noioso/a m/f no-*yo*-zo/a ennuyeux(euse)
noleggiare no-lé-*dja*-ré louer
nome m *no*-mé nom
non nonn non • ne pas
— **ancora** ann-*ko*-ra pas encore
— **fumatore** fou-ma-*to*-ré non-fumeurs
— **diretto/a** m/f di-*rèt*-to/a pas direct(e)
nonna f *non*-na grand-mère
nonno m *non*-no grand-père
nord m nordé nord
normale nor-*ma*-lé normal(e)
notizia f pl no-*ti*-tsya nouvelle
notte f *no*-té nuit
nubile f *nou*-bi-lé célibataire (femme)
numero m *nou*-mé-ro numéro

— **di camera** di ka-*mé*-ra de chambre
— **di targa** di *tar*-ga d'immatriculation
— **di telefono** di té-*lè*-fo-no numéro de
téléphone
nuotare nwo-*ta*-ré nager
nuoto m *nwo*-to natation
nuovo/a m/f *nwo*-vo/a neuf/neuve • **di
nuovo** di *nwo*-vo encore
nuvola f *nou*-vo-la nuage
nuvoloso/a m/f nou-vo-*lo*-zo/a
nuageux(euse)

O

obiettivo m o-byét-*ti*-vo objectif
occhiali m pl ok-*kya*-ll lunettes
— **da sci** da chi de ski
— **da sole** da *so*-lé de soleil
occhio m *o*-kyo œil
oceano m o-*tchè*-a-no océan
odore m o-*do*-ré odeur
oggetti m pl o-*djèt*-ti objets
— **d'artigianato** dar-ti-dja-*na*-to produits
artisanaux
— **di valore** di va-*lo*-ré de valeur
— **in ceramica** inn trché-*ra*-mi-ka
poterie
oggi o-dji aujourd'hui
olio m *o*-lyo huile
— **d'oliva** do-*li*-va d'olive
oliva f o-*li*-va olive
ombra f *omm*-bra ombre
ombrello m omm-*brèl*-lo parapluie
omeopatia f o-mé-o-pa-*ti*-a
homéopathie
omaggio o-*ma*-djo hommage
omosessuale m et f o-mo-sés-sou-*a*-lé
homosexuel(le)
onda f *onn*-da vague
opera f o-*pé*-ra œuvre
— **lirica** *li*-ri-ka opéra
operaio/a m/f o-pé-*ra*-yo/a ouvrier(ère)
operatore/operatrice m/f
o-pé-ra-*to*-ré/o-pé-ra-*tri*-tché
opérateur(trice)
opinione f o-pi-*nyo*-né opinion
oppure op-*pou*-ré ou • sinon
ora f o-ra heure

orario m o-rà-ryo horaire
— **di apertura** di a-pér-tou-ra heures
d'ouverture
— **ridotto** ri-dot-to à temps partiel
orchestra f or-kè-stra orchestre
ordinare or-di-na-ré commander
ordinario/a m/f or-di-na-ryo/a
ordinaire
ordine m or-di-né ordre
orecchini m pl o-rék-ki-ni boucles d'oreille
orecchio m o-rèk-kyo oreille • **orecchia** pl
o-rèk-kya oreilles
originale m/f o-ri-dji-na-lé original(e)
oro m o-ro or
orologio m o-ro-lo-djo montre • horloge
orrendo/a m/f or-rènn-do/a horrible
ospedale m o-spé-da-lé hôpital
ospitalità f o-spi-ta-li-ta hospitalité
ossigeno m os-si-djé-no oxygène
osso m os-so os
ostello m **della gioventù** o-stèl-lo dè-la
djo-vènn-tou auberge de jeunesse
osteria f o-sté-ri-a brasserie
ostrica f o-stri-ka huître
ottimo/a m/f ot-ti-mo/a excellent(e)
• magnifique
ovest m o-vést ouest

P

pacchetto m pak-kèt-to paquet • colis
• offre groupée
pace f pa-tché paix
padella f pa-dèl-la poêle
padre m pa-dré père
padrone/padrona m/f **di casa**
pa-dro-né/pa-dro-na di ka-za
propriétaire
paese m pa-é-zé pays • village
Paesi Bassi m pl pa-é-zi bas-si
Pays-Bas
pagamento m pa-ga-mènn-to paiement
pagare pa-ga-ré payer
pagina f pa-dji-na page
paio m pa-yo paire
palazzo m pa-la-tso palais
palcoscenico m pal-ko-ché-ni-ko scène
palestra f pa-lè-stra gymnase • salle de gym
palla f pal-la balle

pallacanestro f pal-la-ka-nè-stro
basket-ball
pallamuro f pal-la-mou-ro hand-ball
pallavolo f pal-la-vo-lo volley-ball
pallone m pal-lo-né ballon
pancetta f pann-tché-ta lard
pane m pa-né pain
— **di segala** di sè-ga-la de seigle
— **integrale** inn-té-gra-lé
pain complet
— **tostato** to-sta-to pain grillé
panetteria f pa-nét-té-ri-a boulangerie
panino m pa-ni-no sandwich
panna f pa-na crème
pannolino m pan-no-li-no
couche • serviette hygiénique
pantaloncini m pl pann-ta-lonn-tchi-ni
short
pantaloni m pl pann-ta-lo-ni pantalon
papà m pa-pa papa
parabrezza m pa-ra-brè-dza pare-brise
parcheggio m par-kè-djo parking
parco m par-ko parc
— **nazionale** na-tsyo-na-lé
parc national
— **giochi** djo-ki terrain de jeux
parlamentare m et f par-la-mènn-ta-ré
parlementaire
parlamento m par-la-mènn-to parlement
parlare par-la-ré parler
parola f pa-ro-la mot
parrucchiere m par-rou-kyè-ré salon de
coiffure
parrucchiere/a m/f par-rou-kyè-ré/a
coiffeur(euse)
parte f par-té partie • côté
partenza f par-tènn-tsa départ • **data di
partenza** da-ta di par-tènn-tsa date de
départ
partire par-ti-ré partir
partita f par-ti-ta jeu • match
partito m par-ti-to parti (politique)
Pasqua f pa-skwa Pâques
passaggio m pas-sa-djo passage • passe
(sport)
passaporto m pas-sa-por-to passeport
passatempo m pas-sa-tèmm-po passe-
temps
passato m pas-sa-to passé

passeggero/a m/f pas·sé·djè·ro/a *passager*

passeggiata f pas·sé·dja·ta *promenade*

passo m *pas·so col (montagne) • pas • passage (morceau)*

pasta f *pa·sta pâte • pâtes*

pasticceria f pa·sti·tché·ri·a *pâtisserie*

pasto m pa·sto *repas*
— **freddo** frè·do *repas froid*

patata f pa·ta·ta *pomme de terre*

paté m pa·té *pâté*

patente f **(di guida)** pa·tènn·té (di gwi·da) *permis de conduire*

pavimento m pa·vi·mènn·to *sol*

pazzo/a m/f pa·tso/a *fou/folle*

pecora f pè·ko·ra *mouton • brebis*

pedale m pé·da·lé *pédale*

pedone m/f pé·do·né *piéton*

pelle f pèl·lé *peau*

pellicola f pél·li·ko·la *pellicule*

pene m pé·né *pénis*

penicillina f pé·ni·tchil·li·na *pénicilline*

penna f **(a sfera)** pènn·na (a sfè·ra) *stylo (à bille)*

pensare pènn·sa·ré *penser*

pensionato/a m/f pènn·syo·na·to/a *retraité(e)*

pensione f pènn·syo·né *pension (maison) • retraite*

pentola f pènn·to·la *casserole*

pepe m pè·pé *poivre*

peperoncino m pé·pé·ronn·tchi·no *piment*

peperone m pé·pé·ro·né *poivron*

per pér *pour • pendant • par*
— **esempio** é·zèmm·pyo *par exemple*
— **sempre** sèmm·pré *pour toujours*

pera f pè·ra *poire*

percentuale f pér·tchènn·tou·a·lé *pourcentage*

perché pér·ké *pourquoi • parce que*

perdere pèr·dé·ré *perdre*

perdonare pér·do·na·ré *pardonner*

pericoloso/a m/f pé·ri·ko·lo·zo/a *dangereux(euse)*

permanente m/f pér·ma·nènn·té *permanent(e)*

permesso m pér·mès·so *permission • permis*

perso/a m/f pèr·so/a *perdu(e)*

persona f pér·so·na *personne*

personale m/f pér·so·na·lé *personel(le)*

pesante pé·zannn·té *lourd(e)*

pesca f pè·ska *pêche (fruit)*

pesca f pè·ska *pêche (activité)*

pesce m pè·ché *poisson • pesci* pl pè·chi

pescheria f pé·ské·ri·a *poissonnerie*

peso m pè·zo *poids*

petizione f pé·ti·tsyo·né *pétition*

pettine m pèt·ti·né *peigne*

petto m pèt·to *poitrine*

pezzo m pè·tso *pièce*
— **di antiquariato** di ann·ti·kwa·rya·to *objet ancien*
— **d'artigianato** dar·ti·dja·na·to *de fabrication artisanale*

piacere pya·tché·ré *plaire*

pianeta m pya·nè·ta *planète*

piano m pya·no *étage*

pianta f pyann·ta *plan • plante*

piatto m pyat·to *assiette*
— **fondo** fonn·do *assiette creuse*

piatto/a m/f pyat·to/a *plat(e)*

piazza f pya·tsa *place*

picchetto m pik·kè·to *piquet*

piccolo/a m/f pik·ko·lo/a *petit(e)*

piccone m pik·ko·né *pioche*

piccozza f pik·ko·tsa *piolet*

picnic m pik·nik *pique-nique*

pidocchi m pl pi·do·ki *poux*

piede m pyè·dé *pied*

pieno/a m/f pyè·no/a *plein(e)*

pietra f pyè·tra *pierre*

pignatta f pi·nyat·ta *marmite*

pigro/a m/f pi·gro/a *paresseux(euse)*

pila f pi·la *pile*

pillola f pil·lo·la *pilule*
— **anticoncezionale** ann·ti·konn·tché·tsyo·na·lé *pilule contraceptive*
— **del mattino dopo** dél ma·ti·no do·po *pilule du lendemain*

ping-pong m pinng·ponng *tennis de table*

pinzette f pl pinn·tsè·té *pince à épiler*

pioggia m pyo·dja *pluie*

piombo m pyomm·bo *plomb*

piscina f pi·chi·na *piscine*

pisello m pi·zè·lo *petit pois*

pista f *pi*-sta piste

pistacchio m pi-*sta*-kyo pistache • pistachier

pittore/pittrice m/f pit-to-ré/pit-*tri*-tchê peintre

pittura f pit-*tou*-ra peinture

più *pyou* plus

plastica f *pla*-sti-ka plastique

un po' ounn po (un) peu

poco/a m/f po-ko/a peu

poesia f po-é-*zi*-a poésie

politica f po-*li*-ti-ka politique

politico m po-*li*-ti-ko politicien

polizia f po-li-*tsi*-a police (nationale)

polline m *pol*-li-né pollen

pollo m *pol*-lo poulet

polmoni m pl pol-*mo*-ni poumons

polso m *pol*-so poignet • pouls

polvere f *pol*-vé-ré poussière

pomeriggio m po-mé-*ri*-djo après-midi

pomodoro m po-mo-*do*-ro tomate

pompa f pomm-*pa* pompe

pompelmo m pomm-*pèl*-mo pample-mousse

ponte m *ponn*-té pont

popolare po-po-*la*-ré populaire

porro m *por*-ro poireau

porta f *por*-ta porte

portacenere m por-ta-*tchè*-né-ré cendrier

portafoglio m por-ta-*fo*-lyo portefeuille

portare por-*ta*-ré porter • conduire

portatile por-*ta*-ti-lé portable

porto m *por*-to port

posate f pl po-*za*-té couverts

possibile pos-*si*-bi-lé possible

posta f *po*-sta courrier
— **elettronica** é-lét-*tro*-ni-ka courrier électronique
— **ordinaria** or-di-*na*-rya courrier ordinaire
— **prioritaria** pri-o-ri-*ta*-rya courrier prioritaire
— **raccomandata** f rak-ko-mann-*da*-ta recommandé

posteggio m **di tassì** po-*stè*-djo di ta-*si* station de taxis

posto m *po*-sto place
— **di polizia** di po-li-*tsi*-a commissariat

potabile po-*ta*-bi-lé potable

potere m po-*tè*-ré pouvoir

potere po-*tè*-ré pouvoir

povero/a m/f po-vé-ro/a pauvre

povertà f po-vér-*ta* pauvreté

pranzo m *prann*-dzo repas

praticare pra-ti-*ka*-ré faire (du sport)
— **il surf** il sourf faire du surf

prima colazione f *pri*-ma ko-la-*tsyo*-né petit-déjeuner

preferire pré-fé-*ri*-ré préférer

preferito/a m/f pré-fé-*ri*-to/a préféré(e)

pregare pré-*ga*-ré prier

preghiera f pré-*gyè*-ra prière

prendere *prènn*-dé-ré prendre
— **in affitto** inn af-*fi*-to louer
— **in prestito** inn *prè*-sti-to emprunter

prenotare pré-no-*ta*-ré réserver

prenotazione f pré-no-ta-*tsyo*-né réservation

preoccupato/a m/f pré-ok-kou-*pa*-to/a inquiet(ète)

preparare pré-pa-*ra*-ré préparer

preservativo m pré-zér-va-*ti*-vo préservatif

presidente m/f pré-zi-*dènn*-té président

pressione f prés-*syo*-né pression
— **del sangue** dél *sann*-gwé tension artérielle

presto m/f *prè*-sto bientôt • tôt • vite

prete m *prè*-té prêtre

prezioso/a m/f pré-*tsyo*-zo/a précieux(euse)

prezzemolo m pré-*tsè*-mo-lo persil

prezzo m *prè*-tso prix
— **d'ingresso** dinn-*grè*-so prix du billet

prigione f pri-*djo*-né prison

prigioniero/a m/f pri-djo-*nyè*-ro/a prisonnier(ère)

prima *pri*-ma avant
— **classe** f *kla*-sé première classe
— **colazione** f ko-la-*tsyo*-né petit-déjeuner

primavera f pri-ma-*vè*-ra printemps

primo ministro m/f *pri*-mo mi-*ni*-stro premier ministre

primo/a m/f *pri*-mo/a premier(ère)

principale prinn-tchi-*pa*-lé principal(e)

privato/a m/f pri-*va*-to/a privé(e)

problema m pro-*blè*-ma *problème*
— **cardiaco** kar-*di*-a-ko *problème cardiaque*
produrre pro-dou-ré *produire*
professore/professoressa m/f pro-fés-so-ré/pro-fés-so-*rès*-sa *professeur(e)*
profitto m pro-*fit*-to *profit*
profondo/a m/f pro-fonn-do/a *profond(e)*
profumo m pro-fou-mo *parfum*
programma m pro-*gram*-ma *programme*
proiettore m pro-yét-to-ré *projecteur*
promessa f pro-*mès*-sa *promesse*
pronto/a m/f pronn-to/a *prêt(e)*
pronto soccorso m pronn-to sok-*kor*-so *urgences*
proprietario/a m/f pro-pri-é-*ta*-ryo/a *propriétaire*
proroga f *pro*-ro-ga *prorogation • délai*
prosciutto (cotto) m pro-*chout*-to (*kot*-to) *jambon (cuit)*
prossimo/a m/f *pros*-si-mo/a *prochain(e)*
proteggere pro-tè-djé-ré *protéger*
protetto/a m/f pro-*tèt*-to/a *protégé(e)*
protestare pro-tè-*sta*-ré *protester*
provare pro-*va*-ré *essayer*
provviste f pl prov-*vi*-sté *réserves*
— **alimentari** a-li-mènn-*ta*-ri *provisions alimentaires*
prugna f *prou*-nya *prune*
prurito m prou-*ri*-to *démangeaison*
pub m poub *pub*
pugilato m pou-dji-*la*-to *boxe*
pulce f *poul*-tché *puce*
pulito/a m/f pou-*li*-to/a *propre*
pulizia f pou-li-*tsi*-a *nettoyage*
pullman m *poul*-mann *bus*
punteggio m pounn-*tè*-djo *score*
punto m *pounn*-to *point*
puntura f pounn-*tou*-ra *piqûre*
puro/a m/f *pou*-ro/a *pur(e)*

Q

quaderno m kwa-*dèr*-no *cahier*
quadro m *kwa*-dro *tableau*
qualcosa kwal-*ko*-za *quelque chose*
qualcuno/a m/f kwal-*kou*-no/a *quelqu'un*

qualità f kwa-li-*ta* *qualité*
quando *kwann*-do *quand*
quantità f kwann-ti-*ta* *quantité*
quanto/a m/f *kwann*-to/a *combien*
quarantena f kwa-rann-*tè*-na *quarantaine*
quaresima f kwa-*rè*-zi-ma *carême*
quartiere m kwar-*tyè*-ré *quartier*
quarto m *kwar*-to *quart*
questo/a m/f *kwè*-sto/a *ce(t)/cette*
questura f kwé-*stou*-ra *préfecture de police*
qui kwi *ici*
quota f *kwo*-ta *altitude*

R

racchetta f rak-*kèt*-ta *raquette*
raccogliere rak-ko-lyé-ré *ramasser*
raccomandare rak-ko-mann-*da*-ré *conseiller*
raccomandata f rak-ko-mann-*da*-ta *recommandé*
raccontare rak-konn-*ta*-ré *raconter*
racconto m ra-*konn*-to *récit*
radiatore m ra-dya-*to*-ré *radiateur*
rafano m *ra*-fa-no *raifort*
raffreddore m raf-fré-*do*-ré *rhume*
ragazza f ra-*ga*-tsa *fille • petite amie*
ragazzo m ra-*ga*-tso *garçon • petit ami*
ragione f ra-*djo*-né *raison*
ragno m *ra*-nyo *araignée*
rapido/a m/f *ra*-pi-do/a *rapide*
rapinare ra-pi-*na*-ré *braquer • voler*
rapporti m pl **protetti** rap-*por*-ti pro-*tèt*-ti *rapports protégés*
rapporto m ra-*por*-to *rapport*
raro/a m/f *ra*-ro/a *rare*
rasatura f ra-za-*tou*-ra *rasage*
rasoio (elettrico) m ra-*zo*-yo (é-*lè*-tri-ko) *rasoir (électrique)*
ravanello m ra-va-*nèl*-lo *radis*
razzismo m ra-*tsiz*-mo *racisme*
re m ré *roi*
realistico/a m/f ré-a-*li*-sti-ko/a *réaliste*
recente ré-*tchènn*-té *récent(e)*
recinzione f ré-tchinn-*tsyo*-né *clôture*
regalo m ré-*ga*-lo *cadeau*
— **di nozze** di *no*-tsé *cadeau de mariage*

reggiseno m ré-dji-sè-no *soutien-gorge*
regina f ré-dji-na *reine*
regione f ré-djo-né *région*
regista m et f ré-dji-sta *réalisateur(trice)*
registrazione f ré-dji-stra-tsyo-né *enregistrement*
regolare ré-go-la-ré *régulier(ère)*
regole f pl ré-go-lé *règles*
religione f ré-li-djo-né *religion*
religioso/a m/f ré-li-djo-zo/a *croyant(e)*
reliquia f ré-li-kwi-a *relique*
remoto/a m/f ré-mo-to/a *lointain(e)*
respirare ré-spi-ra-ré *respirer*
resto m rè-sto *monnaie*
rete f rè-té *réseau*
ricco/a m/f rik-ko/a *riche*
ricetta f ri-tchèt-ta *recette • ordonnance médicale*
ricevere ri-tchè-vé-ré *recevoir*
ricevuta f ri-tché-vou-ta *reçu*
richiedere ri-kyè-dé-ré *demander*
riciclabile ri-tchi-kla-bi-lé *recyclable*
riciclare ri-tchi-kla-ré *recycler*
ricordino m ri-kor-di-no *souvenir*
ridere ri-dè-ré *rire*
rifiutare ri-fyou-ta-ré *refuser*
rifugiato/a m/f ri-fou-djya-to/a *réfugié(e)*
rifiuti m pl ri-fyou-ti *ordures*
rilassarsi ri-la-sar-si *se détendre*
rimborso m rimm-bor-so *remboursement*
ringraziare rinn-gra-tsya-ré *remercier*
riparare ri-pa-ra-ré *réparer*
ripido/a m/f ri-pi-do/a *raide*
riposare ri-po-za-ré *se reposer*
riscaldamento m ri-skal-da-mènn-to *chauffage*
   — centrale tchènn-tra-lé *chauffage central*
rischio m ri-skyo *risque*
riscuotere un assegno ri-skwo-té-ré ounn a-sè-nyo *encaisser un chèque*
riso m ri-zo *riz*
   — integrale inn-té-gra-lé *riz intégral*
risposta f ri-spos-ta *réponse*
ristorante m ri-sto-rann-té *restaurant*
ritardo m ri-tar-do *retard*
ritiro m **bagagli** ri-ti-ro ba-ga-lyi *retrait des bagages*
ritmo m ri-tmo *rythme*

ritornare ri-tor-na-ré *retourner*
ritorno m ri-tor-no *retour*
rivista f ri-vi-sta *revue*
roba f ro-ba *choses • affaires*
roccia f ro-tcha *roche • escalade (sport)* **andare su roccia** ann-da-ré sou ro-tcha *faire de l'escalade*
romantico/a m/f ro-mann-ti-ko/a *romantique*
romanzo m ro-mann-dzo *roman*
rompere romm-pé-ré *casser*
rosa m/f ro-za *rose*
rossetto m ros-sè-to *rouge à lèvres*
rosso/a m/f ros-so/a *rouge*
rotonda f ro-tonn-da *rond-point*
rotondo/a m/f ro-tonn-do/a *rond(e)*
rotto/a m/f rot-to/a *cassé(e)*
roulotte f rou-lotte *caravane*
rovine f pl ro-vi-né *ruines*
rubare rou-ba-ré *voler*
rubato/a m/f rou-ba-to/a *volé(e)*
rubinetto m rou-bi-nèt-to *robinet*
rugby m roug-bi *rugby*
rullino m roul-li-no *pellicule photo*
rumoroso/a m/f rou-mo-ro-zo/a *bruyant(e)*
ruota f rwo-ta *roue*
ruscello m rou-chè-lo *ruisseau*

S

sabato m sa-ba-to *samedi*
sabbia f sab-bya *sable*
sacchetto m sak-kè-to *sachet*
sacco m sa-ko *sac*
   — a pelo a pè-lo *sac de couchage*
sala f sa-la *salle • salon*
   — di transito di trann-zi-to *salle de transit*
   — d'aspetto da-spè-to *salle d'attente*
salame m sa-la-mé *saucisson*
salario m sa-la-ryo *salaire*
saldo m sal-do *solde* • **saldi** pl sal-di *soldes*
sale m sa-lé *sel*
salire sa-li-ré *monter*
   — su su *monter dans (un avion, bateau)*
salmone m sal-mo-né *saumon*
salsa f sal-sa *sauce*
salsiccia f sal-si-tcha *saucisse*
saltare sal-ta-ré *sauter*
salumeria f sa-lou-mé-ri-a *charcuterie*

salute f sa·lou·té *santé* • **in buona salute** inn bwo·na sa·lou·té *en bonne santé*

salva slip m pl *sal·va* slip *serviette hygiénique*

san Silvestro m sann sil·vè·stro *Saint-Sylvestre*

sandali m pl sann·da·li *sandales*

sangue m sann·gwé *sang*

santo/a m/f sann·to/a *saint(e)*

santuario m sann·tou·a·ryo *sanctuaire*

sapere sa·pè·ré *savoir*

sapone m sa·po·né *savon*

sardina f sar·di·na *sardine*

sarto/a m/f sar·to/a *couturier(ère)*

sauna f sa·ou·na *sauna*

sbagliato/a m/f sba·lya·to/a *faux/fausse*

sbaglio m sba·lyo *erreur*

scacchi m pl skak·ki *échecs*

scala mobile ska·la mo·bi·lé *escalator*

scalare ska·la·ré *escalader*

scale f pl ska·lé *escalier*

scanner m skan·nér *scanner*

scarpe f pl skar·pé *chaussures*

scarpette f pl skar·pèt·té *chaussures de foot*

scarponi m pl skar·po·ni *chaussures (de marche, de ski)*

scatola f ska·to·la *boîte*

scatoletta f ska·to·lèt·ta *boîte*

scheda telefonica skè·da té·lé·fo·ni·ka *carte téléphonique*

scherma f skèr·ma *escrime*

scherzo m skèr·tso *plaisanterie*

schiena f skyè·na *dos*

sci m chi *ski*

  — **acquatico** a·kwa·ti·ko *ski nautique*

sciare chi·a·ré *skier*

sciarpa f char·pa *écharpe*

scienza f chènn·tsa *science*

sciopero m cho·pé·ro *grève*

sciovia f cho·vi·a *remonte-pente*

sciroppo m chi·rop·po *sirop*

  — **per la tosse** pér la tos·sé *sirop pour la toux*

scogliera f sko·lyè·ra *récifs*

scommessa f skom·mès·sa *pari*

scomodo/a m/f sko·mo·do/a *inconfortable*

sconosciuto/a m/f sko·no·shou·to/a *inconnu(e)*

sconto m skonn·to *ristourne*

scorie f pl sko·ryé *déchets*

  — **radioattive** ra·dyo·a·ti·vé *déchets nucléaires*

  — **tossiche** tos·si·ké *déchets toxiques*

scottatura f skot·ta·tu·ra *brûlure*

Scozia f sko·tsya *Écosse*

scrittore/scrittrice m/f skrit·to·ré/ skrit·tri·tché *écrivain(e)*

scrivere skri·vé·ré *écrire*

scultura f skoul·tou·ra *sculpture*

scuola f skwo·la *école*

  — **superiore** sou·pé·ryo·ré *lycée*

scuro/a m/f skou·ro/a *sombre*

se sé *si*

seccato/a m/f sék·ka·to/a *irrité(e)* • *énervé(e)*

secchio m sèk·kyo *seau*

secco/a m/f sèk·ko/a *sec/sèche*

seconda classe f sé·konn·da kla·sé *deuxième classe* • *seconde*

(di) seconda mano m/f di sé·konn·da ma·no *d'occasion*

secondo m sé·konn·do *seconde*

secondo/a m/f sé·konn·do/a *second(e)*

sedere sé·dè·ré *s'asseoir*

sedia f sè·dya *chaise*

  — **a rotelle** a ro·tèl·lé *fauteuil roulant*

sedile m sé·di·lé *siège*

seggiolino m sé·djo·li·no *siège enfant*

seggiovia f sé·djo·vi·a *télésiège*

segnale m sé·nya·lé *signal*

  — **acustico** a·kou·sti·ko *tonalité*

segnare sé·nya·ré *marquer* • *noter*

segno m sé·nyo *signe*

segretario/a m/f sé·gré·ta·ryo/a *secrétaire*

seguire sé·gwi·ré *suivre*

sella f sèl·la *selle*

semaforo m sé·ma·fo·ro *feu (tricolore)*

semplice m/f sèmm·pli·tché *simple*

sempre sèmm·pré *toujours*

senape f sè·na·pé *moutarde*

seno m sè·no *sein*

sensuale m/f sènn·sou·a·lé *sensuel(le)*

sentiero m sènn·tyè·ro *sentier*

  — **di montagna** di monn·ta·nya *sentier de montagne*

sentimento m pl sènn·ti·mènn·to *sentiment*

sentire sènn·ti·ré *sentir* • *entendre*

senza *sènn*·tsa *sans*
— **piombo** *pyomm*·bo *sans plomb*
senzatetto m et f *sènn*·tsa-*tèt*·to *sans-abri*
· *sans domicile fixe*
separato/a m/f sé-pa-*ra*·to/a *séparé(e)*
sera f *sè*·ra *soir*
serie f (televisiva) *sè*·ryé (té-lé-*vi*-si-va)
série (télévisée)
serio/a m/f *sè*·ryo/a *sérieux(euse)*
serpente m sér-*pènn*·té *serpent*
serratura f sé-ra-*tou*·ra *serrure*
servizi m pl igienici sér-*vi*·tsi i-*djè*·ni·tchi
toilettes
servizio m sér-*vi*·tsyo *service*
— **militare** mi-li-*ta*·ré *service militaire*
sessismo m *sés*·siz·mo *sexisme*
sesso m *sès*·so *sexe*
seta f *sè*·ta *soie*
sete f *sè*·te *soif*
settimana f sét-ti-*ma*·na *semaine*
— **santa** *sann*·ta *semaine de Pâques*
sfogo m *sfo*·go *rougeurs*
— **da pannolino** da pan-no-*li*·no
érythème fessier
sfruttamento m sfrout-ta-*mènn*·to
exploitation
shampoo m *chamm*·pou *shampooing*
sì si *oui*
sicuro/a m/f si-*kou*·ro/a *sûr(e)*
sidro m *si*·dro *cidre*
sieropositivo/a m/f syé-ro-po-zi-*ti*·vo/a
séropositif(ive)
sigaretta f si-ga-*rèt*·ta *cigarette* · **con filtro**
konn *fil*·tro *avec filtre*
sigaro m *si*·ga·ro *cigare*
simile m/f *si*·mi·lé *semblable*
simpatico/a m/f simm-*pa*·ti-ko/a
sympathique
sinagoga f si-na-*go*·ga *synagogue*
sindaco m *sinn*·da·ko *maire*
sinistra f si-*ni*·stra *gauche*
sintetico/a m/f sinn-*tè*·ti-ko/a
synthétique
siringa f si-*rinn*·ga *seringue*
slitta f *slit*·ta *traîneau* · *luge*
soccorso m sok-*kor*·so *secours* · *aide*
socialista m et f so-tcha-*li*·sta *socialiste*
socio/a m/f *so*·tcho/a *membre*

soffice e/f sof-*fi*·tché *doux/douce*
· *moelleux(euse)*
sognare so-*nya*·ré *rêver*
sogno m *so*·nyo *rêve*
soldato m sol-*da*·to *soldat*
soldi m pl *sol*·di *argent*
sole m *so*·lé *soleil*
soleggiato/a m/f so-lé-*dja*·to/a
ensoleillé(e)
solo *so*·lo *seulement*
— **andata** f ann-*da*·ta *aller simple*
sonnifero m son-*ni*·fé·ro *somnifère*
sonno m *son*·no *sommeil* · **avere sonno**
a-*vé*·ré *son*·no *avoir sommeil*
sopra *so*·pra *sur* · *dessus*
soprannome m so-pran-*no*·mé *surnom*
sordo/a m/f *sor*·do/a *sourd(e)*
sorella f so-*rèl*·la *sœur*
sorpresa f sor-*prè*·za *surprise*
sorridere so-*ri*·dé·ré *sourire*
sostenitore/sostenitrice m/f
so-sté-ni-*to*·ré/so-sté-ni-*tri*·tché
partisan(e) · *fan*
sotto *sot*·to *sous*
sott'aceti m pl sot-*to*-a-*tchè*·ti *légumes
marinés*
sottotitolo m sot-to-*ti*·to-lo *sous-titre*
spacciatore/spacciatrice m/f
spa-tcha-*to*·ré/spa-tcha-*tri*·tché
dealer
Spagna f *spa*·nya *Espagne*
spago m *spa*·go *ficelle*
spalla f *spal*·la *épaule*
spazio m *spa*·tsyo *espace*
spazzatura f spa-tsa-*tou*·ra *ordures*
spazzolino m **da denti**
spa-tso-*li*·no da *dènn*·ti *brosse à dents*
specchio m *spè*·kyo *miroir*
speciale spé-*tcha*·lé *spécial(e)*
specialista m et f spé-tcha-*li*·sta
spécialiste
specie f *spè*·tché *espèce*
— **in via di estinzione** inn *vi*·a di
é-stinn-*tsyo*·né *espèce en voie de
disparition*
— **protetta** pro-*tèt*·ta *espèce protégée*
spermicida f spér-mi-*tchi*·da
spermicide
spesso *spès*·so *souvent*

spesso/a m/f *spès·so/a épais(se)*

spettacolo m *spét·ta·ko·lo spectacle • séance*

spiaggia f *spya·dja plage*

spiccioli m pl *spi·tcho·li monnaie de ce qui a été payé*

spina f *spi·na prise*
　— multipla *moul·ti·pla prise multiple*

spinaci m pl *spi·na·tchi épinards*

spingere *spinn·djé·ré pousser*

spirale f *spi·ra·lé spirale*

spogliatoio m *spo·lya·to·yo vestiaire*

sporco/a m/f *spor·ko/a sale*

sport m *sport sport*

sportivo/a m/f *spor·ti·vo/a sportif(ive)*

sposalizio m *spo·za·li·tsyo mariage*

sposare *spo·za·ré épouser*

sposato/a m/f *spo·za·to/a marié(e)*

spremuta f *spré·mou·ta jus de fruit*
　— d'arancia *da·rann·tcha jus d'orange (frais)*

spuntino m *spounn·ti·no en-cas*

squadra f *skwa·dra équipe*

stadio m *sta·dyo stade*

stagione f *sta·djo·né saison*

stampante f *stamm·pann·té imprimante*

stanco/a m/f *stann·ko/a fatigué(e)*

stanza f *stann·tsa chambre*

stasera *sta·sè·ra se soir*

Stati Uniti d'America m pl *sta·ti ou·ni·ti da·mè·ri·ka États-Unis d'Amérique*

stato in civile *sta·to tchi·vi·lé état civil*

statua f *sta·tou·a statue*

stazione f *sta·tsyo·né station*
　— d'autobus *da·ou·to·bous gare routière*
　— della metropolitana *dèl·la mé·tro·po·li·ta·na station de métro*
　— di servizio *di sér·vi·tsyo station-service*
　— ferroviaria *fér·ro·vya·rya gare ferroviaire*

stella f *stèl·la étoile*

stendersi *stènn·dér·si s'allonger*

sterlina f *stér·li·na livre sterling*

stesso/a m/f *stès·so/a même*

stile m *sti·lé style*

stipendio m *sti·pènn·dyo salaire*

stitichezza f *sti·ti·kè·tsa constipation*

stivale m *sti·va·le botte*

stoffa f *stof·fa étoffe*

stomaco m *sto·ma·ko estomac*

stordito/a m/f *stor·di·to/a étourdi(e)*

storia f *sto·rya histoire*

storico/a m/f *sto·ri·ko/a historique*

storta f *stor·ta entorse*

strada f *stra·da route • chemin • rue*

straniero/a m/f *stra·nyè·ro/a étranger(ère)*

strano/a m/f *stra·no/a étrange*

strato d'ozono *stra·to do·dzo·no couche d'ozono*

stretto/a m/f *strèt·to/a étroit(e)*

studente/studentessa m/f *stou·dènn·te/ stou·dènn·tès·sa étudiant(e)*

stufa f *stou·fa poêle*
　— a gas *a gaz poêle à gaz*

stupido/a m/f *stou·pi·do/a stupide*

stupro m *stou·pro viol*

stuzzicadenti m *stou·tsi·ka·dènn·té cure-dent*

su *sou sur • allez !*

succo m *souk·ko jus*
　— d'arancia *da·rann·tcha jus d'orange (en bouteille)*
　— di frutta *di frout·ta jus de fruit*

sud m *soud sud*

sugo m *sou·go sauce*

suocera f *swo·tché·ra belle-mère*

suocero m *swo·tché·ro beau-père*

suonare (la chitarra) *swo·na·ré (la ki·tar·ra) jouer (de la guitare)*

suora f *swo·ra sœur*

supermercato m *sou·pér·mér·ka·to supermarché*

superstizione f *sou·pér·sti·tsyo·né superstition*

surf m *da neve sourf da nè·vé surf des neiges*

surgelati m pl *sour·djé·la·ti surgelés*

sussidio m *di disoccupazione sous·si·dyo di di·zok·kou·pa·tsyo·né allocations chômage*

sveglia f *svè·lya réveil*

svegliarsi *své·lyar·si se réveiller*

Svizzera f *svi·tsé·ra Suisse*

T

tabaccheria f ta-bak-ké-ri-a *tabac (magasin)*

tabacco m ta-*bak*-ko *tabac (produit)*

tabellone m segnapunti ta-bél-*lo*-né sé-nya-*poun*-ti *panneau d'affichage*

tacchino m tak-*ki*-no *dinde*

tachimetro m ta-*ki*-mé-tro *compteur de vitesse • tachymètre*

taglia f ta-lya *taille*

tagliare ta-*lya*-ré *couper*

tagliaunghie m ta-lya-*oun*-guyé *coupe-ongles*

taglio m di capelli ta-lyo di ka-*pèl*-li *coupe de cheveux*

tamponi m pl tamm-*po*-ni *tampons*

tappa f *tap*-pa *étape • arrêt*

tappeto m tap-*pè*-to *tapis*

tappi m per le orecchie tap-pi pér lé o-*rèk*-kyé *bouchons d'oreille*

tappo m *tap*-po *bouchon*

tardi *tar*-di *tard*

targa f *tar*-ga *plaque d'immatriculation*

tariffa f postale ta-*rif*-fa po-*sta*-lé *frais d'envoi*

tasca f ta-ska *poche*

tassa f *tas*-sa *taxe*

tassì m tas-*sì* *taxi*

tasso m di cambio tas-so di *kamm*-byo *taux de change*

tastiera f ta-*styè*-ra *clavier*

tavola f ta-vo-la *table*

— **da surf** da sourf *planche de surf*

tazza f ta-*tsa* *tasse*

tè m tè *thé*

teatro m té-*a*-tro *théâtre*

— **dell'opera** dél-lo-pé-ra *opéra (bâtiment)*

telecomando m té-lé-ko-*mann*-do *télécommande*

telefonare té-lé-fo-*na*-ré *téléphoner*

telefonata f té-lé-fo-*na*-ta *coup de fil*

telefono m té-*lé*-fo-no *téléphone*

— **cellulare** tchél-lou-*la*-ré *portable*

— **diretto** di-*rèt*-to *ligne téléphonique directe*

— **pubblico** poub-bli-ko *téléphone public*

telegramma m té-lé-*gram*-ma *télégramme*

telenovela f té-lé-no-vè-la *série télévisée*

teleobiettivo m té-lé-o-byét-*ti*-vo *téléobjectif*

telescopio m té-lé-*sko*-pyo *télescope*

televisione f té-lé-vi-zyo-né *télévision*

temperatura f tèmm-pé-ra-*tou*-ra *température*

temperino m tèmm-pé-*ri*-no *taille-crayon*

tempio m *tèmm*-pyo *temple*

tempo m *tèmm*-po *temps*

— **pieno** pyè-no *plein temps*

temporale m tèmm-po-ra-lé *orage*

tenda f tènn-da *tente*

tensione f premestruale tènn-syo-né pré-mé-*strou*-a-lé *douleurs prémenstruelles*

terra f tèr-ra *terre*

terremoto m tér-ré-*mo*-to *tremblement de terre*

terribile m/f tér-*ri*-bi-lé *terrible*

terzo/a m/f tèr-tso-a *troisième*

tessera f *tès*-sé-ra *carte*

test m di gravidanza tést di gra-vi-*dann*-tsa *test de grossesse*

testa f *tè*-sta *tête*

tiepido/a m/f tyè-pi-do/a *tiède*

tifoso/a m/f ti-*fo*-zo/a *supporteur(trice) •* **fare il tifo** fa-ré il *ti*-fo *supporter*

timido/a m/f *ti*-mi-do/a *timide*

tipico/a m/f *ti*-pi-ko/a *typique*

tipo m *ti*-po *type*

tirare ti-ra-ré *pousser*

titolo m *ti*-to-lo *titre*

titoli m pl di studio *ti*-to-li di *stou*-dyo *diplômes*

toccare tok-*ka*-ré *toucher*

tofu m to-fou *tofu*

tomba f tomm-ba *tombe*

tonno m ton-no *thon*

topo m to-po *souris • rat*

torcia f elettrica tor-tcha é-*lèt*-tri-ka *torche électrique*

torre f tor-ré *tour*

torta f *tor*-ta *gâteau • tourte*

tossico/a m/f tos-si-ko/a *toxique*

tossicodipendenza f tos-si-ko-di-pènn-*dènn*-tsa *toxicomanie*

tossire tos-*si*-ré *tousser*

tostapane m to-sta-*pa*-né *grille-pain*
tovaglia f to-*va*-lya *nappe*
tovagliolo m to-va-*lyo*-lo *serviette de table*
tradurre tra-*dour*-ré *traduire*
traffico m *traf*-fi-ko *trafic*
traghetto m tra-*guèt*-to *bac*
tram m tram *tram*
tramezzino m tra-mé-*dzi*-no *sandwich*
tramonto m tra-*monn*-to *coucher du soleil*
tranquillo/a m/f trann-*kwil*-lo/a *tranquille*
trasporto m tra-*spor*-to *transport*
travestito m tra-vé-*sti*-to *travesti*
treno m *trè*-no *train*
triste *tri*-sté *triste*
troppo (caro/a) *trop*-po ka-*ro*/a
    trop (cher/chère)
troppo/a m/f *trop*-po/a *trop de • trop*
trovare tro-*va*-ré *trouver*
trucco m *trouk*-ko *maquillage*
tu tou *tu*
tubo m di scappamento *tou*-bo di
    skap-pa-*mènn*-to *tube d'échappement*
tuffi m pl *touf*-fi *plongeons*
turista m et f too-*ri*-sta *touriste*
tutti/e m/f *tout*-ti/é *tous/toutes*
tutto m *tout*-to *tout*
tutto/a m/f *tout*-to/a *tout(e)*
TV f ti-*vou* *TV*

U

ubriaco/a m/f ou-bri-*a*-ko/a *ivre*
uccello m ou-*tchèl*-lo *oiseau*
ufficio m ouf-*fi*-tcho *bureau*
    — del turismo dél tou-*riz*-mo
    office du tourisme
    — oggetti smarriti o-*djèt*-ti smar-*ri*-ti
    bureau des objets perdus
    — postale po-*sta*-lé *bureau de poste*
ultimo/a m/f *oul*-ti-mo/a *dernier(ère)*
un po' ounn po *un (petit) peu*
una volta f ou-na *vol*-ta *autrefois*
università f ou-ni-vèr-si-*ta* *université*
universo m ou-ni-*vèr*-so *univers*
uomo m *wo*-mo *homme*
    — d'affari daf-*fa*-ri *homme d'affaires*
uovo m *wo*-vo *œuf*
urgente m/f our-*djènn*-té *urgent*

urlare our-*la*-ré *hurler*
usare ou-*za*-ré *utiliser*
usa e getta ou-za é *djét*-ta *jetable*
uscire con ou-*chi*-ré konn *sortir avec*
uscita f ou-*chi*-ta *sortie*
utile *ou*-ti-lé *utile*
uva f pl *ou*-va *raisin*
    — passa *pa*-sa *raisins secs*

V

vacanza f va-*kann*-tsa *vacance*
vacanze f pl va-*kann*-tsé *vacances*
vaccinazione f va-tchi-na-*tsyo*-né
    vaccination
vagina f va-*dji*-na *vagin*
vagone m va-*go*-né *wagon*
    — letto *lèt*-to *wagon-lit*
valigetta f va-li-*djèt*-ta *kit*
    — del pronto soccorso dél *pronn*-to
    so-*kor*-so *kit d'urgence*
valigia f va-*li*-dja *valise*
valle f *val*-lé *vallée*
valore m va-*lo*-ré *valeur*
vanga f *vann*-ga *bêche*
vecchio/a m/f *vè*-kyo/a *vieux/vieille*
vedere vé-*dé*-ré *voir*
vedovo/a m/f vé-*do*-vo/a *veuf/veuve*
veduta f vé-*dou*-ta *panorama • vue*
vegetariano/a m/f vé-djé-ta-*rya*-no/a
    végétarien(ne)
velenoso/a m/f vé-lé-*no*-zo/a
    vénéneux(euse)
veloce vé-*lo*-tché *rapide*
velocità f vé-lo-tchi-*ta* *rapidité*
vendere *vènn*-dé-ré *vendre*
vendita f *vènn*-di-ta *vente*
venire vé-*ni*-ré *venir*
ventilatore m vènn-ti-la-*to*-ré
    ventilateur
vento m *vènn*-to *vent*
verde *vèr*-dé *vert(e)*
verdura f vér-*dou*-ra *légumes (verts)*
vero/a m/f *vè*-ro/a *vrai(e)*
vescica f vé-*chi*-ka *ampoule • cloque*
vetro m *vé*-tro *verre • vitre*
via f *vi*-a *via*
    — aerea a-è-*ré*-a *par avion*

viaggiare vya-*dja*-ré *voyager*
viaggio m *vya*-djo *voyage*
  — **d'affari** daf-*fa*-ri *voyage d'affaires*
viale m *vya*-lé *avenue*
vicino/a m/f vi-*tchi*-no/a *proche*
vicino (a) vi-*tchi*-no (a) *près (de)*
vicolo m *vi*-ko-lo *ruelle*
videocamera f vi-dé-o-*ka*-mé-ra
  caméra vidéo
videonastro m vi-dé-o-*na*-stro
  cassette vidéo
videoregistratore m
  vi-dé-o-ré-dji-stra-*to*-ré
  magnétoscope
vigna f *vi*-nya *vigne*
vigneto m vi-*nyè*-to *vignoble*
villaggio m vil-*la*-djo *village*
vincere vinn-*tché*-ré *vaincre*
vincitore/vincitrice m/f vinn-tchi-*to*-ré/
  vinn-tchi-*tri*-tché *gagnant(e)*
vino m *vi*-no *vin*
  — **bianco** *byann*-ko *vin blanc*
  — **rosso** *ros*-so *vin rouge*
  — **spumante** spou-*mann*-té *vin*
  mousseux
viola *vyo*-la *violet*
virus m *vi*-rous *virus*
visita f *vi*-zi-ta *visite (à un ami/médicale)*
  — **guidata** gwi-*da*-ta *visite guidée*
vista f *vi*-sta *vue*
visto m *vi*-sto *visa*
vita f *vi*-ta *vie*

vitamine f pl vi-ta-*mi*-né *vitamines*
vitello m vi-*tèl*-lo *veau*
vitto m *vit*-to *nourriture*
vivere *vi*-vé-ré *vivre*
vocabolarietto m vo-ka-bo-la-*ryèt*-to
  mini-dictionnaire
vocabolario m vo-ka-bo-*la*-ryo *dictionnaire*
voce f *vo*-tché *voix*
volare vo-*la*-ré *voler*
volere vo-*lè*-ré *vouloir*
volo m *vo*-lo *vol*
volta f *vol*-ta *fois* · *voûte* · *tour* · **due volte**
  dou-é vol-té *deux fois*
volume m vo-*lou*-mé *volume*
vomitare vo-mi-*ta*-ré *vomir*
votare vo-*ta*-ré *voter*
vuoto/a m/f *vwo*-to/a *vide*

yogurt m yo-*gourt* *yaourt*

zaino m *dza*-i-no *sac à dos*
zanzara f dzann-*dza*-ra *moustique*
zenzero m *dzènn*-dzé-ro *gingembre*
zia f *tsi*-a *tante*
zoom m dzoumm *zoom*
zucca f *tsouk*-ka *potiron*
zucchero m *tsouk*-ké-ro *sucre*
zucchini m pl tsouk-*ki*-ni *courgettes*

INDEX

Croate

Allemand

Russe

Espagnol
latino-américain

Grec

Pour voyager
en V.O.

Italien

Japonais

Mandarin

CATALOGUE LONELY PLANET EN FRANÇAIS

Guides de voyage

Afrique de l'Ouest
Afrique du Sud,
  Lesotho et Swaziland
Algérie
Andalousie
Argentine
Asie centrale
Australie
Bali et Lombok
Bolivie
Brésil
Budapest et Hongrie
Bulgarie
Cambodge
Canaries *(mars 2008)*
Chili et îles de Pâques
Chine
Corée
Corse
Costa Rica
Crète *(mars 2008)*
Croatie
Cuba
Écosse
Égypte
Équateur
Espagne, Nord et Centre
Estonie, Lettonie,
  et Lituanie
Grèce continentale
Guadeloupe et Dominique
Guatemala
Îles grecques et Athènes
Inde du Nord
Inde du Sud
Iran
Irlande
Israël et les Territoires
  palestiniens *(mars 2008)*
Italie
Japon
Jordanie
Kenya
Laos

Libye
Madagascar
Malaisie, Singapour et
  Brunei
Maldives
Maroc
Martinique, Dominique et
  Sainte-Lucie
Mexique
Myanmar (Birmanie)
Népal
Norvège, Suède,
  Danemark, Finlande
  et Îles Féroé
Nouvelle-Calédonie
Ouest américain
Pérou
Portugal
Québec
République tchèque et
  Slovaquie
Réunion, Maurice et
  Rodrigues
Roumanie et Moldavie
Russie et Biélorussie
Sardaigne
Sénégal et Gambie
Sicile
Sri Lanka
Tahiti et la Polynésie
  française
Thaïlande
Toscane et Ombrie
Transsibérien
Tunisie
Turquie
Ukraine
Vietnam

Guides de villes

Barcelone
Berlin
Londres
Marrakech Essaouira
  Haut Atlas
Marseille et les calanques
Naples et la côte amalfitaine

New York
Rome
Venise

En quelques jours

Barcelone *(mars 2008)*
İstanbul *(mars 2008)*
Londres *(mars 2008)*
Madrid *(mars 2008)*
Marrakech *(mars 2008)*
New York *(mars 2008)*
Paris *(mars 2008)*
Prague *(mars 2008)*

Guides de conversation

Allemand
Anglais
Arabe marocain
Croate
Espagnol
Espagnol latino-américain
Grec
Hindi, ourdou et bengali
Italien
Japonais
Mandarin
Polonais
Portugais et brésilien
Russe
Turc
Vietnamien

Petite conversation
en

Allemand *(mars 2008)*
Anglais
Espagnol
Italien

Petite conversation
audio

Anglais *(février 2008)*
Espagnol *(février 2008)*
Italien *(février 2008)*